海外漢文古醫籍精選叢書·第二輯

2011—2020年國家古籍整理出版規劃項目

中國中醫科學院「十三五」第一批重點領域科研項目

——我國與「一帶一路」九國醫藥交流史研究（ZZ10–011–1）

蕭永芝◎主編

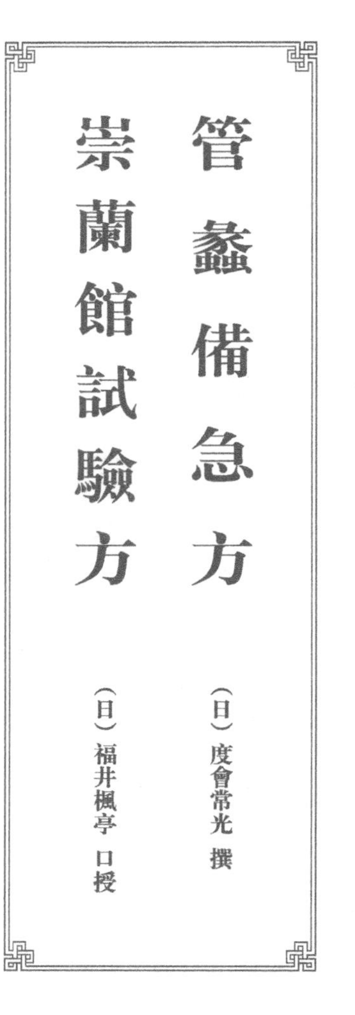

管蠡備急方

（日）度會常光 撰

崇蘭館試驗方

（日）福井楓亭 口授

北京科學技術出版社

圖書在版編目（CIP）數據

海外漢文古醫籍精選叢書·第二輯·管蠡備急方　崇蘭館試驗方/蕭永芝主編．—北京：北京科學技術出版社，2018.1

ISBN 978－7－5304－9218－5

Ⅰ．①海…　Ⅱ．①蕭…　Ⅲ．①方書—彙編—日本—室町時代②驗方—彙編—日本—江户時代　Ⅳ．①R289.2

中國版本圖書館 CIP 數據核字（2017）第207200號

海外漢文古醫籍精選叢書·第二輯·管蠡備急方　崇蘭館試驗方

主　　編：蕭永芝
責任編輯：張　潔　周　珊
責任印製：李　茗
出 版 人：曾慶宇
出版發行：北京科學技術出版社
社　　址：北京西直門南大街16號
郵政編碼：100035
電話傳真：0086－10－66135495（總編室）
0086－10－66113227（發行部）　0086－10－66161952（發行部傳真）
電子信箱：bjkj@bjkjpress.com
網　　址：www.bkydw.cn
經　　銷：新華書店
印　　刷：虎彩印藝股份有限公司
開　　本：787mm×1092mm　1/16
字　　數：450千字
印　　張：37
版　　次：2018年1月第1版
印　　次：2018年1月第1次印刷
ISBN 978－7－5304－9218－5/R·2379

定　　價：**950.00元**

《海外漢文古醫籍精選叢書·第二輯》編纂委員會

主　編　蕭永芝

副主編　何慧玲　韓素傑

編　委　孫清偉　侯如艷　杜鳳娟　管琳玉　曲　璐

前　言

二十多年前，本研究團隊成員蕭永芝剛剛考入中國中醫研究院（現爲中國中醫科學院）攻讀博士學位，師從著名中醫文獻學家馬繼興先生。那時，馬老師經常對弟子們説：「中國的醫書要回歸，海外的醫書要引進。」馬老師的前一個願望，得到日本學者真柳誠先生鼎力支持，后来在鄭金生先生帶領的團隊的努力下，流散海外的重要中國古醫籍得以收集回歸，并通過《海外中醫珍善本古籍叢刊》等幾套叢書公開出版；馬老師關於引進海外古醫籍的願望，則成爲本研究團隊二十多年來不懈努力的方向。

從二〇〇七年開始，中國中醫科學院中國醫史文獻研究所多次立項支持開展對海外古醫籍的研究。二〇一一—二〇二〇年國家古籍整理出版規劃項目，并獲得該年度國家古籍整理出版專項經費資助。二〇一七年初，在北京科學技術出版社的支持下，《海外漢文古醫籍精選叢書》被列入二〇一六年，《海外漢文古醫籍精選叢書·第一輯》面世，收録影印了二十六種海外醫家用漢文撰寫的古醫籍。回想當年，馬老師正當年富力强，雄心勃勃，胸懷衆多願景，還希望做更多的研究；如今，他已年逾九旬，弟子終於戰戰兢兢捧上一份答卷……

二〇一七年，中國中醫科學院將「我國與『一带一路』九國醫藥交流史研究」列入本院「十三五」第一批重點領域科研項目。在前期工作的基礎上，本團隊再次遴選出二十種海外漢文古醫籍，以影印形式出版《海外漢文古醫籍精選叢書・第二輯》。

本次所精選的圖書含日本醫籍十三種、越南醫籍五種、韓國醫籍二種，内容涉及醫經、醫論、本草、醫方、針灸、兒科、臨床綜合及醫學全書。我们根據實際情况分别爲二十種著作撰寫了三千到萬餘字不等的内容提要，每篇提要從作者與成書、主要内容、特色與價值、版本情况四個方面展開論述。

本次所收醫籍的主要資訊，依次爲書名、卷（編）數、分類、撰著者、成書年代和所用底本，具體如下。

《難經捷徑》，二卷，醫經，（日）曲直瀨玄由撰，寬永十四年（一六三七）以活字本初刊，同年古活字本。

《海上大成懶翁集成先天》，一卷，醫論，（越）黎有卓撰，撰年不詳，鈔本。

《櫟蔭先生遺説》，二卷，醫論，（日）多紀元簡遺作，多紀元堅輯録，撰年不詳，慶應三年（一八六七）森約之鈔本。

《寸楮集》，不分卷，醫論，（日）曲直瀨道三撰，曲直瀨正琳注，撰年不詳，鈔本。

《用藥心法》，一卷，本草，（日）曲直瀨道三傳，津島道救選輯，慶長十二年（一六〇八）成書，鈔本。

《本草綱目鈎衡》，四卷，本草，（日）向井元秀撰，撰年不詳，寬政九年（一七九七）鈔本。

《傷寒論金匱要略藥性辨》，三編（存中、下二編），本草，（日）大江學撰，明和三年（一七六六）成書，次年刻本。

《古方藥議》，五卷，本草，（日）淺田宗伯撰，文久元年（一八六一）成書，文久三年（一八六三）鈔本。

《秘傳藥性記》，不分卷，本草，（日）味岡三伯撰，元禄元年（一六八八）初刊，同年刻本。

《管蠡備急方》，三卷，醫方，（日）度會常光撰，天文三年（一五三四）成書，鈔本。

《崇蘭館試驗方》，不分卷，醫方，（日）福井楓亭口授，撰年不詳，鈔本。

《古方藥説》，二卷，本草，（日）宇治田泰亮撰，寬政七年（一七九六）刊，同年刻本。

《家傳醫方》，不分卷，醫方，（越）撰者佚名，明命三年（一八二二）成書，同年鈔本。

《醫方軌範》，存卷下，醫方，（日）今大路玄淵傳，撰年不詳，鈔本。

《辨證配劑醫燈》，三卷，臨證綜合，（日）曲直瀨道三撰，元龜二年（一五七一）成書，鈔本。

《雜病提綱》，不分卷，臨證綜合，（朝）撰者佚名，撰年不詳，鈔本。

《穴處治法》，不分卷，針灸，（朝）撰者佚名，撰年不詳，鈔本。

《針灸法總要》，不分卷，針灸，（越）撰者佚名，明命八年（一八二七）成書，嗣德三十三年（一八八〇）鈔本。

《家傳活嬰秘書》，不分卷，兒科，（越）撰者佚名，撰年不詳，成泰二年（一八九〇）鈔本。

《新鐫海上懶翁醫宗心領全帙》，六十六卷（存五十五卷），醫學全書，（越）黎有卓撰，景興三十一年（一七七〇）成書，嗣德三十二年（一八七九）至咸宜元年（一八八五）間刻本。

上述海外古醫籍，絶大多數用漢文撰著，僅有個别醫書雜有少量日文或喃文。以上書籍中明確標明完成時間或可大致推測出撰寫時段的醫書，多成書於十六至十九世紀，大致相當於中國明清時期，其中不乏學術價值較高的名家名著。以「越南醫聖」黎有卓與日本醫學中興之祖曲直瀨道三爲例介紹如下。

黎有卓，自號海上懶翁，是越南歷史上最負盛名、影響最大的醫家，被後世尊爲「越南醫聖」。他在汲取中國醫學精髓的基礎上，結合越南本土醫療實踐，撰成六十六卷規模的鴻篇巨著《海上懶翁醫宗心領》。該書是越南傳統醫學歷史上第一部内容系統完備的綜合性醫學全書，標志着越南傳統醫學的本土化基本完成，在該國醫學史上具有里程碑式的意義。二〇〇三年，真柳誠先生首次在日本向蕭永芝推薦《海上懶翁醫宗心領》一書；二〇〇四年，蕭永芝回國後隨即向馬繼興先生報告此事，馬老師師徒幾人當即前往中國國家圖書館考察該書；此後，本團隊在研究過程中發現，中國醫史文獻研究所已故老專家趙璞珊先生曾在二十世紀八十年代就撰文介紹過該書；二〇〇八年，真柳誠先生再次建議出版該書。中外幾代學者對《海上懶翁醫宗心領》的重視，也從一個角度説明了該書的價值和重要性。因此，在《海外漢文古醫籍精選叢書・第一輯》中，本團隊先期影印了黎有卓《海上懶翁醫宗心領》早期流傳的四册鈔本，冠以《懶翁醫書》之名出版；本次則將刻本《新鐫海上懶翁醫宗心領全帙》現存的五十五卷全部影印出版，希望能够反映出越南傳統醫學的精華及其學術淵源。此外，本叢書收録的鈔本《海上大成懶翁集成先天》，亦爲黎有卓醫書早期的手稿或傳抄之本。

曲直瀨道三（正盛），日本中世紀末期著名醫家、醫學教育家，對日本醫學産生過深遠的影響，被譽爲日本醫學中興之祖。道三早年師從曾入明學醫的名家田代三喜，受其師影響創立了日本漢方醫界的後世方派。爲改變當時日本醫者單純依賴《太平惠民和劑局方》診病處方的被動局面，道三提出「察證辨治」，即診察每位患者的病證，然後有針對性地予以配劑施治。道三一生著述頗豐，其《辨證配劑醫燈》一書，載述臨床各科常見病證的病因病機、診斷察證、辨治預後及注意事項。全書貫串着診察辨證的思想，是後世方派系統實用的臨證處方秘典。曲直瀨家族是日本著名的醫學世家，世代名賢輩出，亦有衆多醫著流傳。例如，曲直瀨玄由祖述《黄帝内經》，博采諸家注本之言，參以己見，全文注解并闡發《難經》之旨，撰成《難經捷徑》一書，是日本現存較早的《難經》注解性著作，具有較高的研究價值。曲直瀨正琳輯録并注釋道三親傳之心法秘訣，書成之後定名爲《寸楮集》。該書作爲後世方派的秘傳經驗合集，充分體現了道三察證辨治、重視脉診的學術特色。曲直瀨玄鑑被後陽成天皇賜予「今大路」的家號，之後曲直瀨家子孫均改姓今大路。如今大路玄淵，爲曲直瀨（今大路）家第六代道三，他將家族精心甄選并經歷代親試的效驗良方彙編爲《醫方軌範》一書，所收醫方涵括臨床各科，具有較高的臨床實用價值。此外，曲直瀨道三還創辦了日本歷史上第一所醫學校啓迪院，培養了衆多門生弟子，其中部分弟子成爲日本醫界的中流砥柱。如門人津島道救選編道三的臨床用藥、辨治經驗，彙爲《用藥心法》一書。該書凝聚了道三畢生臨證用藥經驗之精華，處處體現出道三察病辨治的核心思想。曲直瀨道三的養子玄朔培養了弟子饗庭東庵。饗庭東庵及其徒味岡三伯是後世方別派的代表醫家。味岡三伯將本草學理論與臨床實踐相結合，融入自己對疾病及用藥的感悟，選取該流派臨床常用效驗之藥，分别述其和名、炮製、性味、功效、主治、禁忌及所涉方劑等，編撰《秘傳藥性記》一書，系統條理，重點突出，便捷實用，體現了中國醫藥理論及其實踐對日本本土醫藥學發展的影響。

上述六部醫籍均傳承了曲直瀨道三獨特的學術理念與臨證實用經驗秘訣，展示了道三深厚的醫學造詣及其醫學思想在日本的傳承發展。幾部著作之間既有獨特的價值韵味，又有着千絲萬縷的内在聯繫，從不同角度反映了曲直瀨道三及其子孫、弟子的學術特色。讀者可綜合比較閲讀，以便更好地理解并挖掘日本漢方醫學後世方派的學術精髓。

曲直瀨道三主要活躍於十六世紀中後期，以其爲鼻祖的後世方派注重吸收中國宋金元明醫學精華，尤其推崇李東垣、朱丹溪兩位醫家的醫學思想。十七世紀中葉，日本著名醫家名古屋玄醫提出醫學復古論，倡導回歸張仲景《傷寒論》《金匱要略》的古醫學，之後又有後藤艮山、香川修德、吉益東洞等名醫及弟子繼其衣鉢。這些醫家自稱爲古方派。在漢代盛行的仲景古方，經他們的闡釋發揮，被賦予了新的生命。本叢書收録的《傷寒論金匱要略藥性辨》《古方藥説》二書，均是爲日本醫者更好地運用仲景醫方而作。《傷寒論金匱要略藥性辨》對仲景醫方所用的藥物逐一辨正，注重鑒别藥材的真僞優劣與相似藥材的辨别應用，側重於闡釋藥物的藥性、功用、主治與臨床應用。《古方藥説》的作者宇治田泰亮，曾師從古方派吉益東洞的弟子中西惟忠與當時的本草大家小野蘭山，兼通傷寒、本草。該書詳細論述了仲景方中部分藥物的名稱、形態、産地、真贋優劣、炮製加工及替代用品。除古方派醫家在研究仲景方中的藥物外，折衷派醫家也對仲景方中的藥物多有研究，如折衷派代表人物淺田宗伯。其書《古方藥議》收録部分仲景醫方用藥，分「釋品」與「釋性」兩項記述藥物，結合仲景原方藥物組成及藥味加減，闡釋藥物的性味、功用，重視藥物的配伍，處處體現出方中有藥、藥中有方的思想。三部醫籍雖分屬古方派和折衷派的本草著作，側重點各有不同，但也存在許多共通之處。例如，三書記載藥物的次序，均依從相關醫方在《傷寒論》《金匱要略》出現的先後順序。讀者若能綜合參閲上述三書，既可加深對日本江户時代古方派用藥特點以及當時藥材種植、采收、炮製與流通情況的了解，又可對仲景醫方用藥有更深刻的認識，臨證運用時也會更加得心應手。

江户時代中期，日本傳承舊學的本草學術漸廢，諸家新説盛行；中國明代李時珍撰著的《本草綱目》也已傳入日本。《本草綱目鈞衡》即是一部運用傳統文獻考據方法研究《本草綱目》的本草學專著。該書對李時珍所載部分藥物逐一進行考證、詮釋和校勘，徵引文獻廣博，尤其推崇中國宋代唐慎微的《經史證類備急本草》，糾正了《本草綱目》中存在的部分錯誤。

除前文所述今大路玄淵所傳《醫方軌範》外，本叢書還收録日本《管蠡備急方》《崇蘭館試驗方》與越南《家傳醫方》三部方書。其中，《管蠡備急方》博引中國明以前歷代諸家方書，經由日本醫學世家度會家族歷代驗證，精選并收録臨證各科效驗良方。《崇蘭館試驗方》所載之方，多爲日本名醫福井楓亭口授的家傳臨證試驗良方。該書以日語假名讀音爲序記載方劑，所録醫方來源廣泛，總以《傷寒論》《金匱要略》《備急千金要方》《外臺秘要》《太平聖惠方》《太平惠民和劑局方》爲主，兼采中國清以前歷代重要醫書，反映了楓亭既重視經方，又兼用時方的學術特點。此外，越南醫籍《家傳醫方》一書，主要輯録中國明代李梴《醫學入門》和龔廷賢《萬病回春》二書的相關内容，通過取捨化裁，歸納記述了數十種臨床常見病證的對應治方，便捷實用，富有特色。

醫家臨證除采用方藥療病之外，還常應用針灸療法。本叢書收録李氏朝鮮《穴處治法》與越南《針灸法總要》兩部針灸專著。《穴處治法》主要記述經穴、别穴、針灸治療、折量法、針灸擇日等五項内容，其中經穴内容主要引自中國明代李梴《醫學入門》，後四項内容則主要摘自李氏朝鮮時期太醫許任《針灸經驗方》。全書編排巧妙，内容豐富，簡明實用。《針灸法總要》彙聚中國明代徐鳳《針灸大全》、李梴《醫學入門》和龔廷賢《壽世保元》等著作中的針灸醫學精華，主要記載針灸禁忌、五輸穴、靈龜八法主治病證、十四經脉循行流注及其重點腧穴定位、經絡起止、明堂尺寸法、八脉交會穴、奇穴治法等。儘管兩部針灸專著分别出自不同國家醫者之手，但均引用了中國《醫學入門》一書，都收録了十四經穴、骨度分寸定位法、針灸禁忌等内容，皆側重應用特定穴、奇穴，可謂異曲同工，殊途同歸。

周邊國家在學習中國醫學的過程中，漸漸形成了本土化特徵，或衍生出本國的醫學特色。如《家傳活嬰秘書》是一部獨具越南本土特色、自成體系的兒科專著。該書係越南「四民醫館」的家傳經驗秘笈。書中首先論述兒科諸病的見症分型與辨證方法；其次設「置藥治病列湯於下」，載述各種疾病對應的藥方及變方；再次是「治嬰各症方藥」，記載小兒常用治方；从次爲「論外湯症」，詳論以他藥煎湯送服丸、散劑的方法；最後列出兒科常用藥物的漢喃對照。如此環環相扣，自成一體，精審巧妙。其中，「論外湯症」一章，多以一味或數味藥煎湯送服丸、散劑，煎湯之藥隨症狀不同而變化，故隨煎湯之藥的變化，有效地擴充了單種丸、散劑的應用範圍。又如李氏朝鮮《雜病提綱》一書，依次記載雜病提綱、疾病分類、疾病治方，書中内容雖大多源於《醫學入門》《東醫寶鑑》，但經過作者巧妙編排，全書層次分明，内容系統，具有較高的臨床參考價值。再如，部分方書中開始出現一些未見載於中國醫籍的方劑，福井楓亭《崇蘭館試驗方》中收録的若干日本「和方」和福井「家傳方」等，即爲日本醫家自創之方。

前來中國拜師學醫，閲讀中國醫著，師承通曉中國醫學的本國醫家，閲讀本國名醫整理彙編中國醫學的相關著作，是海外醫者學習中國醫藥學的四種主要途徑。然而，前兩種途徑實施起來相對困難，故日本、朝鮮、越南三國名醫大多旁徵博引、取捨化裁中國醫籍以教化後學。以日本江户時代考證派名家多紀元簡遺作《櫟蔭先生遺説》爲例。該書係由元簡之子多紀元堅輯録而成，各篇之間獨立成文，主要論及痙病、麻疹、痔疾、脚氣、小兒吐乳、青腿牙疳，以及藥論、書論、醫論、醫事考證，同時收録元簡治療經驗、見聞心得。全書内容豐富，涉及醫學的方方面面，較好地體現了元簡精於考證、引録廣博、醫術精湛、治驗頗豐的學術特點。書中標注的參考引用著作近九十種，其中援引中國秦漢至清代歷代醫籍五十餘種，中國歷代非醫學文獻近三十種，旁及日本本土醫書五種、朝鮮醫籍二種。書中所引醫學文獻涵括醫經、傷寒、金匱、方書、本草、診法、兒科、外科、針灸、醫論、醫話等衆多類别。此外，該書引文中還提及二十餘位人物，其中絶大多數爲醫家。海外醫家將中國醫學重新化裁編排撰著成書後，部分著作還回流中國，引起中國醫家的重視。如中國清代曾多次刊刻發行，一九四九年以後又多次校注出版，在國内流傳較廣的《勉學堂針灸集成》一書，主要摘録了朝鮮太醫許任《針灸經驗方》全文與朝鮮名醫許浚《東醫寶鑑》的針灸相關内容。該書與本次收載的《穴處治法》一書關係密切，其間的淵源值得進一步考證。

但海外醫者對中國醫學的學習，更加强調其臨床實用性，往往首先汲取適於臨床運用的方法而捨弃醫理闡發的内容。日、韓、越均有一批對中國醫學研究得非常透徹的名醫大家，他們爲方便本國醫者學習和運用中國醫學，汲取中國醫學中最爲精華的部分，將中國醫學化繁爲簡，由博返約，促使其簡約化、本土化。如曲直瀨道三一派借鑒佛經中的經疏形式，巧妙運用綫段、圖表來提煉、歸納中醫藥的關鍵要素，或梳理錯綜複雜的醫理邏輯，用簡潔直觀的方式表達深奥的中國醫藥知識，極大地方便了日本民衆學習應用中國醫學。周邊國家還根據本國國情有選擇地學習吸收中國醫書的内容。如越南地處東南亞中南半島東部，大部分地區爲熱帶季風氣候，濕熱邪盛，國民患病以陽證爲主，故越南方書《家傳醫方》所載病證多爲陽證，陰證較爲少見。

本叢書收録的二十種海外醫籍，雖然有十五種爲鈔本，但其文獻研究價值與臨床實用價值不可小覷。從醫書分類角度而言，本叢書囊括醫經、醫論、本草、醫方、針灸、兒科、臨證綜合及醫學全書。從醫學流派與作者而言，涵蓋日本江户時代後世方派、古方派、考證派和折衷派幾大主流醫學流派，作者則涵括日本、越南兩國衆多名醫大家。書中所收本草著作，既有對張仲景古方用藥的闡釋發微，又有對李時珍《本草綱目》的考證。收録方書，多爲家族世代相傳的效驗良方。傳統醫藥學的理、法、方、藥在本叢書中均有很好的體現。但海外醫籍更加注重著作内容的實用性、簡約化，且具有不同國家的本土特色。

中、日、韓、越四國地理相近、交流頻繁，長期持續不斷的醫學交流，使得彼此的醫學思想、理論、學術和醫療技藝相互交叉貫通，血肉相連，共同爲人類的醫療衛生保健事業做出了巨大貢獻。本次所精選的二十種海外漢文傳統醫籍，獨具特色且國内罕見，能够在一定程度上呈现出中國醫學在海外傳承發展的不同側面，展現出日、韓、越傳統醫學各自的特色，較好地體現了中、日、越、韓之間的醫學發展、傳承流變、共性特色和交流互動。且本次所選之書内容豐富，涵蓋面較廣，具有較高的學術研究價值、文獻參考價值與臨床實用價值，將有助於研究中國醫學對周邊國家傳統醫學的深遠影響，能爲國内廣大中醫藥工作者拓寬思路、開闊視野創造良好的條件。

總之，本研究團隊以「一帶一路」沿綫國家的傳統醫學文獻爲切入點，繼續挖掘具有代表性的海外傳統醫學古籍，再次遴選，影印出版《海外漢文古醫籍精選叢書·第二輯》。希望本叢書能夠吸引更多國内學者關注中外醫學交流的源流與本質，以促進中醫藥的全面發展。本研究團隊也希望不負恩師之望，繼續努力將更多的海外醫籍精品介紹給國内的中醫藥工作者。

蕭永芝　韓素傑

目録

海外漢文古醫籍精選叢書·第二輯

管蠡備急方

（日）度會常光　撰

内容提要

《管蠡備急方》三卷，成書於日本天文三年（一五三四），爲日本室町時期（一三三二—一五七三）醫官度會常光所撰醫方著作。「管蠡」，取「以管窺天，以蠡測海」之義。書中將臨床各科疾病按不同病證分爲八十一門，各門之下先簡要論述疾病的病因、病機、症狀、治法；論下列治方若干，詳述其方藥組成和劑量服法，共計載醫方達七百餘首。全書旁徵博引，主要醫方來源於中國明代以前歷代醫家纂集之方，多數爲有效良方。本書在一定程度上反映出日本室町時期方劑學發展的特點，作爲醫學史料和臨證方書，頗有參考價值。

一　作者與成書

《管蠡備急方》全書分上、中、下三卷，卷下之末有題識，即「天文三七月十一日蒙　敕恩正五位下治部大輔度會常光烏信濃國住片切左近承源賴爲公謹志」；之後有「文化十一年春二月廿八日　水户小宫山昌秀」對此書及作者的考略。綜合兩處的相關記載，知此書爲室町時期醫官度會常光所撰。度會常光（一四七一—一五四二），具體生平事迹不詳。據黑川道祐《本朝醫考》所云，度會常光祖上「爲伊勢太神主，累世業其職……寬仁元年，敕賜度會姓……其曾孫常任，以除禁忌之藥，爲神宫之醫，始號久志本，以度會郡有久志本也。子孫相續爲神職，被叙位且事醫術……常任，叙從五位上，始號久志本」。❶ 由上可知，度會常光之祖累世爲伊勢神宫（位於日本三重縣）中的神官，兼事醫術。寬仁元年（一〇一七），賜姓度會；又因居久志本鄉，至度會常任時，始號「久志本」，官叙從五位上。度會常任子孫皆沿神官之職，承襲爵位，且世代業醫。

又據本書末小宫山昌秀的考證：「度會常光不知爲何人也。問諸勢州人東吉尹，吉尹答曰：度會姓蔓衍數家，不知爲何人。搜索數家之系譜，始得知。常光，江户醫官，久志本氏之先也。今久志本氏有大小二家，其小者即是也……常光，伊勢神人，而今久志本氏之先也。况其子孫，奕世業醫……」據此則知常光爲江户醫官、伊勢神官，是久志本氏之祖先，子孫累世行醫。

度會常光傳世著作有《管蠡備急方》三卷、《管蠡草灸診鈔》一卷。《管蠡草灸診鈔》是《管蠡備急方》的續編，内容包含本草、針灸腧穴、診脉法等。此外，日本乾乾齋文庫藏有度會常光《管蠡備要方》三册❷，疑即《管蠡備急方》。

常光長子名常辰（一五〇九—一五九〇），亦爲伊勢神宫之醫，仕於幕府將軍織田信長，著有《奥義集家傳》《通外山野集》《藥林撰集》《服餌要集》《醫學色葉五急活法》。❸

---

❶ （日）黑川道祐．本朝醫考［M］．日本國會圖書館藏刊年不詳刻本，（卷中）二四—二五．

❷ （日）國書研究室．國書總目録［M］．東京：岩波書店，一九七八：（第二卷）三七七．

❸ 淺田宗伯．皇國名醫傳［M］／／陳存仁．皇漢醫學叢書．上海：世界書局，一九三六：（第二册）六三．

據筆者所見鈔本《管蠡備急方》，作者在卷上之首、卷下之末兩個落款處所記日期爲「於時天文三年甲午孟秋七日」「天文三七月十一日」，故本書當於天文三年（一五三四）撰成。又據卷末文化十一年（一八一四）水户小宫山昌秀所記「《管蠡備急方》得之江户古董鋪，紙墨古色，筆法遒勁，爲天文中之物無疑焉……是書蓋爲其先世之禁方無疑矣」，此書當爲度會（久志本）家族秘藏的醫方著作。

二　主要内容

《管蠡備急方》係醫方著作，全書共三卷。全書博引中國明以前歷代醫家的臨床各科病證方藥，共計載方七百餘首。書中以病分門，將臨床各種疾病分爲八十一門，始於大人中風門，終於小兒疹痘門，包括内、外、婦、兒、五官各科疾病。門下先出醫論，次列方藥：其論是對疾病病因、病機、症狀、治法的概述，内容較爲簡略；載方依次述其方名、主治、組成、煎服法、加減等，個别病證後兼載外治和灸法。

卷上十九門，載一百九十七方，主治内科疾病，依次爲：諸風門（正文作「中風門」）、寒門、暑門、濕門、傷寒門、瘧門、痢門、嘔吐門、泄瀉門、霍亂門、秘結門、咳嗽門、痰門、喘急門、氣門、脾胃門、翻胃門、諸虚門、癆瘵門。

卷中二十九門，録二百三十九方，亦治内科疾病，依次爲：咳逆門、頭痛門、心痛門、眩暈門、腰脅痛門、脚氣門、五痹門、痿門、五疸門、諸淋門、消渴門、赤白濁門、遺尿失禁門、水腫門、脹滿門、積聚門、宿食門、蠱毒門、自汗門、虚煩門、健忘門、吐血門、下血門、痔漏門、脱肛門、癲癇門、風厥門、陰㿗門、癘風門。

卷下三十三門，輯二百七十二方，主治外科、五官、婦科、兒科疾病，依次爲：癰疽瘡癤門、折傷門、急救門、痼冷門、積熱門、五臟内外所因門、眼門、耳門、鼻門、口舌門、牙齒門、咽喉門、腋臭門、婦人調經衆疾門、妊育門、胎前門、産後門、臍風撮口門、夜啼客忤門、胎熱胎寒門、急慢驚風門、變蒸發熱門、中惡風癇門、感冒四氣門、咳喘瘧門、嘔吐泄痢門、調理脾胃門、諸痔門、語遲門、行遲門、龜胸龜背門、囟陷門、疹痘門。

本書所載七百餘方，僅在個别方名前加注所出書名，如葉氏方天香散，出自宋代葉大廉《葉氏録驗方》；局方四物湯，來源於宋代太醫局《太平惠民和劑局方》；家藏方五斤圓，源於南宋楊倓《楊氏家藏方》。儘管多數醫方皆未標記來源出處，但大部分醫方均可在中國歷代醫書中找到其来源。另有部分醫方，未見載於筆者目力所見之中國醫籍，或爲度會家族秘傳，或爲日本醫家所創。

不過，書中無論是「論」還是「方」，并非對中國醫書原文的簡單摘録，而是以精簡質樸、易於通曉的方式進行論説。根據度會常光在此書卷下之末「撰覺效之藥方」的説法，書中的醫方當是經過度會常光擇選臨床親驗取效者，會集了中國明代以前治療臨床各科疾病的有效良方，其中不乏歷代臨床廣泛使用的名方。

三　特色與價值

《管蠡備急方》全書的編撰體例是以疾病爲單元分門，先給出簡短的論述，次列方藥。作者首先將臨床各科疾病按照病證分爲八十一門，包含内、外、婦、兒、五官各科病證，其中，上、中兩卷爲内科常見疾病，卷下爲外科、婦兒和五官科疾病。儘管書中内容多數引自中國明以前的醫方著作，却是經過度會家歷代驗證篩選的，多爲有效應驗之良方。度會常光在本書卷之下末言「而先哲之所論，其辭深遠幽微，而初心之輩難了解，粗漏略拾易曉了之語，添和愚言爲論……撰覺效之藥方……綴成三卷」，可見其編撰的目的在於收録臨床試效之方，以供初學者學習運用。

首先，通過筆者對照，本書對疾病的分類，與明代董宿輯録、方賢續補的《太醫院經驗奇效良方大全》頗爲相似。該書簡稱《奇效良方》，成書於明永樂五年（一四〇七）。全書七十卷，以病分門，共計六十四門，每門之下首先簡要論述疾病，次列方藥組成、主治、用法等，彙集自宋迄明初醫方之精華，綜合内、外、婦、兒科及雜病的治療經驗，共計載方七千餘首。經筆者初步對比并統計，《管蠡備急方》與《奇效良方》中大致相同的病門有中風門、寒門、暑門、濕門、傷寒門、瘧門等四十三門，僅有部分名稱略有差異。不同之處如《管蠡備急方》卷之上的中風門、痰門（附諸飲），在《奇效良方》中爲風門、痰飲門，且《奇效良方》風門包含的疾病證治，較《管蠡備急方》的中風門更爲廣泛；關於血證分門，《管蠡備急方》卷之中分爲吐血門、下血門，而《奇效良方》統爲諸血門；在婦科病證方面，《管蠡備急方》區分爲婦人調經衆疾門、妊育門、胎前門、産後門等，而《奇效良方》統爲婦人門；在兒科疾病方面，《管蠡備急方》卷之下細分爲臍風撮口門、夜啼客忤門、胎熱胎寒門、急慢驚風門、變蒸發熱門、中惡風癎門、感冒四氣門、咳喘瘧門、嘔吐泄痢門、調理脾胃門、諸痔門、語遲門、行遲門、龜胸龜背門、囟陷門、疹痘門等，而《奇效良方》統爲小兒門。此外，兩書在分門排列的先後順序上也不盡相同。

其次，本書每一門下，在方藥之前有一段簡短的論説。作者引經據典，概述了所論疾病的病因、病機、症狀、治法，當爲度會常光對疾病治療的個人見解。如卷之上「中風門」曰：「風爲百病之長，故諸方首論之」；再如卷之上「泄瀉門」論云：「泄瀉之疾，脾胃大腸虚弱，而飲食過度，或爲風寒暑濕之氣所傷，皆令人泄瀉，詳脉證可施治也。」儘管度會常光的論述内容較爲簡略，却概述了疾病的各種病因和治法。《奇效良方》每一門下也先有疾病論述，但《管蠡備急方》的相關部分内容更加簡要，且與《奇效良方》無必然聯繫。

再次，關於醫方來源問題。《管蠡備急方》每種病證都在醫論後列出若干方藥，包括内、外、婦、兒、五官各科病證的治方，共計七百餘首，多數爲臨床常用的有效良方。通過對比分析，本書中有相當一部分方藥可見於《奇效良方》。以卷之上「中風門」爲例，在《管蠡備急方》治療中風類疾病的十四首方中，有八味順氣散、烏藥順氣散、小續命湯、排風湯、滌痰湯、加減三五七散、八寶回春湯、消風散、川芎茶調散、至寶丹、牛黄清心圓十一首方，見於《奇效良方·風類通治方》，但在相同醫方的排列順序方面，《管蠡備急方》與《奇效良方》先後有異；除此之外，八風散和潤體圓兩方，來源於《太平惠民和劑局方》；人參順氣散一方，見於明代王肯堂的《證治準繩·類方》。

在中風門，《管蠡備急方》《奇效良方》兩書第一首方皆爲八味順氣散，《管蠡備急方》對此方主治和藥味組成的記載與《奇效良方》基本相同，僅在藥物的排列順序、劑量和煎服用法方面有所出入。現將兩書的八味順氣散分别列出，以作對比。

《管蠡備急方》：凡風之人，先服此藥順氣，次進治風藥。

陳皮去白　天台烏藥末　人參各一兩　甘草　白术　白茯苓　青皮去白　香白芷各三兩

右爲細末，每服三錢，水一盞，煎七分，温服不拘時，仍以酒化蘇合香圓間服。

《奇效良方》：凡有風之人，先服此藥順氣，次進風藥。

人參　白术　茯苓去皮　青皮　陳皮去白　白芷　烏藥各一錢半　甘草七分半

右作一服，水二盅，煎至一盅，不拘時服。

本書中所録方藥除多數可見於《奇效良方》外，對《傷寒雜病論》和《太平惠民和劑局方》醫方的徵引數量亦較多，另有少部分醫方出自唐代孫思邈《備急千金要方》，宋代陳無擇《三因極一病證方論》、楊倓《楊氏家藏方》、葉大廉《葉氏録驗方》、洪遵《（洪氏）集驗方》，宋以後托名孫思邈之著《銀海精微》、元代羅天益《衛生寶鑑》等著作，但在藥物的排列順序、劑量和煎服用法等方面與所引醫書有一定出入。

本書中還有部分醫方未見於中國醫書記載。如卷之上「傷寒門」下第一方「添味八解散」，筆者目前在中國醫書中尚未檢索到該方，僅見《太平惠民和劑局方》卷二「治傷寒」中載有八解散一方，用治四時傷寒，頭疼壯熱，感風多汗及療勞傷過度，骨節酸疼等。「添味八解散」是在《太平惠民和劑局方》八解散的方藥基础上，再加桔梗、羌活太陽、白芷、升麻陽明、川芎、柴胡少陽六藥，在「風寒二證初覺，則頻進之，得汗解」。諸如此類醫方，是否爲度會（久志本）氏創製的家傳經驗醫方，就目前所掌握的資料來看，尚難以判斷。

綜上所述，《管蠡備急方》博采明以前歷代諸家醫方，擇精選要，多爲臨床行之有效之良方；在疾病理論論述、醫方主治方面引經據典，綜合衆多中國醫書所載而擯棄冗繁之論，内容簡要精當，易於通曉。總體上以簡、便、驗爲特色，臨證可按病索方，簡明實用，促進了中醫經驗良方在海外的傳播、驗證和運用，具有較高的醫史文獻研究和臨床應用價值。

四　版本情況

《管蠡備急方》成書之後并未刊行，僅有幾種鈔本留存於世，分别藏於日本國立國會圖書館白井文庫、東京國立博物館、京都大學圖書館富士川文庫（天文十五年寫本）、杏雨書屋、神宫文庫圖書館。❶

本次影印采用的底本，爲日本國立國會圖書館白井文庫所藏鈔本，成書於日本天文三年（一五四三）。此本藏書號「WA16—66」。三卷三册，五眼裝幀，每册封皮題「管蠡備急方」書名。書首無序，卷上之首有小引，介紹了作者編撰此書的緣由，之後爲全書三卷的目録。四周無邊，無界格欄綫。版心白口，未記卷次、書名、葉碼等。每半葉十四行，每行二十二字。卷下之末爲度會常光撰於天文三年（一五三四）的題識；其後爲水户小宫山昌秀於文化十一年（一五四二）題寫的跋文，并附以「久志本氏略系」及其家族先祖三次拜謁幕府將軍的具體時間。書中偶有文字脱落或字迹模糊現象。

總之，《管蠡備急方》爲日本室町時期（相當於中國明朝）的醫方書。書中以病分門，門類齊全，包

❶（日）國書研究室.國書總目録[M].東京：岩波書店，一九七八：（第二卷）三七七.

含内、外、婦、兒、五官各科疾病；對疾病病因、病機、症狀、治法的論述，簡明扼要，高度概括；所録方藥，多爲久經臨床驗證的有效良方和歷代名方，且大多源於中國醫著，少數爲度會家族秘傳。全書内容簡約質樸，條理分明，易於檢索，具有較高的醫史文獻研究價值和臨床應用價值，值得進一步發掘整理和深入研究。

何慧玲　蕭永芝

管蠡備急方
WA 16
66
1

管蠡備急方卷之上

雖予歷代業醫之流希巧術苟不得其功爰遠近之徒來請求庸醫之短才吾恐愧先烈辭曰齡未及不惑歲令義他醫之違訓豈隨數徒之求然頃日信尾勢之三室競敵門啟道之約余既經五十歷也忘辭謝曰寔雖不足以管窺天以蠡測海錄上中下三卷應二子之求名曰管蠡備急方非後誹而已

于時天文三年甲午孟穐七日

卷之上

諸風門　寒門
暑門　濕門
傷寒門　痺門
痢門　嘔吐門
泄瀉門　霍乱門

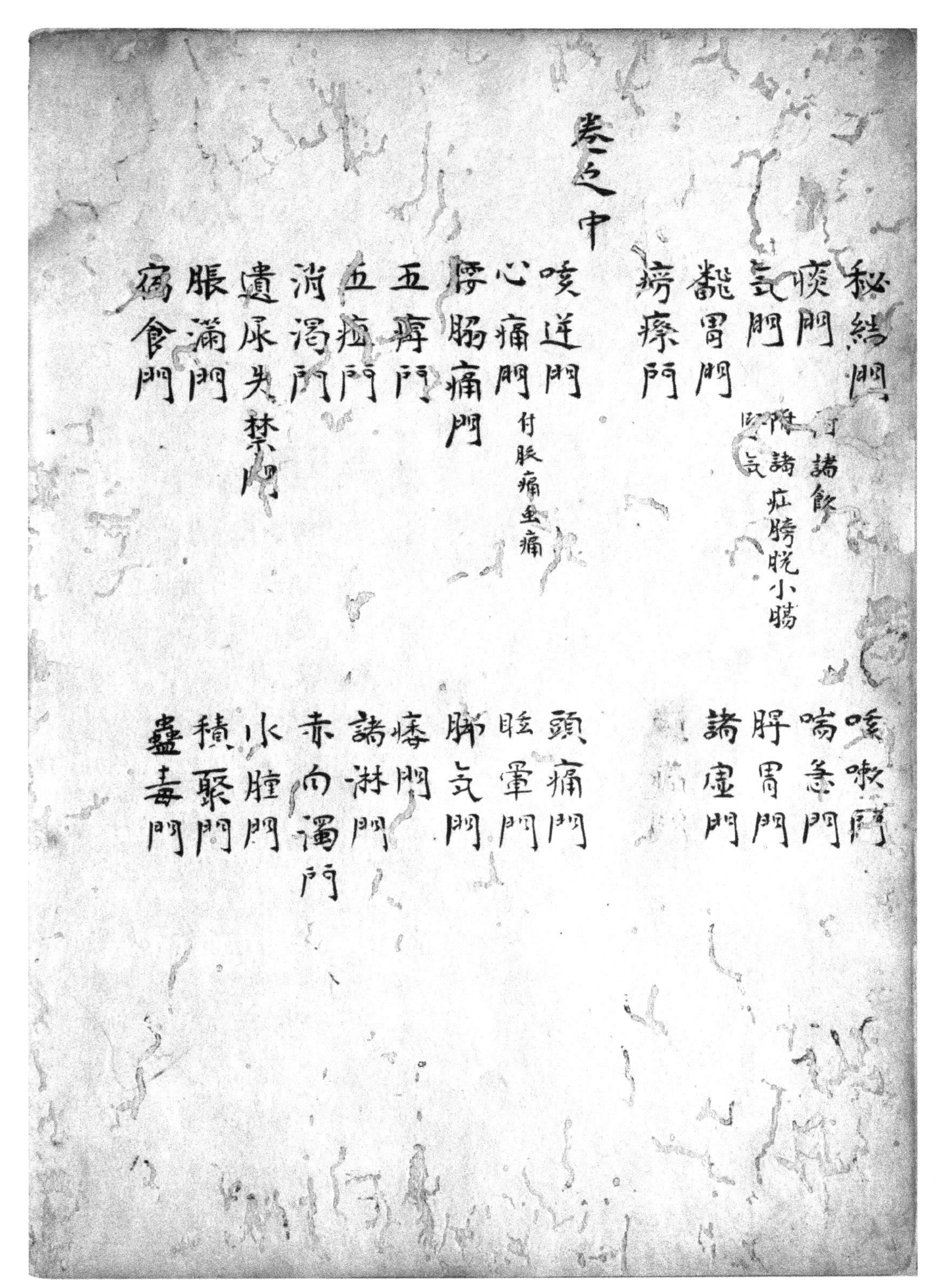
秘結門
痰門　付諸飲
氣門　附諸症膀胱小腸
翻胃門　附氣
痨瘵門

卷之中

咳逆門
心痛門　付脹痛蟲痛
腰脇痛門
五痔門
五疸門
消渴門
遺尿失禁門
脹滿門
傷食門

咳嗽門
喘急門
脾胃門
諸虚門
頭痛門
眩暈門
脚氣門
痿門
諸淋門
赤白濁門
水腫門
積聚門
蠱毒門

卷之下

自汗門
健忘門
下血門
脱肛門
風[illegible]門
癘風門
癰疽瘡瘍門
急救門
積熱門
眼門
鼻門
牙齒門
腋臭門
妊育門

虛煩門
吐血門
痔漏門
癲癇門
陰癩門
折傷門附刀斧
痼冷門
五臟內外所因門
耳門
口舌門
咽喉門
婦人調經衆疾門
胎前門

產後門

小兒初生惣論 并三関文義

夜啼客忤門

急慢驚風門

中悪風癇門

欬喘痓門

調理脾胃門 付積聚丁奚哺露汗腫脹滿秘結

語遅門

宣胸龜背門

瘡疹門

中風門

臍風撮口門

胎熱胎寒門

変蒸發熱門

感冒四氣門

呕吐浮痢門

諸瘡門 付諸虫

行遅門

顖陷門

論曰風爲百病之長故諸方首論之諸方所論先氣調而後隨六經之證逐風此用尤然也夏氣中之證多似中風風則額上有汗咽有痰壵壵甚則難救氣中則無此二證中風當先治氣况於氣中哉然俄顛卧則不顛人支先

可与順氣之薬也氣調之証能見分排風續命之類依證
可進之而氣厥之證或雖失音傍人相問則病人以意荅
對或卒雖顛倒不失音之輩候無詰語參差而驅風之討
可用之審之

小味順氣散凡風之人先服此薬順氣次進治風薬

陳皮去白　天台烏薬　人参各一兩　甘草炙
白木　白茯苓　青皮去白　香白芷各三分

右爲細末每服三錢水一盞煎七分溫服不拘時仍以酒
化蘇合香円間服

人参順氣散治感風頭痛鼻寒壯重及一應中風者並宜
服此薬疏通氣道然後進以風藥

乾姜　人参各一兩　川芎去芦　甘草炙
苦梗去芦　厚朴去皮姜製　白木　陳皮去白
白芷　麻黄去節各四兩　乾葛三兩半

右㕮咀每服三錢水一盞姜三片棗一個薄荷五七葉同煎八分不拘時熱服如感風頭痛咳嗽鼻塞加葱白煎

烏藥順氣散治男子婦人一切風氣攻注四肢骨節疼痛遍身頑麻凡手足癱瘓言語蹇澁先宜多服此藥以疏通氣道然後隨証投以風藥

烏藥　陳皮各二兩　麻黄　白殭蠶

川芎　枳殼　甘草　桔梗

白芷各一錢　乾姜半錢

右生姜二片棗一煎法同食遠服

小續命湯治中風半身不遂口眼喎斜手足戰掉語言蹇澁

防己　肉桂　黄芩　杏仁

芍藥　甘草　芎藭　广黄

人參各一兩　防風一兩半　附子炮半兩

右㕮咀每服三錢姜五片棗一煎七分食前熱服

能風湯治中風邪氣入於五臟令人狂言妄語精神錯乱

以至手足不仁痰涎壅盛

白鮮皮一两　當歸二两　肉桂　芍藥

杏仁一两　黄芪三两　甘草　防風各二两

芎藭二两　独活　茯苓各三两　白术二两

右㕮咀每服三錢水壹盞薑四片同煎溫服不拘時

滌痰湯治中風痰迷心竅舌強不能言

南星薑製　半夏各二錢半　枳實二錢　茯苓二錢

橘紅一錢半　石菖蒲　人參各一錢　竹茹七分

甘草

右作一服水二鍾生薑五片煎至一鍾食後服

加減三五七散治八風五痹肢体不仁大治風寒入腦陽

虛頭痛畏聞人声目旋運轉耳内蟬鳴濕痹脚氣緩弱[illegible]

細辛八两　乾薑炮十两　防風十二两　山茱萸十六两

茯苓十六两

右為細末每服二錢食前溫酒調服

生香湯治中風痰厥眩熱[illegible]得者
南星[illegible]　木香二錢
右生姜五片煎法如常不拘服
八宝回春湯治一切諸虛不足風痰血氣交攻脈絡凝滯
拘急攣痺氣不升降擁中疼痛痰涎壅盛脾胃不和飲食
不進此藥去風和氣活血大有神効凡治風不可專用風
藥攻之愈急則愈甚服此輕者一月重者二三月自然[illegible]

附子　人參　广黃　黃芩
防己　香附子　杏仁　川芎
當歸　茯神　陳皮　防風各一匁
白芍藥五匁　沉香　川烏各半匁　半夏兩半
肉桂一匁　白朮二匁　烏藥　乾姜各一匁
黃耆一匁　[illegible]　熟地黃　生乾地黃各一匁

右二十四味八味去風八味和氣八味活血同剉散每
服三錢水一錢半姜三片棗一煎空心服

消風散治諸風上攻頭目昏眩項背拘急鼻嚏聲重耳作
蟬鳴及皮膚頑麻瘙痒癮疹婦人血風頭皮腫痒並治之
荊芥穗二兩 甘草 陳皮半兩 人參
茯苓 白殭蠶 防風 芎藭
藿香 蟬脱各二兩 厚朴半兩 羌活一兩
右為末每服二錢茶清調下感風頭疼鼻流清涕者用荊芥湯茶
清調下遍身瘡癬溫酒下
八風散治風氣上攻頭目昏眩肢體拘急皮膚瘙痒癮疹
成瘡及治寒壅不調鼻塞聲重
藿香半斤 白芷一斤 前胡一斤 黄耆二斤
甘草 人參二斤 羌活 防風各三斤
右為末每服二錢水一盞入薄荷少許食後溫服茶清
亦可
川芎茶調散治諸風上攻頭目昏重偏正頭疼鼻塞聲重
薄荷八兩 川芎四兩 羌活二兩 甘草

細辛二兩　防風二兩　白芷二兩　荊芥四兩

右爲細末每服二錢食後熟清調下常服清頭目

至寳丹

生烏犀角一兩　生瑁屑一兩　琥珀一兩　朱砂一兩

雄黄一兩　龍腦一分　麝香一分　牛黄半兩

金銀箔各五十片研金箔一半爲衣　安息香一兩半爲末以無灰酒攪澄飛過濾去沙石約取淨數一兩慢火熬成膏

右將生犀玳瑁爲細末入餘藥研停將安息香膏重湯煮凝成後入諸藥中和搜成劑盛不津器中並旋圓如梧桐子大療卒中急風不語中惡氣絶中諸物毒暗風中熱疫毒陰陽藏毒山嵐瘴氣毒蠱毒水毒産後血暈口鼻血出惡血攻心煩躁氣喘吐逆難産悶乱死胎不下已上諸疾並用童子小使一合生薑自然汁参伍滴入小使内溫過化下参四至伍圓神效又療心肺積熱嘔吐邪氣攻心大腸風秘神魂恍惚頭目昏眩睡眠不安唇口乾燥傷寒狂語並用人参湯化下参四至伍圓

又療小兒諸癇急驚心熱卒中客忤不得眠睡煩躁風涎搐搦每貳戲兒服貳丹人參湯化下

潤體丹治諸風手足不隨神志昏憒語言蹇澁口眼喎斜筋脉攣急骨節煩疼頭旋脏運恍惚不寧健忘怔忪痰涎壅滯及膚頑厚麻痺不仁

防風　白龍腦　乳香　羚羊角
附子　白殭蠶　檳榔　肉豆蔻仁
沉香　蒺莉子　丁香　蔓荊子
牛黃　藿香　麻黃　生犀角
雄黃　麝香　木香　辰砂各二朱
茯苓　白附子各三朱　羌活　原蠶蛾
人參　肉桂　芎藭各三朱　真珠末
独活各一朱半　乾蝎　半夏　川烏頭各四朱
白花蛇　天麻各六朱　琥珀　臓粉
白[illegible]亮各一朱　全蝎衣

右細末入研茶令勻煉蜜和丸如雞頭大每服一丸細嚼溫酒下荊芥茶下亦得加至二丸如破傷風脊强手搐口噤發癇昂以熱豆淋酒化丸斡口開嚾下少時再服汗出乃愈若小兒驚風諸癇每服半丸薄荷湯化下不拘時

牛黄清心丸 治諸風緩縱不隨語言蹇澁心怔健忘恍惚去來頭目眩冒胸中煩鬱痰涎壅塞精神昏憒又治心氣不足神志不定驚恐怕怖悲憂慘慼虛煩少睡喜怒無時或發狂癲神情昏亂

牛黄 五朱空 目輕　羚羊角末　麝香　龍腦 各四朱
白茯苓　芎藭　柴胡　桔梗
杏仁 各五朱　防風　白朮　白芍藥
麥門冬　黄芩　當歸 各六朱　干姜
白斂 各三朱　阿膠　肉桂　大豆黄卷 各七朱
雄黄 三朱空 目重　犀角 八朱　神麴　人參

蒲黄各十朱　山芋廿八朱　耳艸　大棗廿五ケ蒸熟去皮後研成膏

金箔六十枚

右除棗杏仁金箔二角末及牛黄麝香雄黄龍脳四味別爲細末入餘藥和匀煉蜜棗膏爲圓每兩作十圓以金箔爲衣毎服一円食後温水化下

寒門

論曰寒爲天地殺厲之氣中人之證昏不知人口噤失音四肢殭直而疼痛其脉多遲而緊挾風則脉帯浮兼湿則脉濡而四肢腫痛兼此二證則於左之藥方内以意加減

姜附湯治傷虚中寒昏不知人及臍腹冷痛霍乱轉筋一切虚寒並皆治之

乾姜一両　附子一枚

右㕮咀毎服三銭水盞半煎七分食前温服

理中湯治五臓中寒口噤失音四肢強直

人參　乾姜　甘草　白术等分

右㕮咀每服四錢水一盞煎服三因方加附子入附子

理中湯

生料五積散治感冒寒邪頭疼身痛項背拘急惡寒嘔吐

或有腹痛又治傷寒發熱頭疼惡風無問內傷生冷外感

風寒及寒濕客于經絡腰腳痠疼及婦人經血不調或難

產並治之

白芷　川芎　茯苓　當歸

肉桂　芍藥　半夏各三兩　厚朴

乾姜各四兩　陳皮　枳殼　广黄各六兩

桔梗十二兩 黑本三兩八　蒼术二十四兩 同六　甘草

右姜三片煎服又葱白三寸同煎熱服冒寒用煨姜挾

氣則加茱萸婦人調經催產則入艾醋

葱熨法治中寒氣虛陽脫氣息欲絕不省人事及傷寒陰

厥百治不効

葱一握以索繩纏如餅餡大去根葉惟存白長二寸許先以火炙一面令通热勿令灼人乃以热處著病人臍下上以熨斗盛火熨之令葱餅热氣透入腹内更作二四餅過一餅壞不可熨即易一餅候病人醒手足温有汗乃着更服善湯一瑛良其四逆湯之類若熨而手足不温者不可治

暑門

暑之為氣在天為热在地為火在人之臟爲心但所着非爲火之心在相火心主其証身熱頭痛煩渴也甚則昏而不知人手足微冷或吐或浮或喘并有入五藏其証又能可辨也治療之法先建胃輕勿用寒冷之劑詳之

五物香薷湯驅暑和中通用

香薷四兩　白扁豆　厚朴各一兩半　白茯苓一兩

甘艸

右作一服水二種煎至一種不拘時服

六和湯治心脾不調氣不升降霍乱轉筋嘔吐泄瀉寒熱
入作痰喘咳嗽胃脘痞滿頭目昏痛肢體浮腫嗜臥倦怠
小便赤澁并傷寒陰陽不分冒暑伏熱煩悶或成痢疾中
酒煩渴畏食並皆治之

縮砂　半夏　杏仁　人参
赤茯苓　藿香　白扁豆　香薷
厚朴　木瓜　等分　甘草

右作一服水二鍾生姜五片紅棗一煎一鍾不拘時服

冷香湯治伏暑引飲躁渴過食生冷成霍乱

良姜　附子　甘草　檀香　各二分
乾姜　一分　丁香　三分　草菓　一分半

右㕮咀作二貼用水二鍾煎至一鍾去滓貯瓶中沉井
中待冷服之

香薷散解暑毒止霍乱

香薷　厚朴　各二分　茯苓　一分半　甘草

陳皮　良姜各一分

右㕮咀入煎服不拘時服

解暑三白散治冒暑伏熱霍乱吐瀉小便不利頭目昏眩

澤瀉　白茯苓　白朮等分

右生姜五片灯心十茎煎不拘時服

五苓散治中暑煩渴身熱頭痛霍乱吐瀉小便赤澁心神恍惚一方加辰砂名辰砂五苓散

澤瀉二兩半　肉桂一兩　赤茯苓一兩半　白朮

猪苓各一兩半

右為細末每服二銭白湯調下不拘時服

十味香薷散消暑氣和脾胃

香薷　人参　陳皮　白朮

黄耆　白扁豆　甘草　厚朴

木瓜　茯苓各等分

右為細末每服二銭熱湯冷水任調下不拘時服

濕門

湿之爲氣流注四時之内虚人或爲風雨所襲或所卑湿之地或渡水或感㢓氣致此疾或汗出衣裹冷則浸漬脾腎皆能有所中又挾風寒暑者各茅方具後蓋其脉多沉緩而微也治法利小便爲先次不可汗下

羌附湯治風湿相搏手足掣痛不可屈伸或身微浮腫

羌活　附子　白朮各半分　甘草

右㕮咀每服四钱水一盞半姜五片煎七分温服不拘時

除湿湯治寒湿所傷身体重着腰脚酸疼大便溏泄小便赤澁

半夏　厚朴　蒼朮各二分　霍香

陳皮　白茯苓　白朮生用各一分　甘草

右生姜五片枣一煎食前服

防己黄耆湯治風湿相搏客在皮膚四肢少力關節煩疼

防己四两　黄耆五两　甘草　白朮三两

右㕮咀每服三錢水一盞姜棗同煎七分热服不拘時

滲溼湯治寒溼所傷身体重着如座水中小便赤澁大便溏泄

蒼朮　白朮各一两　甘艸　茯苓

乾姜各二两　橘紅　丁香各一分

右㕮咀每服四錢水一盞棗一姜三片煎七分食前溫服

腎着湯治腎虚傷溼身重腰冷如坐水中不渴小便自利

乾姜　茯苓各四两　甘艸　白朮二两

右㕮咀每服四錢水一盞煎七分空心溫服

五苓散方見中暑門治傷溼有熱小便赤少

傷寒門

傷寒之証諸家所論雖其說繁多所受病六經之傳變之源也然三陽三陰之傳變非同手之六經足之三陽三陰之然一日大陽膀胱之經之證或頭疼身熱腰脊痛二日傳陽明胃之經則目疼鼻乾不眠三日傳小陽膽經則耳

聾脇痛寒熱是表証也能三之証見分か各經引經之薬可發散苟發散不退則寒邪入臓四日入太陰脾之經則腹滿自痢津不致咽者小承氣湯類主之傳小陰腎經則舌口乾燥五日迫厥陰肝經則煩滿嚢縮此証甚難治如是雖三陰三陽之傳變之次第六日而相攅依所受之軽重一經々日不傳他經有之能辨病証脉証口傳有之強与一經之良薬則病退是至要也又并紫胡之証百合之證傳是忘不可与大小紫胡湯尚精陽毒陰毒孤惑蚘厥與外多端之候矣蓋傷寒之治療在汗吐下之三於可汗之證却吐下則裏羸邪氣殊感表是短才之所致也慎之亦於病表虛表實有之自汗而面赤悪風則可禁汗桂枝主之無汗面青而悪寒者可發汗麻黄主之而此兩薬初心之輩輕難施左之一方加三陽導引之薬可發散之傷寒之治療不可撫尽略記之

添味八解散風寒二証初覺則頻進之得汗解

白朮　厚卜　陳皮　藿香

半夏　茯苓　人參　甘草

加桔梗　羌活 太陽　白芷　升麻 陽明二味依証加之

川芎　柴胡 少陽一味依証加之

右生姜二片棗二　煎法如常頻服之

冲和散治寒湿不節將理失宜乍煖脱衣飲冷坐卧當風居處暴露風雨早行冒露呼吸冷氣久晴煖忽變陰寒或久雨生寒湿如此之候皆為邪厲侵傷肌膚入于腠理致人身体沉重肢節酸疼項背拘急鼻塞聲重氣壅上盛咽渴不利凡此等証若不使行解利伏留經絡傳変不已

蒼朮六两　荊芥二两　陳皮一两　甘草

右煎法如常

不換金正氣散治四時傷寒瘟疫時氣及山嵐瘴氣寒熱往來霍乱吐瀉下痢赤白並宜服之

厚朴　藿香　甘草　半夏

蒼朮　陳皮各十分

右㕮咀每服三錢水一盞半姜三片枣二枚煎七分去滓食前热服若出遠方不伏水土者宜常服之

霍香正氣散治傷寒頭疼增寒壯热上喘咳嗽五労七傷八般風疾五般膈氣心腹冷痛反胃嘔悪氣浮霍乱臓腑虛鳴山嵐瘴癘遍身虛腫婦人胎前產後血氣刺痛小兒疳傷並宜服之

大腹皮　白芷　茯苓　紫蘇

厚卜　白朮　陳皮

甘草　半夏各二兩　藿香三兩

右㕮咀每服三錢水一盞生姜三片枣二　煎七分不拘時服

人參霍香湯治外感風寒内傷生冷增寒壯热頭目昏疼不問風寒二証夾食停痰俱能治之但感風邪以微汗好爲

半夏　厚朴　白朮各一兩　橘皮三分

藿香　草菓　人参　茯苓 二分

羌活 一分　甘草

右生姜二片棗一烏梅一个煎法如常

白朮湯治傷寒及雜病一切吐浮煩渴霍乱虚損氣弱保

養衰老及治酒積呃噦

白朮　茯苓　人参 各一两五分　木香 二分半

霍香　葛根 各一两二分　厚朴 二分半 半分　甘草 半分

右煎法如常

參蘇飲治感冒風邪發熱頭疼咳嗽声重涕唾稠粘關節

不利手足拘攣筋脉牽急頭痛百節煩疼狀似傷寒此藥

大解肌热寬中快膈或勞瘵潮热往來並治之

木香 二分　紫蘇　干葛　半夏

前胡　人参　茯苓 三分　枳壳

吉更　陳皮 二分　甘草

右煎法如常生姜二片棗一个氣感者去木香不泄者

出者加拱桺

十神湯治時令不止瘟疫妄行感冒發熱或欲出疹此茱不問陰陽兩感風寒並宜服之

川芎　甘艸　广黄　干葛

紫蘇　升广　赤芍茱　白芷

陳皮　香附子　各小分

右㕮咀每服三钱水盏半姜五片煎七分去滓热服不以服候如發热頭痛加連鬚葱白中滿氣實加枳壳煎

十味芎蘇散治四時傷寒發热頭疼

川芎　二钱　紫蘇　吉更　紫胡

茯苓　半夏　枳壳　陳皮　各一钱

干葛　一钱半　甘艸

右煎法如常生姜二片枣二不拘時服

人参敗毒散治傷寒頭痛壯热悪寒及風痰咳嗽鼻塞聲重如心経蘊热口舌乾燥者加黄芩

柴胡　甘草　桔梗　人参
羌活　芎藭　茯苓　枳殻
前胡　独活 各等分
右㕮咀毎服三銭水一盞姜三片薄荷少許同煎七分
去滓不拘時

半夏瀉心湯治心下痞満而不痛乾嘔者
半夏 二分　人参　甘草　干姜
黄芩 各二分半　黄連 一分
右生姜三片棗二煎法如常不拘時温服

黄芩湯治傷寒腸垢協热下利臍下必熱
黄芩 三分　芍薬 二分　甘草　大棗 十二枚
右剉毎服五銭水一盞半煎七分温服嘔者加半夏生姜

芎藁湯治傷寒疫氣不拘陰陽証但初覚不快連進三服
立效
藁本　川芎 各四分　蒼朮 一分半　厚朴 一分

橘紅 一匁　甘草

右生姜二片棗二　煎法如常

小承氣湯治傷寒潮熱讝語大便六七日不通有燥糞結

滯此方主之

大黄 五錢　厚朴 三分　枳實 二分

右煎法如常食前服

大柴胡湯治傷寒十餘日不解邪氣結在裏身熱煩燥讝語

言讝妄大便不通繞臍刺痛

枳實 半匁　柴胡 半斤　大黄 二匁　赤芍药

黄芩 各三匁　半夏 二匁半

右㕮咀每服三分水一盞姜五片棗二枚煎七分去渣

温服此方治傷寒内熱裏實若身体疼痛是表証未解

不可服之宜解表

小青竜湯治傷寒表証不解心下有水氣乾嘔發熱咳嗽

微喘又治肺經受寒咳嗽喘急

半夏二兩半　干姜　細辛　广黄

肉桂　芩茱各三兩　五味子二兩　卄十

右煎法如常

梔子豆豉湯治發汗吐下後虛煩不得眠及發顛倒心中懊憹此茱主之

肥梔子四ケ　香豉半夂

右先梔子水一盞八分煎入豉同七分煎不拘時服

加味五苓散治傷寒表裏未解頭疼發热心胸鬱悶唇口乾焦神昏狂言妄語如見鬼及治癉瘧煩悶未有諸热清心

辰砂　白朮　猪苓　澤浮

赤茯苓一夂　肉桂二分二朱

右細末每服二錢沸湯點服中暑煩渴小便赤澁新汲水調

茯苓四逆湯治傷寒汗下之後病証不解而煩燥者

茯苓四兩　人彡　乾姜各一兩半　卄十

附子去皮生用一ケ切作八片只用一片

右煎法如常

小柴胡湯治傷寒發熱如瘧胸脇滿痛小便不利大便秘澁

半夏二兩半寄一夕半　柴胡半斤日三夕　黄芩二夕　人參各三兩二夕

甘草十

右㕮咀每服三錢水一盞姜五片棗二枚煎七分熱服

溫膽湯治傷寒後調理

半夏　茯苓　陳皮　枳殼

甘草中　竹茹一夕

右生姜二片前法如常

茯神散治傷寒後虛羸心氣之力弱驚悸多忘

茯神　菖蒲　黄耆各一兩　白芍藥

人參各半兩　遠志三分

右㕮咀每服五錢水一中盞入棗三枚煎至六分去滓

不拘時溫服

人參湯治傷寒後虛羸少力嘔噦氣逆

人参　白茯苓各二分　黄耆各一两

半夏　陳皮　白术各半两　甘草

右生姜二片棗二　煎法如常

鳖甲湯治傷寒八九日不差諸藥不效名壞傷寒

鳖甲　升麻　前胡　烏梅

枳實　犀角　黄芩　生地黄半两宛

甘草

右煎法如常

犀角湯治鳖甲湯

鳖甲　犀角各一分　烏梅二分　白术半

半夏二分　升麻一分

右煎服

陽毒升麻湯治陽毒赤斑狂言咽痛

升麻　犀角　射干　粘各二分　黄芩二分

人参一分　甘草

右煎法如常
政班散治失下熱毒在胃發班甚則煩躁譫語
玄参　升广　廿ナ
右煎服
蔯蒿湯治傷寒發黄面目悉黄小便赤
茵蔯　梔子　柴胡　黄蘗
竜膽各半𠬝　黄芩　升广　大黄各一𠬝
右煎法如常
半夏湯治堅及下之并自利心下痞硬氣呃心煩不安
乾姜二示　黄芩　黄蓮　人参
半夏一夯半　甘十
右生姜二斤枣二　煎服
生姜散傷寒諸呃吐水穀不可及咳逆
生姜二两　下曲一两
右煎服

参橘散治傷寒吧噦胷滿虚煩不安

陳皮　人参　甘草 各小分

右生姜五片煎法如常

神效湯治傷寒胃熱吧噦心煩喜冷吐不止

葛根 三分　半夏 二分　甘草

右生姜三片并茹木棗子大煎服又方小柴胡湯加生姜妙

木香湯治千金云傷寒不發汗變為狐惑又縁傷寒腹内熱飲食少腸胃空虚三虫行作求食蝕人五藏及下部為匿其候齒无色並悪飲食面目乍赤乍白乍黑舌上白唇黑有瘡四肢沉重忽忽喜眠（虫食其喉為惑其声嗄虫食下部為狐其咽乾是者）虫食其藏而死當看上唇有瘡虫食藏也下唇有瘡虫食肛也殺人甚急或同下利而得狐惑者取其進退猶豫之義也尽治之

黄連 半十两　烏梅 二个半　木香 一分

右煎法如常

烏蚘厥者病人元有食蚘此爲藏寒蚘上入膈故時
或發煩須史後止得食而嘔又煩者蚘聞食臭出其人當
自吐蚘或曰發其汗胃中冷故長蟲出又有胃氣困之雖
飢不能食此食到口蚘聞食氣而上虛寒併於胸中所以
食乍蚘并吐而出也厥者此属厥陰又厥逆之義也

烏梅 丸七ケ　細辛　附子　人參
黄蘗　桂枝 各一兩半　乾姜 二兩半　黄連 四兩
蜀椒　當歸 各一兩

右十味異擣節合治之以苦酒漬烏梅一宿去核蒸之
五升米下飯熟杵成泥和茶令相得内臼中与蜜杵三
千下丸如梧桐子大先食飲服十九日三禁生冷滑物

白朮湯 傷寒病后氣脉不和食後勞後病証如初

桔梗　茯苓　乾姜 二兩　白朮 四兩
白芷　陳皮　青皮　香附子 一兩
山茱 半兩　甘中

右生姜二斤枣二　木瓜一斤紫苏二叶煎服吐泻入白
梅喘入桑白杏人伤寒劳后入薄荷中暑厥逆入香薷

瘧門

夫瘧之名狀不一　有瘅瘧寒瘧溫瘧食瘧牝瘧牡瘧名虽
不同所感同風寒暑溼与衛氣相搏成此病治瘧之法發
散爲先發散而不退則可与截之剤截後可補之截補早
則邪氣難退亦有積塊之證名瘧母灸治茱治兼之各
茱方具左

人参養胃湯治外感風寒內傷生冷增寒壯熱頭目昏疼
不問風寒二證夾食停痰俱能治之但感風邪以微汗爲好

半夏 寄二　厚朴 冂一半　蒼朮 各一两 冂二　橘紅 七分半 冂一半
藿香葉 冂一　草菓 冂一　茯苓　人参 各半两 冂一半
甘草

右㕮咀每服四分水盞半姜七片烏梅一个煎六分熱
服ゝ治飲食傷脾胃發爲痎瘧寒多者加附子爲十味

小清脾湯　換金散　寒瘧熱共用之

厚朴四兩　烏梅　半夏　青皮

良姜各二兩　草菓一兩　甘草十

右生姜三片棗一煎法如常

定齊草菓飲子快脾治瘧

草菓二戔　蒼朮三分　厚朴二戔　半夏

防皮各一戔半　甘草十　烏梅一ケ

右生姜三片棗一煎服

清脾湯治瘴瘧脉来弦數但熱不寒或熱多寒少口苦咽

乾小便赤澁

青皮　厚朴　白朮　半夏

柴胡　黄芩　茯苓　草菓各一戔半

甘草十

右生姜二片棗一煎法如常

[illegible]重飲治証同前　方在傷寒門

[illegible]同

一熱孩疾初愈服此進食理脾

草菓 青皮 紫蘇 白芷 良姜 川芎 甘草各一兩半

右生姜三片棗二煎服如常

四獸飲治五臟氣虛喜怒不節致陰陽相勝結聚涎飲与
衛氣相搏發爲瘧疾

人參　白朮　茯苓　橘紅

半夏　草菓各一兩半　烏梅一兩　甘草

右生姜三片棗二　煎法如常

七宝飲治一切瘧疾無問寒熱多少及山嵐瘴氣寒熱如
瘧等證

厚朴　陳皮　甘草　草菓　人

常山　檳榔　青皮各等分

右㕮咀每服五錢水一盞半酒半盞煎取一盞露一宿
覆絹移星影空心向東溫服半盞臨發時半盞睡少頃
服須忌熱物寒多加酒熱多加水

七物湯治瘧同前茱種七宝同

右生姜三片烏梅一个擬多者加柴胡煎服如常不拘
時服酒不入

勝金丹 一切瘧病不問寒熱虛實可飲

檳榔四兩 常山一斤

右爲末麪糊爲丸如梧桐子每服三十圓於發前一日臨卧用冷酒呑下使睡至四更再冷酒呑下十五丸用至午方可食溫粥忌食熱物并一切生冷一方用雞子清爲丸

久瘧丸治瘧百方不瘥者宜服

砒礵一錢研 乳香半兩研 半夏湯洗七徧焙干秤一兩

右爲細末於重午日正午時用粽子尖和爲丸如皂角子大發時以醋湯下一丸更不再服如非重午日須兩服瘥

碧霞丹治久瘧不愈者

東方甲乙木巴豆去油別研　南方丙丁火官桂別研

中方戊己土硫黃去砂別研　西方庚辛金白礬別研

北方壬癸水青黛別研

右於五円一日脩治了用紙各罨以盤感依前方位排定勿今猫犬及婦人見安在神佛前至端午日午時用五家粽尖和前茉令勻丸如梧桐子大過患者以絹囊一丸塞於鼻竅中(左)女右於来發前一日安之約度(男)尋常發過少許方除一方塞於耳内

治瘧疾良方 令人治瘧疾多用常山砒霜之類發吐取涎縱使得安脾胃不能不損不若此茉最爲穩當

辰砂 光明者　阿魏 真者 各一兩

右研勻和稀糊丸如皂角子大每服一圓空心人參湯化下

鱉甲飲子 治瘧疾久不愈脇下痞滿腹中結塊名曰瘧母

鱉甲　白朮　草菓　檳榔

川芎　白芍茉　厚朴　橘紅 各一分

甘艸　黄耆 一分半

右上姜五片棗二一烏梅少煎法如常

老瘧疾治久瘧結成癥瘕癖在脇肋諸藥不愈者

蒼朮　草菓　桔梗　青皮
陳皮　良姜　半夏　茯苓各一分
枳殼　甘草　乾姜　桂心
紫蘇　川芎　白芷各半分

右煎法如常塩少入空心服

紅圓子專治食瘧

青皮三兩　阿魏二分半　京三稜二兩　胡椒一兩
蓬朮二兩

右爲末別用陳倉米同阿魏醋煮糊爲丸梧桐子每服五十丸至百丸淡姜湯下或因食生菓成瘧用麝香爲衣吞下

芎歸鱉甲湯治勞瘧表裏俱虛真元未復疾雖暫止小勞後來

川芎　當歸　鱉甲　茯苓

青皮　陳皮　半夏　茱萸各分

右生姜二斤枣一　烏梅半斤煎服热加柴胡寒多加草

菓

瘵十二瘧苜黄帝問岐伯曰瘧多方少愈者何岐伯荅曰

瘧有十二種帝曰瘧鬼何可得聞乎岐伯曰但得瘧鬼字

便愈不得其字百方不愈帝曰願聞之

寅時發者獄死鬼所爲瘵之以瘧人著竈上灰火一周莫

今火滅即瘥

卯時發者鞭死鬼所爲瘵之用五歲衣燒作灰三指撮著

酒中無酒用清水服之

辰時發者墮木死鬼所爲瘵之今瘧人上木高危處

巳時發者燒死鬼所爲瘵之今瘧人坐地以周匝然火

午時發者餓死鬼所爲瘵之今瘧人持脂火於田中無人

處燒脂香假拾薪去

未時發者溺死鬼所爲瘵之今瘧人臨發時三渡東流水

申時發者自刺死鬼所爲瘵之今瘧人欲發時以刀刺冢

上使得姓名字咒曰若瘧我與汝拔却
酉時發者奴婢死鬼所爲療之令瘧人硬稱上卧莫令人
道姓字
戌時發者自絞死鬼所爲療之左索繩繫其手脚腰頭
亥時發者盗死鬼所爲療之以刀子一口箭一枚灰一周
安瘧人脉上其箭横着底下
子時發者寡婦死鬼所爲療之瘧人脱衣東廂床上卧左
手持刀右手持杖打令声不絶尾盆盛水着路边
丑時發者斬死鬼所爲療之令瘧人當户前卧頭向東

痢門

痢之爲疾其證甚繁蓋同脾胃不和飲食過度停積腸胃
之間不化又爲風寒暑濕之氣所干成此病傷熱則痢之
色赤傷冷則白腸風則下清血傷濕則下如豆羹汁冷熱
交則赤白兼下治法先用通利之藥蕩滌藏腑積滯而後

并冷熱風濕之証可用茱萸子罌粟殼之澁茱輕不可与
之其脉宜微小不宜浮洪宜滑大付足腸凡殺不宜弦急手
足微冷則生熱則死病証与茱方分別而可施治病之增
減在須罕詳之

神效參香散治大人小兒臟氣虛怯冷热不調積而成痢
或下鮮血或如豆汁或如魚腦或下瘀血或下紫黑血或
赤白相雜裏急后重日夜頻數無問新旧並皆治之

白扁豆　木香　人参各二兩　茯苓
肉豆蔻各四兩　罌粟殼　陳皮各十兩

右細末每服二錢用溫米飲調下不拘時服

胃风湯治大人小兒风冷乘虛客於腸胃水穀不化泄泻
注下腹脇虛滿腸鳴腹痛及腸胃濕毒下如豆汁或下血瘀

白术　白芍药　川芎　人参
當歸　肉桂　茯苓各等分

右㕮咀每服四錢水一盞入粟米百餘粒煎服

地榆散治大人小兒脾胃氣虛冷熱不調下痢膿血赤多
白少或純下鮮血裏急后重小便不利
地榆 乾葛各四錢 乾姜一錢 當歸
茯苓 赤芍药各三錢 甘草 罌粟殼六錢
右細末每服二錢用溫熟水調下不拘時服
養藏湯治諸痢
白术 厚朴 芍药 罌粟各一两
甘草
右末生姜三斤煎法如常有熱加黄連
真人裏急後重臍腹疠痛如脱肛墜下酒毒使血并治之
煮脏裏急後重臍腹疠痛如脱肛墜下酒毒使血并治之
肉桂 人参 當歸 訶子
木香 肉豆蔻各一錢 甘草 白芍药
白术各一錢半 罌粟殼二錢
右煎法如常臟寒者加附子

秘方養臟湯治五色痢經驗

陳皮　枳殼　黄連　烏梅

南木香　杏仁　厚朴各五分　甘草

罌粟一兩

右剉散五色痢黑豆棗子煎服紅痢生地黄香茶甘草

節煎服五色痢久不効加竜骨赤石脂人參芍藥各一

兩爲末煉蜜丸烏梅甘草湯下粟米飲亦可立効

加減當歸地榆散治冷熱不調氣毒惡毒濕熱腸垢毒痢

休息膏痢腥穢乳呃不食肌熱小便澁

當歸二兩　地榆　黄連　芍藥

甘草各半兩　御米殼二兩

右以咀每服三錢水一盞半煎至七分去滓食前溫服

日進二服氣毒痢加黄連當歸一倍

秘傳斗門散治八種毒痢臟腑撮痛膿血赤白或下瘀血

序子吠或有五色相雜日夜頻併兼治禁口惡痢裏急後

重久瀉不止全不進食使茉不能治者立見神効

黑豆十二两　乾姜四两　罌粟殼半斤　地榆

甘艸各六两　白芍茉三两

右㕮咀每服三銭水一盞煎至七分温服

水煮木香圓治純下白痢及淡紅黑痢

罌粟殼二两八分　訶子肉六分　木香六两　青皮二两四分

甘艸二分　當皈六两

右爲末煉蜜圓如彈子大每服一丸熟水空心服

升陽除湿防風湯治大便閉或裏急後重數至圊而不能

便或少白膿或少有血慎勿利之舉其陽則陰火自降矣

防風　白芍茉各一分半　白朮　茯苓各一分

蒼朮三分　甘艸

右煎法如常

百中散治一切痢不問赤白或一日之間一二百行只一

服使疎每二三服即愈

罌粟殼　厚朴（等分）

右細末每服二錢匕米飲調服

豆蔻散治下痢

罌粟　茯苓　肉豆蔻　厚朴（各等分）

右末米飲一錢充服用

茜根丸治一切毒痢及蠱注下血如雞肝心煩腹痛

茜根　川升麻　犀角　地榆

當歸　黃連　枳殼　白芍藥（各等分）

右細末醋煮麵糊爲丸如梧桐子大每服七十丸空心

用米飲湯下

茯苓湯治痢後遍身浮腫

赤茯苓　白朮（各一兩）　防已　桑根

黃芩　射干　澤瀉（各三兩）　澤漆葉

右㕮咀每服五錢匕先以水三盞煑大豆一合取二盞

去滓內藥煎取一盞分爲二服未瘥頻服兩料

加味七均子湯治一切脾胃虛弱泄瀉之證及傷寒病後米穀不化腸中虛滑發渴微痛久不瘥者及治小兒脾疳泄瀉得痢

人參　白朮　白茯苓　黃耆

山茱　甘草　砂仁各一兩　加厚朴

肉豆蔻各七分半

右細末每服二錢用飲湯調服不拘時候加渴煎麥門冬湯調服

參苓白朮散治胃虛禁口

人參　茯苓　白朮　白扁豆

山茱　蓮肉　砂仁　薏苡仁

桔梗　甘草各一兩

右細末石菖蒲煎湯下宜食生悲菜

六和湯治暑月瘧痢兼併方見暑門

不換金正氣散加黃連治證同前方見傷寒門

嘔吐門

嘔吐之疾胃虛之人或寒氣所傷或爲暑氣所干或爲飲食所傷或氣結痰聚皆令人嘔吐亦有瘀血停積胃口嘔吐之間雜涎血詳脉証可施治蓋緩脾胃爲先不可用輕冷利之劑此外姙婦中毒之証有之治法具左

藿香散治風邪入胃嘔吐自汗或身疼

人参　半夏　官桂　粉草

厚朴　藿香　陳皮　芍茱各小分

右剉散每服四分生姜五片紅棗二煎服參胃湯兼用劝

藿香半夏散治胃虛中寒停痰留飲噦逆嘔吐

半夏二戋　丁香皮半戋　藿香一戋

右㕮咀每服三分水一盞姜七片煎七分食前溫服

加味治中湯治体虛感冒兩濕嘔吐

人参　白朮　乾姜　青皮

陳皮各一两　半夏　藿香各五分　甘艸三分

右剉每服四分生姜五片棗二煎服

安脾散治停飲傷胃以致食噎醋酸吒吐黄水不止

高良姜 一兩以百年壁土和水煮乾切片　南木香　草菓

人参　陳皮 各半兩　甘草　丁香

胡椒　白伏苓　白术 各一兩

右細末每服二大錢空心米飲入塩點服塩酒亦可

小半夏湯治諸嘔吒吐心下堅痞膈間有痰水眩暈

半夏 五兩　茯苓 三兩

右生姜五斤煎法如常

木香白术散治吒而吐食謂持實擊強是無積也胃強而乾嘔有声無物脾弱而吐食持實擊強是以脹中痛當以和之一各丁香半夏湯

丁香　木香 各一兩　半夏 一兩　檳榔 二兩

白术　茯苓 各五兩　甘草

右細末每服二兩濃煎生姜芍茱湯調下有積而痛乎

按之愈痛無積者按之不痛一方無丁香

不换金正氣散一号藿香安胃散治呕吐不止方見傷寒門

泄瀉門

泄瀉之疾脾胃大腸虚弱而飲食過度或爲風寒暑濕之

氣所傷皆令人泄瀉詳脉証可施治也

實腸散治泄瀉不止

蒼术二夻　訶子　縮砂　肉豆蔻

陳皮　茯苓各一夻半　木香半夻　甘草

厚朴一夻

右生姜二斤枣二　煎法如常

止瀉秘方

人參　白术　乹姜　訶子

茯苓　木香　藿香　甘草

肉豆蔻各一夻半

右煎法如常

大藿香散治一切脾胃虚寒吧吐霍乱心腹撮痛如泄浮
不已最能取効
陳皮一戔　白乾姜半戔　藿香葉　青皮
神麯　訶子　白茯苓　甘草
厚朴各一戔　木香　人参　肉豆蔻
良姜　大麥蘗各一戔
右細末每服四朩吐逆泄浮不下食或吧酸苦水用水
一盞煨生姜半塊塩一捻煎服水浮滑泄腸風臓毒陳
米飲入塩熱調下赤白痢甘中黑豆湯下脾胃虚冷窩
滞酒食痰氣作暈入塩少許乾姜棗湯熱服胃氣吃噫
生姜自然汁一呷入塩點服此茉大能消食順氣利膈
開胃

四神丸治脾泄腎泄
肉豆蔻二两　破故紙四两　木香　茴香各一两
右細末生姜煮棗肉爲丸如梧桐子大每服八九十丸
空心用塩湯送下一方去木香茴香用神麯麥蘗各炒

一兩爲丸

五苓散治暑熱泄瀉 方見暑門

六和湯治同前 方見暑門

胃中散一切止泄瀉妣 方見痢門

戊己丸治脾經受濕泄利不止米穀不化臍腹刺痛

黄連 呉茱萸 白芍藥各五兩

右細末麪糊丸如梧桐子每服三十丸米飲空心下

霍乱門

霍乱之証多兼吐瀉由飲食不節傷五臟停積胃脘脾弱不能運化又爲風寒氣所干陰陽隔絶揮霍變乱輕則上吐下瀉兩足轉筋甚者遍体轉筋腹肚痛手足厥冷然手過尺澤冷足過膝厥冷者難治又夏月傷暑有霍乱吐瀉亦有乾霍乱有不吐瀉証各在知年矣

藿香正氣散 方見傷寒門

不換金正氣散同前

七氣湯治七氣鬱結五臟之間互相刑尅陰陽不和揮霍變乱吐利交作

半夏　厚朴　白芍茱　茯苓各二钱

桂心　紫蘇　橘紅　人參各一钱

右生姜五片枣一煎法如常

大霍香散七傷氣鬱吧吐寒热或目眩飲食不進胸塞者可吞

霍香　半夏　白术　木香各一两

白茯苓　桔梗　人参　枇把葉

肉桂各二分　甘艸

右生姜三片枣一煎法如常

通脉四逆湯治霍乱多寒肉冷脉絶

吴茱萸二钱　附子一钱　桂心　木通

細辛　白芍茱　甘艸各半钱　當皈二钱

右㕮咀每服四錢水一盞酒半盞姜七片棗二煎溫服

丁香散治霍乱嘔吐不止

丁香　霍香葉　枇杷葉各一兩

右生姜二片煎法如常

秘結門

秘結之証有風秘寒秘氣秘熱秘濕秘及因病發汗利小使過度致津液枯渴并婦人産後失血耗氣之餘皆成秘結詳各之證可施治熱實者通利之寒虛者溫利之氣結澁者潤滑之風濕澁者駛利之津液枯渴者補益之秘結之治法大抵如是

牛黄圓治上焦熱藏府秘結

大黄一兩　白牽牛頭末五分

右為細末有厥冷用酒調下三錢无厥冷而手足煩者蜜湯調下

丁香脾積円治飲食停滞脹脹痛悶吧悪呑酸大便秘結
又治虫

丁香　木香　巴豆　良姜各半两
莪朮三匁　三稜二匁　青皮一匁　百草霜二分

右末麪糊和丸如麻子大毎服五丸加至十九用橘皮
煎湯送下食遠服

金露円治脹内積聚瘕塊久患大如杯及黄痩宿水朝暮
咳嗽積年冷氣時復脹下盤痛絞結衝心及両脇徹背連
心痛氣不息氣遶臍下状如虫咬不可忍又治十種水氣
反胃吐食吧逆飲食多噎五般痔瘻瘧氣走疰風有似虫
行手足煩熱夜臥不安睡語无度又治小兒驚癇婦人五
邪夢与鬼交沉重不思飲食昏々如夢不暁人事欲死懼
多或歌或哭不定円候不調心中如狂身体羸痩莫辨其
状但服此薬萬无失一更不尽述

草烏頭　黄連各二匁　桂心　白茯苓

乾姜　桔梗　柴胡　吴茱萸

蜀椒　厚朴　人參　菖蒲

紫菀　鱉甲　芎藭　枳殼

貝母　甘松　防風　生乾地黄各一兩

甘草

巴一兩（去心膜醋煮叁拾沸，焙干取壹兩不去油）

右爲細末，以麵糊爲丸如梧桐子大，每服伍丸，小兒兩丸。心中痰患，姜湯下；心痛，酸石榴皮湯下；口瘡，蜜湯下；頭痛，石膏湯、葱茶下；脾胃氣，橘皮湯下；水浮氣浮，煑陳皮飲下；赤痢，甘草湯下；白痢，乾姜湯下；赤白痢，甘草乾姜湯下；胃膈噎悶，通草湯下；婦人血氣，當歸酒下；如不飲酒，當歸煎湯下；亦得瘧氣、嵐氣及小腸氣，下墜附子湯下；常服及應急諸般疾患，只米飲、茶、酒任下；傷冷腹痛、酒食所傷、酒疸、黄疸、結氣、痞塞、鶴膝，並用鹽湯、鹽下酒。

感應丸

丁香一兩半　木香一兩半　肉豆蔻廿個　乾姜一兩

杏仁 一百四十ケ　百草霜 二分

右七味除巴豆粉百草霜杏仁參味外餘肆味擣爲細末與前參味同拌研令細用好蠟匱和先將蠟陸兩溶化作汁以重綿濾去滓更以好酒一升於銀石器內煮蠟溶衮數沸傾出候酒冷其蠟自浮於上取蠟秤用円春夏修合用清油一兩於銚內熬令末散香熟次下酒煑蠟肆兩同化作汁就鍋內乘熱拌和前項藥末稱冬修合清油一兩半同煎煮熬作汁和匱藥成劑分作末小鋌子以油單子裹之施円服餌此高殿前家方也

三和散治七情之氣結於五藏不能通流以致脾胃不和心腹悶大使秘澁 方見氣門

潤腸円大使結不通者可飲

杏仁　枳壳　麻仁　陳皮 各五分

阿膠　防風 各二分半

右末粉蜜以丸◎足袒一服三十粒紫蘇子煎可服

橘杏丸 治老人氣秘大腑不通

橘紅　杏仁各等分

右爲末，煉蜜圓如梧桐子。每服七十圓，空心米飲下。

六磨湯 治氣滯腹急，大便秘澁。

沉香　木香　檳榔　烏茱

枳殼　大黄各等分

右各件熱湯磨服。

蜜導法 秘結服茱不得通利者，宜用此以導之。若土瓜根及大猪膽汁，皆可爲導。

蜜四兩

右置銅器中，微火煎之，稍凝如飴狀，攪之，勿令焦。契眩急捻作梃子，如指許長，投於穀道中，以手按住，大便來時乃去之。

咳嗽門

咳嗽之疾，由肺虚腠理不密，爲風寒暑濕之所干，咸咳嗽

之病而咳者有遣未痰粘嗽者痰也然此証多并寒热爲
先傷寒則過寒咳嗽傷热則過热咳嗽并傷溼傷七情者
者見并脉証可施薬大槩以順氣爲先下痰次之亦痰飲
而咳者消化之寒邪未除者不可用補薬
華蓋散治肺受風寒咳嗽痰壅
麻黄　紫蘇子　杏仁　桑白皮
赤茯苓　橘紅烙 各一匁　甘草
右生姜三片棗二一煎法如常不拘時服
細辛五味子湯治肺經感冒風邪咳嗽倚息坐卧不安
細辛　半夏　甘草　烏梅 各一匁半
罌粟殻　五味子 各三匁　桑白皮 二匁
右㕮咀毎服三錢水盞半姜十片煎一盞溫服
溫肺湯治肺虚感冷咳嗽吧吐痰沫
乾姜　辣桂　半夏　五味子
杏仁　陳皮　甘草烙 各一分　細辛

阿膠各半分

右生姜三片枣二煎法如常

杏子湯治一切咳嗽不問外感風寒内傷生冷及痰飲停積悉皆治之

杏仁　人参　茯苓　細辛

半夏　官桂　乾姜　白芍薬

五味子各小分　甘艸

右生姜三片煎法如常不拘時服

人参飲治咳嗽痰飲通用

人参　桔梗　半夏　五味子

細辛　枳殻　赤茯苓　杏仁各小分

甘艸

右生姜三片烏梅少煎服食後

白朮湯治五臓受湿咳嗽痰多上氣喘急身体重痛脉濡細

白朮三夻　白茯苓半炙　橘紅各二夻

五味子一夻　甘草十

右生姜三片煎法如常不拘時服

大降氣湯治上盛下虛膈壅痰實喘嗽咽乾不利

紫蘇子　川芎　細辛　當皈

白茯苓　桔梗　厚朴　陳皮

半炙　前胡　肉桂各小分　甘艸

右生姜三片紫蘇三葉煎法如常食後服

人參紫菀湯治肺氣不調咳嗽喘急久不愈者

五味子二夻半　杏仁半夂　人參　京紫菀各二夻半

甘艸　縮砂一夂　桂枝二分半　罌粟殼一夂

款冬花半夂

右㕮咀每服四夻水一盞姜五片烏梅一煎服

溫中化痰丸治停痰留飲胸膈滿悶頭眩目暈咳嗽涎唾

或飲酒過多嘔噦惡心

青皮　良姜　乾姜　陳皮各五两

右爲末醋麫糊丸如梧桐子每服五十丸米飲下不拘時又爲麄末每服二一钱水一盞姜四片煎七分溫服不拘時

杏仁煎治老人久患肺喘嗽不已睡卧不得服之立定

杏仁　胡桃肉

右各等分研爲膏入煉蜜少許和捜得宜丸如大彈子大每服一二丸食後臨卧細嚼姜湯送下

痰門

蓋痰証多治法順氣爲先分導次之又因痰有弦暈茱方眩暈門載之諸証倉卒難記於他書求之可也

橘皮湯治胸膈停痰

橘皮　茯苓　半夏半各一钱　旋覆花

甞皮　桔梗　枳殼姜製　細辛

人參各一錢　甘竹

右生姜三片煎法如常

前胡半夏湯治痰盛

前胡　半夏姜製　茯苓各二錢　陳皮

木香　紫蘇　枳殻各一錢　甘草

右生姜二片烏梅少煎法如常

小青龍湯方見傷寒門

葉氏分涎湯治風痰留滯膈悶喘滿惡心涎唾不利

陳皮去白　新羅揀冬　半夏湯洗七次令軟每々切四片姜汁浸一方宿

枳實　苦梗　天南星去外ノ皮湿紙包灰火煨香熟取出各不分

右㕮咀每服三錢水一盞生姜五片煎服

參蘇飲治痰飲停積胸膈咳嗽氣促言語不能相續者方見傷寒門

導痰湯治一切痰涎壅盛胸膈留飲痞塞不通

半夏湯泡三錢　天南星炮　枳實　赤茯苓

橘紅各二钱　甘草

右生姜五片煎法如常食後服

桔梗湯治胸膈脹滿短氣痰盛吧逆或吐涎沫

桔梗　半夏姜製　陳皮去白各三钱　枳實一钱半

右生姜三片煎法如常不拘時服

溫中化痰丸方見咳嗽門

破痰消飲丸治一切停痰留飲

青皮　陳皮並洗　川姜炮　京三稜

草菓麪裹炮　蓬术炮搥碎　良姜濕紙煨各一两　半夏湯洗七次三两

右爲末水煑麪糊丸如梧桐子陰乾每服五十丸姜湯下

豁痰丸治遶痰壅盛

南星三两　半夏二两各剉作大片用濃皂角水浸一宿焙干爲末　白附子

五灵脂　殭蠶　白礬枯　細辛各一两

全蝎二钱半焙

右爲細末用皂角碎挼水煑麪糊和丸如梧桐子大每

服二十九食後用生姜湯送下

辰砂化痰丸治风痰安神定志利咽膈清頭目

辰砂（已研為衣） 白礬（枯研各半兩） 天南星（一兩炮） 半夏（三兩）

右為細末生姜汁煮麪糊和丸如梧桐子大用辰砂為衣每服三十丸食後生姜湯送下

新法半夏湯治脾胃虚弱痰飲停滞吧逆酸水腹脹滿頭旋惡心不思飲食

縮砂 神麯（炒） 陳皮（去白） 草菓（各一兩）

白豆蔻 丁香（各半兩） 半夏（四兩去滑） 甘艸

右為抹每服二錢先用生姜自然汁成膏入炒鹽湯服

海藏五飲湯治一留飲心下二癖飲脇下三痰飲胃中四溢飲膈上五流飲腸間凡此五飲酒後傷寒飲冷過多故有此疾

旋覆花 人参 陳皮 枳實

白朮 茯苓 厚朴 半夏

澤瀉　猪苓　前胡　桂心

芍藥各小分　卄卅

右生姜五斤煎法如常不拘時候忌食肉生冷滋味等

物肉酒有飲加葛根葛花縮砂仁

喘急門

夫肺者居五藏之上爲華蓋主諸氣喜清虛調攝失宜凡寒暑濕邪氣相干則肺氣脹滿發而成喘亦有因七情氣相乘五臟鬱而生痰或休虛之人脾腎共虛而不能攝養一身之痰令人發喘治療之法感邪氣則驅散之氣鬱則調順之脾腎虛者溫利之脈滑而手足溫則生脈濇而四肢寒者死亦脈數者死矣

三拗湯治肺感寒邪發喘

杏仁七分　陳皮一両　卄半　麻黄一両去円在汁者減半

五味子七分　桂五分

右㕮咀每服四錢姜三片煎喘甚者加　馬兜鈴桑白皮
神秘湯治上氣喘急不得臥者
橘皮　　桔梗　　紫蘇　　五味子
人參各等分
右煎法如常
紫蘇子湯治憂思過度邪傷脾肺心腹膨脹喘促煩悶腸
鳴氣走漉漉有声大小便不利脉虚緊而澁
紫蘇子一兩　大腹皮　草菓仁　半夏
厚朴　　木香　　陳皮　　木通
白朮　　枳實　　甘草　　人參各半兩
右㕮咀每服四錢水一盞姜五片棗二煎七分不拘時服
人參定喘湯治肺氣上喘喉中有声坐臥不安胸膈緊滿
及治肺感寒邪咳嗽声重
人參　　麻黄　　半夏　　阿膠
甘草各一兩　桑白皮　五味子各兩半　罌粟殼二兩

右㕮咀每服三錢水一盞姜三片煎七分食後溫服

分氣紫蘇飲治脾胃不和氣逆喘促

甘草　草菓　大腹皮　陳皮

五味子　桑白皮　茯苓　桔梗各一斤

右㕮咀爲麄末秤二十斤入淨紫蘇十五斤搗碎同一

處拌勻每服四錢一盞姜三片入塩少許同煎空心服

九寶湯治經年喘嗽通用

麻黄　陳皮　肉桂　紫蘇

桑白皮　杏仁　大腹皮　薄荷各一錢六分

甘草

右生姜三片烏梅半个煎法如常

定肺湯治上氣喘嗽

紫菀　橘紅　杏仁　五味子

枳殼　半夏　桑白皮　紫蘇子各錢分

甘草

右生姜二片紫蘇三葉煎法如常食後服

四磨湯治七情鬱結上氣喘急

人參　檳榔　沉香　烏藥

右四味各濃磨水取七分盞煎三五沸放溫服

五味子湯治肺癰

五味子　紫蘇　麻黃　細辛

赤茯苓　紫菀　黃芩　陳皮

桑白皮　官桂　葶藶　半夏各等分

甘草

右㕮咀每服五錢水二盞生姜半分煎至一盞食後服

氣門

人者受天地陰陽之氣以生而氣隨陽行脈外爲之衛血隨陰行脈中爲之榮也榮衛調順則形神俱備而爲全体故婦人宜耗其氣調其經男子者息養其氣以全其神若人胃調攝外爲風冷所干內因喜怒憂思悲恐驚氣滯則

由內外生病而於七情喜過則傷心呪於怒憂悲恐驚又
風冷自表入乎氣相搏則成諸症膀胱小腸腎氣之痛各
茱方述于後矣

三光正氣散治陰多陽少手足厥冷氣刺壅滯胃膈噎塞
心下堅痞吧噦酸水

木香　丁香各半兩　陳皮去白　厚朴去粗皮姜汁製
益智仁　縮砂　香附子炒去毛　甘艸各一兩半
乾姜　丁香皮　蓬莪朮　烏藥各一兩

右作一服用水二鍾生姜三片紅棗二煎至一鍾去滓
不拘時服

木香流氣飲治諸氣痞塞不通胸膈膨脹面目虛浮四肢
腫滿口苦咽乾大小便秘

半夏二兩奇一兩　厚朴奇一兩　青皮上同　紫蘇去梗上同
香附子上同　甘艸各一斤　陳皮二斤奇二兩　肉桂奇一兩
蓬莪朮上同　丁香皮上同　大腹皮上同　檳榔上同

麥門冬 寄半分　木香 寄一分　草菓仁 各六分上同　木通 八分寄半分
藿香葉 寄一分　白芷 各四分寄半分　赤茯苓 上同　白朮 上同
乾木瓜 上同　人參 上同　石菖蒲 各二分上同

右生姜二片棗二煎服

嘉禾散，亦名穀神散。以中滿下虛，伍噎伍膈，脾胃不和，胸膈痞悶，脅肋脹滿，心腹刺痛，可進飲食，或多痰逆，口苦吞酸，胸滿短氣，肢体怠惰，面色萎黄，如中焦虛痞，不任攻擊，臟氣虛寒，不受峻補，或因病氣衰，食不復常，禀受怯弱，不能多食，尤宜服之。常服育神養氣，和補脾胃，進美飲食。

枇杷葉　白茯苓　縮砂　薏苡
丁香　白豆蔻　人參 各一两　白朮
桑白皮　沉香　五味子 各半两　檳榔 微炒
大腹子 同　青皮　穀蘗　藿香
杜仲　隨風子　陳皮　石斛
半夏　神麯 各二分半　木香 三分　牛中

右生姜一斤棗一 煎法如常又爲散服

紫沉通氣湯治三焦氣滯不能宣通脹脇脹大便秘

紫蘇葉 枳殼 陳皮 赤茯苓

檳榔各一两 甘草 沉香 麥門冬

木香 五味子 桑白皮 黃耆

乾生姜 薄荷 荊芥 枳實各半两

右煎法如常

順氣木香散治氣不升降胸膈痞悶或引高及酒食過

度噫氣呑酸心脾刺痛女人一切血氣刺痛並皆治之

木香 蒼术 桔梗 茴香

乾姜 陳皮 縮砂 厚朴

丁皮 良姜 肉桂各一分 甘草

右生姜二片棗一 煎法如常不拘時熱服入鹽少許

七氣湯治七情之氣鬱結于中心脹紋痛不可忍者

人参 甘草 肉桂各一两 半夏五两

右生姜三片煎法如常

分心氣飲　治一切氣留滯於胸膈之間，不能流暢，以致痞悶噎塞，不通大便虛秘

木香　丁香皮　人參　麥門冬
大腹皮　大腹子　桑白皮　草菓仁
桔梗　厚朴　白朮各半両　香附子
藿香　陳皮　紫蘇各一両半　甘草

右生姜二片，棗一去核，灯心五莖，煎服

化氣湯　治一切氣逆，胸膈噎塞，心脾卒痛，嘔吐酸水，丈夫小腸氣，婦人脾血氣，並皆治之

沉香　胡椒各一両　縮砂　桂心
木香各二両　乾姜　蓬莪朮　青皮
茴香　甘草　陳皮　丁皮各四両

右爲末，每服二錢，姜蘇湯調下，婦人淡醋湯下

異香散　治腎氣不和，腹肚膨脹，飲食難化，噫氣吞酸，一切

冷氣結聚腹中刺痛並皆治之

石蓮肉半兩　蓬朮　益智　荊三稜

卑(萆)草各三兩　青皮　陳皮稍一兩　厚朴一兩

右生姜二片棗一鹽一捻煎法如常

益智仁湯治疝氣連小腹痛甚不已診其脉沉緊是腎經

有積冷所致

益智仁　乾姜　茴香　卑(萆)草各二兩

烏頭三兩　青皮一兩

右生姜二片入鹽少許煎法如常空心服

茴香湯治諸疝腹痛頭疼者

陳皮五兩　厚朴二兩　白朮二兩　卑(萆)草

茴香二兩

右生姜二片棗一　煎如常

三和散治五臟不調三焦不和心腹痞滿脇肋䐜脹風氣

壅氣壅滯肢節煩疼頭面虛浮手足微腫腸胃燥澁大便

秘雍年高氣弱并可服之

羌活　宣木瓜　沉香　芎藭

陳皮各一秝　紫蘓　白朮　檳榔

木香　大腹皮　并中各一秝

右煎法如常四磨湯亦可兼

蘓合香圓療傳屍骨蒸殗殜肺痿疰忤鬼氣卒心痛霍乱吐利昡氣鬼魅瘴癘赤白暴利瘀血月閉痃癖丁腫驚癇鬼忤中人小児吐乳大人狐狸等病

蘓合香油　薫陸香　竜脳各一夃　白朮

丁香　朱砂　青木香　白檀香

烏犀　安息香別爲末用無灰酒一升熬膏　蓽撥

香附子　訶梨勒　麝香各二夃　沉香

右爲細末入研藥停用安息香膏并煉白蜜和劑每服旋丸如梧桐子大早朝取井花水溫冷任意化服一丸老人小児可服半丸溫酒服亦得並空心服之用蠟紙

畏一丸如彈子大緋絹袋盛當心帶之一切邪神不敢近
去處出名麝香蘇香蘇合香圓治冷氣老人尤宜服之

脾胃門

夫五味入口而傳胃也脾胃調則能容納五氣五穀剋化
而養五藏故喜暖惡人過食生冷之物又飢飽失時則傷
脾胃亦因七情六淫相干則或嘔或泄或喘或滿諸證各
某方略述于後也
參苓白朮散 方見痢門
嘉禾散 方見氣之部
四君子湯治脾胃不和不思飲食
人參　茯苓　白朮　甘草各三分
右煎法如常不拘時服
六君子湯治脾胃不和不思飲食
人參　茯苓　白朮　甘草

半夏　陳皮 各二兩

右生姜二片棗二一煎法如常

平胃散治脾胃不和嘔吐惡心不思飲食

蒼朮 三兩　厚朴　陳皮　甘草 各二兩

右生姜二片棗二一煎食遠服一方加草菓煎法如常

進食散治脾胃虚冷不思飲食

青皮　陳皮　良姜　肉桂

川烏頭　草菓　甘草 各一兩半　訶子 一兩

右生姜三片空心服

補脾湯治脾胃虚冷泄浮脹滿氣逆嘔吐飲食不消

人參　茯苓　草菓　乾姜

麥蘖　甘草 各一兩半　厚朴　陳皮

白朮 各一兩

右煎法如常空心服

白朮湯理脾和胃順氣進食

白朮　厚朴　桂心　乾姜

拮梗　人參　茯苓　當歸

甘艸 各一㦲半

右生姜二片棗二一不拘時服

荳蔻橘紅散溫脾養胃升降陰陽和三焦消宿食

白豆蔻　橘紅　人參　厚朴

半夏　神麯　乾姜　藿香

白朮 各半兩　甘艸　丁香　木香 各一兩

右生姜二片棗二一食前溫服

木香啓中湯補脾胃進飲食寬膈順氣

木香　人參　白朮　茯苓

陳皮　半夏　枳殼　香附子

縮砂　白荳蔻　甘艸 各小分

右生姜五片棗二一不拘時溫服

六君子湯治胸膈悶脾寒不嗜食服燥葯不得者宜服

人參　白朮　茯苓　陳橘皮

半夊　枳殼各半分

右生姜三斤不拘時溫服

胃受散治脾胃久虛中焦氣滞壅上或有冷涎上潮吧悪或膈腹疼痛不思飲食

人參一分　白术　茯苓　丁香各一分

耳艸　肉豆蔻三ヶ　黄耆　乾姜各半分

右用白米二盞同碾爲細末每服二大乑水一盞入生姜一斤同煎至七分通口服如臓腑不調加丁香十四粒石蓮肉七粒同煎如前法空心食前服

建脾散通中健胃消食快氣

人參　白术　霍香　肉豆蔻

丁香　縮砂　神麴各一分　耳艸

右煎法如常每服二乑不拘時用橘皮湯調服

黄耆人參湯脾胃虛弱必上焦之氣不足遇夊天氣熱感

損傷元氣怠墯嗜卧四技不收精神不足两脚痿輭遇早

晚寒之厥日高之後陽氣將旺復熱如火乃陰陽氣血俱不足故或熱厥而陰虛或寒厥而氣虛口不知味目中溜火而視物恍恍無所見小便頻數大便難而結秘胃脘當心而痛兩脇痛或急縮臍下周迴如繩束之急甚則如刀刺腹難舒伸胸中閉塞時顯呃噦或有痰嗽口沃白沫舌強腰背胛眼皆痛頭痛時作食不下或食入即飽全不思食自汗尤甚若陰氣覆在皮毛之上皆天氣之熱助本病也乃庚大腸辛肺金為熱所乘而作當先助元氣理治庚辛之不足以此茱主之

黃耆 一分如自汗過多更加一分

橘皮 不白去　麥門冬　升麻 六分　人參

當歸身　炙甘草 各三分　蒼朮 無汗更加五分　白朮 五分

黃蘗 各三分 酒洗以救水之源　五味子 九個　炒麯

右煎法如常空心服又食遠加減本方甚多之略矣

參煮散治脾胃不和中脘氣滯停積痰飲或內飲食過

治傷脾氣吧吐痰水

人参 四夂　青皮　三稜 各十二夂　乾姜

丁皮 各六夂　茯苓 半斤　莪茉 一斤　蒼朮 半斤

甘艸

右爲末每服二禾水一盞姜五片枣二　空心溫服

加味平胃散　厚朴　陳皮　甘艸

白朮 五夂半　丁香　縮砂　香附子 各三夂

茯苓

右生姜二片枣二　煎法如常

飜胃

飜胃之証先因五噎五膈㪅氣不下脾胃冷絶而成飜胃也此証尤難治也於膈噎之証速可調治但飜胃之一証因脉証可施治灸茱方述于左審之

安脾散 方見吧吐門

附子丁香散治翻胃吐逆臟腑泄浮等疾
附子一兩　乾姜　丁香　肉豆蔻
白朮各半兩　并什
右爲麄末每服三錢水一盞姜三片煎六分空心服
五膈散治五膈氣結胸膈痞悶痰逆惡心不進飲食
木香　青皮　大腹皮　枳殼
丁香　乾姜　半夏　天南星
草菓仁　麥糵　白朮各一兩　并什
右㕮咀每服三錢水一盞姜三片煎七分溫服
五噎散治五噎食不下嘔噦痰多咽喉噎塞胸膈滿痛
人參　半夏　桔梗　白豆蔻
木香　杵頭糠　沉香　蓽澄茄
枇杷葉　乾生姜　白朮各一錢　并什
右生姜五片食後服
五膈氣散專治十般膈氣冷膈風膈氣膈痰膈熱膈憂膈

膈水膈食膈喜膈

人參　白茯苓　官桂　枳殼

甘草　神麯　麥蘖　訶梨勒皮

蓬莪朮　京三稜　乾生姜　陳皮

白朮各一兩　厚朴　檳榔　木香各半兩

右爲末每服二錢入塩一字白湯點服如脾胃不和脹脇脹滿用水一盞姜五片棗一塩少許煎服

人參丁香散治脾胃不和停痰留飲不能運化脹脇脹滿短氣噎悶或吐痰水噫醋吞酸不思飲食漸至羸瘦

人參　丁香　白為茱　當皈

肉桂　蓬朮　丁皮各一錢　乾姜

茯苓　香附子　白朮　甘草

山茱各一錢半

右生姜二片空心服

五膈寬中散治七情之氣傷于脾胃以致陰陽不和胸膈

痃滿停痰氣逆成五臟之病一切冷氣並皆治之

青皮　陳皮　丁香各四两　厚朴一斤

白豆蔻二㕦　縮砂仁　木香　香附子各三㕦

甘艸

右細末煎法如常每服二錢用姜塩湯調服

丁附治中湯治胃冷停痰吧吐不已

丁香　甘艸　青皮　陳皮

人参各半㕦　附子　白朮　乾姜各一㕦

右㕮咀每服四錢水一盞姜三片煎八分空心熱服

丁香煑散治脾胃虚冷吧吐不食

丁香　紅豆　甘艸　益智[illegible]

青皮　川烏　陳皮　良姜各四㕦

胡椒二㕦　干姜

右㕮咀每服三錢姜二片塩一捻煎七分空心熱服

一賢散治脾胃諸疾不得效

丁香　附子 各等分

右細末一捻於掌心以律掌下

諸虚門

諸虚者曰心腎有虧水火不升降而生諸証云云而稟賦素弱之輩色欲過度亦爲寒暑労役所傷也因茲諸虚者皆自腎始矣人有腎猶樹如有根々本堅固則枝葉茂盛根絶則枝葉枯矣調攝乖宜則根腎虚而生五労六極諸証治療之法大柢述于後也

十全大補湯治男子婦人諸虚不足五労七傷此藥性温補常服生血壯脾胃

人参　肉桂　熟地黄　白芍藥

川芎　茯苓　川當皈　黄耆

白术　甘草 各等分

右生姜二片棗一 煎法如常

参香散治心氣不寧諸虚百損肢体沉重情思不樂夜多

異夢盜汗失精恐怖煩悸喜怒無時口乾咽喉渴欲飲水
飲食減少肌肉瘦悴漸成勞瘵常服補精血調心氣進飲
食安神守中功効不可盡述

人參　黄耆　白茯苓　蓮肉
白术　山茱各一兩　縮砂仁　烏茱
橘紅　乾姜各半兩　甘草　南木香
檀香　丁香各三分　沉香二錢

右剉散每服三錢水二鍾生姜三片棗二　煎至一鍾去
滓食前服一方用炮熟附子半兩或烏梅每一七食前
用鹽湯調服亦可

人參養榮湯治積勞虛損四肢倦怠肉消瘦面少顏色[illegible]
汲汲短氣飲食無味

人參　當歸　陳皮　黄耆
桂心　白术　甘草各一錢　白茯苓一錢
熟地黄　茯苓　五味子各七分　遠志五分

右作一服用水二鍾生姜三片紅棗二枚煎至一鍾食
前服遺精者加龍骨一錢咳嗽者加阿膠一錢

安神丸治腎經積冷下元衰敗目暗耳鳴四肢無力夜夢
遺精小便頻數常服補元陽益腎水

柏仁　白蒺藜　巴戟　肉蓯蓉
破故紙　茯苓　石斛　山茱
草薢　白术各二十四兩　肉桂　川烏各八兩

右為細末煉蜜和丸梧桐子大每服三十丸食前用溫
酒或塩湯送下

小兎絲子丸治腎氣虛損目眩耳鳴四肢倦怠夜夢遺精
常服補益心腎

兎絲子五兩　石蓮肉二兩　白茯苓一兩　山茱二兩內七分打糊

右為細末用山茱煮糊和丸如梧桐子大每服五十丸
空心用溫酒塩湯任下

黄耆六一湯治虛勞自汗

萸香　甘草　加白朮　白芍藥
右作一服用水二鍾生姜二片紅棗一枚煎至一鍾不
拘時服
八味丸　治下元冷憊心火炎上渴欲飲水或腎水不能攝
養多吐痰唾及男子消渴小便反多婦人轉胞小便不通
附子　桂心各二兩　牡丹皮　茯苓
澤瀉各三兩　山茱萸　山藥各四兩　熟地黄八兩
右為細末煉蜜和丸如梧桐子大每服七五十丸空心
用塩湯送下

癆瘵門

癆瘵者体氣虚弱而勞傷心腎又因外感寒暑濕相干或
先為癃疾以致咳嗽或諸病調治法亦宜寒邪入裹或過
房室亦傷飲食久為癆瘵之候此証使人羸瘦皮毛乾枯
大熱盜汗遺洩白濁咳嗽痰鹹而或咳唾膿血變二十四
種三十六種九十九種此証難治也能識其而施治者

八得免

、、令建中湯治臟腑虛損身体消瘦潮熱自汗將成癆瘵

此藥大能退虛熱生血氣

前胡　細辛　當皈　白芍藥

人參　橘皮　桂心　麥門冬

黄耆　茯苓　甘艸各一朱　半夏湯泡七八分

右生姜三片棗二不拘時服

秦艽扶羸湯治肺痿骨蒸已成勞嗽或寒或熱声嗄不出体虛自汗四肢倦怠

秦艽　鼈甲　人參　當皈

紫菀　半夏　甘艸各一朱　地骨皮一朱半

蓖胡二朱

右生姜三片烏梅棗二一食後服

旋神飲子治癆瘵增寒發熱口乾咽燥自汗煩鬱咳嗽声重唾中血絲瘦劇倦之

人参　當皈　白芍药　茯神

白术　黄耆　半夏　蓮肉

桔梗　麦門冬　熟地黄　五味子

白茯苓各一分半十

右烏梅棗二一食後脹如嗽加阿膠虛極胸滿加木香溫紙裹煨加沉香亦可如不思飲食加扁豆

黄芪益損湯治男子婦人童男室女諸虛不足榮衛虛弱五労七傷骨蒸潮热腰背拘急百節酸疼夜多盗汗心常驚惕咽燥唇焦嗜卧少力肌瘦胷悸咳嗽多痰咯唾血絲寒热往来頰赤神昏全不思食脹熱渠則煩躁衛滿上焦進涼渠則臟滿而脹痛及治大病後榮衛不調及婦人産後血氣未復宜服此藥

黄芪　人参　石斛　木香

白术　當皈　肉桂　茯苓

芍药　半夏　川芎　熟地黄

山茱　　牡丹皮　　麦門冬　　五味子
甘艸各小分
右㕮咀每服三钱水一盞半生姜三片枣二小麦五十
粒烏梅一ケ煎七分食前服
檳榔散治骨蒸服中痃癖服下妨悶漸加瘦劣
檳榔　　赤芍药　　訶梨勒　　木香
桃仁各三分　　赤茯苓　　桔梗　　京三稜
鼈甲各一两
右㕮咀每服三钱水一中盞入生姜半分煎至六分去
滓食前温服
地骨皮散治血風体虚發渴煩熱
地骨皮　　桑白皮　　茈胡　　前胡
枳殻　　黄耆各七钱半　　白茯苓　　五加皮
人参　　桂心　　白芍药各半分　　甘艸
右生姜二片食遠温服

小品湯治血虛潮熱往来呃逆自汗溼身酸痛咳嗽
白芍药 黄耆各二戋 人参 半夏
白茯苓 當歸 肉桂各一戋 甘草
右生姜三片枣一 煎食前服
紫菀湯治虛劳上氣胸中煩滿寒熱減食不得安卧
紫菀 五味子 前胡 陳橘皮
麥門冬 人参 白术各一戋 官桂三分
甘草
右每服水一盏生姜三片枣二枚煎服
人参散治邪热客於經絡痰嗽煩热頭目昏痛夜多盗汗
四枝倦怠一切血热虛劳並宜服之
黄芩半戋 人参 茯苓 白术
半夏 赤芍药 杜中 當歸
甘草 乾葛各一戋
右㕮咀每服三各水一盏姜三片枣一 煎服

沉香飲 治虛勞冒氣塞中脘痞悶吐多痰不思飲食
半夏一兩 橘皮 沉香 白朮
甘草各半兩 青皮一兩 草豆蔻五枚 丁香
木香各一分
右生姜三片不拘時溫服
豆蔻湯 治虛勞不思飲食中滿痞塞大腸或秘或泄
白豆蔻 白朮 陳皮 人參各一兩
乾姜 甘草 丁香各半兩 檳榔二枚
厚朴一兩
右生姜二片棗二 不拘時溫服
血枝散 取下傳尸勞虫
桃枝 李枝 梅枝 石榴枝
桑枝並取東向小更各七莖長三寸 青蒿一小握 葱白七斤
生藍葉七斤 苦根根白皮七寸
右以童尿一升半煎取其半去滓入安息香蘇合香阿
魏各一錢煎至一盞濾清調殊砂雄黃雷丸枯白礬硫

黃末各半兩雄心檳榔末一兩半射香一字分二服用
爲五更空心進一服五更五點又進一服至午前取下
療虫淨桶風急餅入油銚内煑仿傾油虫入磁器封扎
埋深山僻處

榊授散治諸傳尸勞氣殺虫去毒

川椒 二斤擇去子并合口者炒出汗

右爲末每服二錢空心米湯調下必尸痒暈悶少頃如
不能禁即以酒糊丸如梧桐子空心服五十丸鹽湯下

十八廣義湯 方見積聚門

人參白朮散 治傷寒吐氣咳虫不食一切氣之病

白朮 厚朴 人參各一兩 半下

桔梗 茯苓 乾姜 茴香各一兩

橘紅 甘草

右姜三片棗二一煎服

四花散 治虛勞弟瘡瘍者害之兒者弥佳也

人 桂心 川芎
芍藥 茯苓 白朮 黄耆
當歸 秦艽 姜黄 各一两 甘草
右煎法如常

流氣飲子 治男子婦人五藏不和三焦氣塞心胸痞悶咽塞不通腹脇膨脹嘔吐不食上氣喘急咳嗽痰盛面目浮腫四肢腫大便秘澁小便不通憂思鬱結不散脚氣腫痛　千本ニ氣門ニ有

紫蘇　青皮　當歸　芍藥
桔梗　半夏　川芎　黄耆
烏藥　茯苓　枳殼　防風
陳皮 各二　木香　檳榔　大腹皮
枳實 各一　甘草
右生姜二片棗一

管蠡備急方
WA 16
66
2

管蠡備急方巻之中

咳逆門

論曰咳逆之証古人以為噦者是也此證多因病後未得調理或吐利之後胃中虚寒遂成此証亦有胃虚膈熱噦至八九声相連収氣不回者亦有噦而心下緊痞悸此乃膈間有痰故也當詳其脉証施以治法大率胃實則噫胃虚則噦年高氣虚及婦人産後多有此証皆是病深之候非易治也

丁香散 治咳逆噎汗

丁香 柿蔕各一分 甘艸炙 良姜各半分

右為末毎服二分用熱湯點服不拘時

橘皮乾姜湯 治噦

人参一両 通草 桂心

橘皮 甘艸各二両 干姜

右㕮咀毎服四分水一盞煎六分温服

柿蒂湯治胃脈痞滿咳逆

柿蒂　丁香各一兩

右㕮咀每服四分水一盞姜五片煎服不拘時

羌活附子散治吐利後胃寒咳逆

附子　茴香各半兩　羌活　丁香

干姜各一兩

右爲末每服二分水一盞鹽少許煎七分空心熱服活

人方去丁香用木香三因方二香並用

橘皮湯治吐利後胃虛膈熱而咳逆者

橘皮二兩　人參　甘草各半兩

右竹茹一小塊生姜三片棗二　煎法如常

灸期門法治傷寒咳逆諸治不効

穴在婦人屈乳頭向下盡處骨間丈夫及乳小者以一

指爲率男左女右灸炷如小豆大三壯陷中有動脈是

穴

頭痛

頭痛之疾非一端而真頭痛之一証治療之術難吋此外專風寒濕攻頭或痰厥腎虛氣逆新沐之后當風露卧而爲此病詳而可調法之

小芎辛湯治風寒在頭痛眩暈嘔吐不定

川芎一兩　細辛　白朮　甘草各半兩

右㕮咀每服四分水一盞姜三片茶芽少許煎服不拘時

芎烏散治男子氣厥頭疼婦人氣盛頭疼及產後頭痛悉皆治之

川芎　天台烏藥

右爲細末每服二分臘茶清調服或用葱茶湯調服并食後

葉氏方天香散治久年頭風不得愈者

天南星　半夏　川烏　白芷各等分

右㕮咀每服四分水一盞煎半入姜汁半盞煎八分溫服

川芎散治風壅鼻塞清涕熱氣上攻眼目多淚
及偏正頭痛

川芎　茈胡各二分　細辛　半夏
人參　前胡　防風　甘菊
甘草各一分　薄荷少許

右作一服水二鍾生姜二片煎至一盞食後服

芎辛導痰湯治痰厥頭痛

川芎　細辛　南星　陳皮
茯苓各一分半　半夏二分　枳實　甘草各一分

右生姜五片煎法如常食後服

川芎羌活散治頭痛

川芎　細辛　蔓荊子　藁本各二分
羌活二分半　防風一分半　白芷半分

右㕮咀每服二兩水煎去滓臨卧旋服

如聖餅子治風寒伏留陽經氣結痰飲一切頭痛

防風半兩　南星一兩　天麻半兩　干姜
川芎　甘艸各一兩　半夏半兩　川烏一兩
右爲末滴水丸作餅子每服五餅同荆芥細嚼茶酒任
下澹寮如細辛
人參順氣散治頭疼憎寒壯熱四肢疼痛因傷寒所致
麻黄一兩半　干葛　甘艸　白术
人參　桔梗　香白芷各一兩　白姜半兩
右爲細末每服二分水一盞姜二片葱白二寸同煎連
進取汁
川芎茶調散治偏正頭痛方見風門
心痛附脹痛虫痛
心爲五藏之主一身之脉聽命焉安靜而不使有所傷可
傷之則發真心痛其証旦發而夕死夕發而旦死尤難治
之証也此外有九種蟲疰風悸食飲寒熱來去痛是也名
雖不同皆由外感非氣內傷生冷聚停痰飲於心肥傷於

經絡重則心胸引痛輕則怔忡或致膽氣虛怯夢生驚悸恍惚如有所見宜審所因調治茱方具後也

加味七氣湯治喜怒憂思悲恐驚七氣爲病發則心腹刺痛不可忍者或外感風寒濕氣作痛亦宜服之

半夏 三錢　桂心　玄胡索 各二錢半　人參
亂香　甘草 各一錢

右生姜三片棗二 食後服

七氣湯 方見氣門

茯苓補心湯 方見失血門

妙香散治男子婦人心氣不足精神恍惚虛煩少睡夜多盜汗常服補益氣血安鎮心神

麝香 一錢　山藥 一兩　人參 半兩　木香 煨二分半
茯苓　茯神　黄芪 各一兩　桔梗 半兩
甘草　遠志 一兩　辰砂 三分別研

右爲末每服二分溫酒調服不拘時

辰砂遠志圓安神鎮心消風化痰

石菖蒲　遠志　人參　茯苓

辰砂各半兩　川芎　山茱　鐵粉

麥門冬　細辛　天麻　半夏

南星　白附子各一兩

右爲末用生薑五兩取汁入水煮糊圓如菉豆大別以朱砂爲衣每服三十粒夜卧生薑湯下

遠志圓治因事有驚心神不定夜夢驚墮小便白濁

遠志　石菖蒲各二兩　茯神　白茯苓

人參　龍齒各一兩

右爲末煉蜜圓如梧桐子以辰砂爲衣每服七十圓煎湯下

降心丹治心腎不交盜汗遺精及服煖藥過多上盛下虛小便赤白常服鎮心益血

熟干地黄三兩　朱砂半兩　茯苓　人參各二兩

當歸三兩　茯神一兩　內桂半兩　山茱二兩
麥門冬二兩　遠志二兩　天門冬二兩
右爲末煉蜜丸如梧桐子每服三十丸人參湯下
香附子散治心脾痛不可忍
良姜　香附子六分
右爲末入塩少許米飲調下二分
鑄刷湯治心脾積痛婦人血氣刺痛中酒惡心腸滑泄浮
良姜二兩　茴香七分　蒼朮二兩八分　甘草
右爲細末每服二分空心姜塩調服
加味四七湯治风冷寒邪客搏心腹作痛
桂枝　白芍藥　半夏　人參
紫蘇各一兩半　白茯苓　厚朴　枳殼各二兩
甘草
右生姜三片棗一枚煎法如常
貫衆湯治一切虫痛

貫衆　薏苡根　半夏　梹榔

丁子各二分　木香　干姜各一分　甘草

右生姜二片枣二个煎法如常

神膽圓九虫痛用

雞心梹榔二兩　苦楝根皮　蕪荑仁　草撥

木香　竜膽各二分　白礬一分

右熊膽研煉麪糊丸

又治諸虫秘方

人參　甘松　白朮　干姜各小分

右煎服

駈九虫方　伏虵白肉肺胃弱赤蟯

藜芦三兩　胡粉三分　蕪荑二分

右糊丸衣朱

鸖虱圓治虫腹痛

鸖虱炒　干漆小分

右練蜜或麪糊丸梧桐子大每服十丸臨卧温水下

眩暈

眩暈之証發於卒然之間如屋旋轉起則眩倒諸眩皆謂屬肝然躰虚之人外爲風寒暑濕之氣所干内爲七情所結生涎皆能令人眩暈目昏口噤頭疼項强或亦有風氣血之三証并痰証婦人之証各隨所因可施治也

三五七散　治陽虚風寒入腦頭痛目眩運轉如在舟車之上耳内蟬鳴風寒濕痹脚氣緩弱等痰并皆治之

天雄　細辛各三匁　山茱萸　干姜各五匁

防風　山茱各七匁

右爲細末食前用温酒調服

小芎辛湯　治風寒在腦頭痛眩暈欲倒嘔吐不定　門方見頭痛

川芎散　治風眩頭痛暈

川芎　甘菊花　人参　茯神

山茱 各半兩 山茱萸 一兩

右為細末每服二錢用溫酒調下不拘時服日三服

人參前胡湯治風痰頭運目弦

人參 二錢 前胡 南星 半夏

木香 枳殼 橘紅 紫蘇葉 各一錢半

右生姜三片食後服

川芎散治眩暈懸爪自汗或身体不仁氣上衝胸戰搖如

在舟車之上

川芎 白朮 各三錢 北細辛 白茯苓

粉草 各一錢 桂枝 半錢

右生姜二片不拘時服有痰兼青州白丸子服之

香橘飲治氣虛眩暈

木香 橘皮 白朮 半夏

白茯苓 縮砂 各二錢 丁香 甘草 各五分

右生姜三片食後服

白术飲治風邪在胃頭𦘦不止後加吧逆
白术　厚朴　甘菊花各半兩　防風
白芷　人參各一兩
右生姜三片食後温服
防風飲子療風痰氣發則頭旋吧吐不食
防風　人參　橘皮各二兩　白术
茯神各三兩　生姜四兩
右煎法如常
芎藭散治風頭𦘦發則心胶滿急眼運欲倒
芎藭　赤茯苓　枳殼各三分　羚羊角屑
独活　防風　白术　蔓荆
杏仁各半兩
右生姜二片煎服不拘時
羚羊角散治風邪乘於陽經上注頭目遂入於腦又或痰
水結聚胷膈上衝頭目一切眩暈並皆治之

茯神一双　芎藭半双　羚羊角一双　甘艸

枳殻二分半　半夏　白芷　防風各半双

附子二分半

右㕮咀毎服四分水一盞姜三片煎七分不拘時

腰脚痛

夫腰者腎之府也不能轉揺腎將憊矣蓋因風寒暑湿傷腎經發腰痛又有墜堕険地閃動腰脚氣血凝滞痛者或引於項背傍及兩脚不可俛仰或如坐水中面目黧黒也審脉正邪由可施治

独活寄生湯治風傷腎經腰痛如掣久不治流入脚膝爲偏枯冷痺緩弱之証

独活　桑寄生續断代之　白芍薬　細辛

桂心　芎藭　防風　人参

熟地黄　川當皈　秦艽　牛膝

茯苓　杜仲各一分　甘艸

右煎法如常

土犢散治寒濕傷腎經腰痛不可俛仰方見寒門

腎着湯治居處卑濕或雨路所襲濕傷腎經腰重冷痛如

帶五千系冷如水流热物着痛方步寛不渴小使自利

茯苓　干姜各五系　白朮二系半　廿艸

右煎不拘時服

朮附湯治濕傷腎經腰重冷痛小使自利

朮　附子　白朮四系　杜中各二系

右生姜五片煎法如常空心服

独活散治冷滞風氣攻刺腰胯疼痛

独活　附子一炮各一刄　牛膝二刄　赤芍藥

桂心　芎藭　當歸各三刄　桃仁半刄

右每服三分生姜半分煎食前溫服

當歸枯痛湯治濕热爲病肢節煩疼肩背沉重胸膈不利

及偏身疼痛下注於足經痛腫不可悉

當歸身　知母酒浸　茯苓酒浸　澤瀉

猪苓　白朮各八分　苦參酒浸　人參

葛根　升麻各七分　茵蔯　黄芩酒浸

羌活一錢半　防風　蒼朮各八分

右煎法如常不拘時服

服毒散加續斷天麻薄荷木瓜等分治風熱濕毒腰痛方見傷寒門

治腰痛牽引足膝脚膕屢用如神

杜仲　續斷　黑牽牛　破故紙

排仁　玄胡索各等分

右爲細末酒糵麩糊和丸如梧桐子大每服五七十丸

食前溫酒白湯任下或加胡桃肉同丸尤妙

如神湯名舒筋湯治男子婦人腰痛閃肭血滯腰下疼痛

産後服之妙

玄胡索微炒　當歸　桂心各等分

右爲細末每服二分不拘時用溫酒調服一方加杜仲
或加排人牛膝續斷亦可

治腰痛方

官桂　玄胡索　杜仲各等分

右爲細末每服二分空心用熱酒調服

速効散

治男女腰痛不可忍者

川楝子取肉巴豆五粒去殼同炒赤去巴豆　茴香鹽炒香去鹽　破故紙炒已上各一兩

右爲細末每服三分空心用熱酒調服一方去川楝子加官桂

治腰痛如神方

杜仲　木香各四兩　官桂一兩

右細末每服二分空心溫酒調下此藥治血化氣

立安丸治五種腰痛常服補煖腎經壯健腰脚

破故紙　千木瓜　杜仲去糸　牛膝
續斷各一兩　萆薢二兩

右爲細末煉蜜和丸如梧桐子大每服五十丸空心用

溫酒或鹽湯送下

人參順氣散治氣滯腰痛

人參　川芎　桔梗　白朮

白芷　陳皮　枳殼　麻黄

烏藥　白姜各一兩　甘草

右煎服或爲細末食前用甘草湯調服一方加五加皮一分

木香流氣飲治氣滯腰痛方見氣門

流氣飲子治五臟不和三焦氣壅心胸痞悶噎塞不通腹

脇脹痛呕吐不食方見氣門

分氣紫蘇飲治腹脇疼痛氣促喘急

紫蘇葉　桑白皮　五味子　桔梗

草菓　大腹皮　白茯苓　陳皮各一分

甘草

右生姜三片入鹽少許煎服

芎葛湯治脇下痛不可忍者

川芎　干葛　桔梗　枳殻

細辛　芍藥　尸黄　人參

防風各一ネ　甘艸

右生姜二片煎法如常食前服

枳殻煮散治悲哀傷肝氣引兩脇疼痛

枳殻　細辛　川芎　干葛

防風　甘艸　桔梗各一分

右生姜二片煎法如常

枳實散治兩脇疼痛

枳實一兩　白芍藥　人參各半兩　川芎半兩

右姜棗湯調空心服

脚氣

脚氣之疾雖古來時代其説不同蓋風寒暑濕之氣從脚薰焦外乎氣相擊依之名脚氣而先或脚緩弱痺痛行起急倒或兩脛腫滿足膝枯細或大小便秘澁或轉筋骨節

酸疼大抵寒氣中三陽經者患處必冷暑中三陰經者患處必熱又風則其脉浮弦宜發汗也濕則其脉濡而弱宜溫也熱則其脉洪而數宜下也寒則其脉遲而濇宜熨也而亦有相似傷寒能分別可施治療也

五積散治風濕流注兩脚酸疼 方見寒門

香蘇散加檳榔木瓜名檳蘇散治風濕脚痛踈通氣道

紫蘇　香附子各二兩　陳皮　甘草

檳榔　木瓜各一兩

右姜葱煎服

大黄左經湯治風寒暑濕流注足陽明經使腰脚赤腫痛不可行大小便秘或惡聞食氣喘滿自汗

細辛　茯苓　羌活　大黄

甘草　前胡　枳殻　厚朴

黄芩　杏人各等分

右㕮咀每服四錢水一盞姜三片棗一煎七分空心熱

脹脹痛加烏茱秘結加阿膠喘急加桑白皮紫蘇小便秘
結加澤瀉浮四肢瘡痒浸淫加升麻并等分
加味敗毒散治足三陽經受熱毒氣流注脚踝上焮赤腫
痛寒熱如瘧自汗惡風或無汗惡寒
羌活　独活　前胡　柴胡
枳殻　桔梗　甘草　人參
茯苓　川芎　大黄　蒼朮各等分
右㕮咀每服四分水一盞姜三片薄荷一捻煎服皮膚
瘙痒加蟬蛻煎
木瓜散治脚氣
大腹皮　紫蘇　干木瓜　甘草
木香　羌活各二分　茯苓　陳皮各一分半
右㕮咀分作三服每服水二盞煎至一盞通口服
大腹皮散治諸証脚氣腫痛小便不利
檳榔　荊芥穗　烏茱　陳皮
紫蘇葉各一两　蘿蔔子半两　沉香　桑白皮

枳殼各一兩半　大腹皮三兩　干宣木瓜半兩　紫蘇子一兩

右㕮咀每服四分水一盞姜五片煎服不拘時

烏茱平氣湯治脚氣上攻頭目昏眩脚膝酸疼行步難苦

諸氣不和喘滿迫促并皆治之

茯神　甘艸　白芷　當歸

白木　川芎　五味子　紫蘇子

烏茱　干木瓜　人参各半分

右㕮咀每服四分水一盞姜五片棗二枚煎七分溫服

經効立應散治風濕脚氣

麻黄　姜蚕各二兩　丁香一兩　沒藥

乳香各五兩

右爲末每一兩用酒一椀調服取醉蓋覆得汗即愈曾

經蒸泡者難愈

家藏方五行圓治筋血不足腰脚緩弱行步艱辛一切寒

熱脚氣并皆治之

没茱　川烏頭　山茱各四两　大木瓜一斤

天麻　牛膝　肉蓯蓉　虎骨各四两

右將木瓜爛煎研作糊和茱末如不就更用无没牛膝

酒打糊搜匀杵一二千下圓如梧桐子每服五十圓溫

酒鹽湯下

麻黄左經湯治風寒暑濕流注足太陽經腰足攣痹關節

重痛增寒發熱无汗惡寒或自汗惡風頭疼眩暈

麻黄　干葛　細辛　白木

茯苓　防己　桂心　羌活

甘艸　防風各等分

右爲末每服四分水一盞姜三片棗二一煎空心服自汗

去麻黄加肉桂芍茱重著加白木陳皮无汗去桂加杏

人澤瀉并加等分

木通散治脚氣小便不通淋閉脹滿

木通　當皈　梔子人　赤芍茱

赤茯苓　芎 各二分

右煎法如常食前服

换腿円治足三陰經爲風寒暑濕之氣所乘發爲攣痛緩弱上攻胷脇肩背下注脚膝疼痛足心發熱行步艱辛

薏苡仁　南星　石楠葉　石斛

檳榔　草薢　川牛膝　羌活

防風 各一兩　木瓜 四兩　黃耆　當歸

天麻　續斷 各一兩

右爲末酒麪糊円如梧桐子每服五十円溫酒鹽湯任下　一方加附子肉桂蒼朮各一兩

大料神秘湯治風寒暑濕流注三陽經腰足拘攣大小便秘澁喘滿煩悶並皆治之

半夏　干葛　細辛　麻黃

小草　麥門冬　厚朴　茯苓

防己　枳殼　芎　桂心

羌活　防風　柴胡　黄芩

白姜各等分

右㕮咀每服四錢水一盞姜三片棗二煎服自汗加牡砺白朮去麻黄黄腫加澤瀉木通甚熱无汗減桂加橘皮前胡外麻脉痛或利去黄芩加烏頭附子大便秘加大黄竹瀝喘滿加杏仁桑白皮紫蘇並等分對証加減尤宜審之

木瓜圓治腎經虚弱下攻腰膝筋脉拘攣腫滿疼痛行履艱難步動喘促面色黧黑大小便秘澁

熟干地黄　陳皮　烏頭各四兩　赤茯苓一兩

當歸　蓯蓉　續斷　干木瓜各二兩

右為末酒煮麪糊圓如梧桐子每服五十圓空心溫酒下

脚氣止痛方用草麻子七粒去殼研爛如泥同蘇合香圓和貼脚心其痛即止

五痔

凡痹疾有五種筋痹脉痹骨痹皮痹肌痹是也皆躰虛之人腠理空疎爲風寒濕三氣所浸流注經絡久而爲痹審脉證并注何部分表裏可施治也

五痹湯治風寒濕之氣客留肌體手足緩弱麻痹不仁

片姜黄 羌活 白术 防已各二錢半

甘艸

右生姜五片煎法如常

獨痹湯治冷痹手足腰痛沉重及身體煩疼背項拘急

當皈 赤芍藥 黄耆 片姜黄

羌活各錢分 甘艹

右生姜三片棗一煎法如常

羌活湯治白虎歷節風毒攻注骨節疼痛發作不定

羌活二錢 秦艽 當皈 附子

防風 骨碎補 木香 枇仁

牛膝 川芎 桂心各一錢 甘艹

右生姜三片煎不拘時服

防風湯治血痺皮膚不仁

防風二錢　川独活　桂心

秦艽　赤茯苓　黄芩

甘草各一錢　赤芍藥　杏仁

川當歸一錢半

右生姜三片煎服不拘時一方有葛根麻黄無独活芍藥

附子八物湯治白虎歷節身痛如錐不可忍

附子　干姜　芍藥各一錢半　白术二錢

茯苓　桂心　人參各一錢　甘草

右煎法如常

三痺湯治血氣澁滯手足拘攣風痺等疾皆療

川續断　杜仲　防風　桂心

人參　白茯苓　當歸　白芍藥

川独活各半兩　黄耆　川牛膝　細辛各一兩

甘草　秦艽　生地黄　川芎各三分

右生姜二斤　紅棗二十枚　煎不拘時服

茯苓川芎湯　治着痹流注不去，四肢麻拘攣浮腫

赤茯苓　桑白皮　防風　官桂

川芎　麻黄　芍药　當歸

甘草

右棗一枚，煎法如常，空心服之，欲汗以姜粥投之，汗出為度

五積散　治寒證麻痹　方見寒門

人參補氣湯　治兩手指麻木

人參半兩　生甘草　炙甘草　升麻二分

黄耆八分　白芍藥三分　柴胡二分半　五味子一百四十粒

右煎法如常，不拘時服

茯神湯　治心痹神思昏塞，四肢不利，胸中煩悶，時復恐悸

茯神　羌活　麻黄　麥門冬

龍齒各一兩　遠志　犀角屑　薏苡仁

人參　蔓荊子　防風各三分　赤芍藥各半兩

㕥艸　右生姜三斤，煎，不拘時溫服

五味子湯　治肺瘖上氣發欬

五味子三兩　麻黄　細辛　紫苑

黄芩各二兩　當歸　人參　桂心各一兩

紫蘓子八兩　半夏三兩　㕥中

右生姜三斤，煎，不拘時服。上氣病，亦單煮紫蘓子及生紫蘓葉，各用煮，乹枝莖葉服。

紫蘓子湯　治腳腫，胷心滿塞，上氣不下

紫蘓子八兩　半夏五兩　陳皮　桂心各三兩

人參　白术各二兩　㕥中

右生姜三斤，棗一枚，煎，不拘時服

莖蔻湯　治胷瘖，心下堅痞

白莖蔻　官桂　木香　人參各半兩

荊三棱　神麯各一兩　陳皮　麥蘗各三分

乹姜一分　㕥中

右生姜二片塩少許煎食前温服

枳實散　治胷痹心下堅痞胷背拘急心腹不利

枳實　赤茯苓　前胡　陳皮各一兩

木香半兩

右生姜二片煎食前温服

枳實散　治胸痛及痹痛

枳實二兩　官桂一兩一分

右爲細末每服二錢用温酒調服橘皮湯亦可空心日午臨卧各一服

痿門

痿之疾喜怒勞役傷五臟精血虛耗榮衛失調爲寒熱皮骨筋肌肉痿弱無力似棄瓜脚弱混不可治痿躄之頑者數種能可了解者也

藿香養胃湯　治胃虛不食四肢痿弱行立不能皆由陽明虛宗筋無所養遂成痿躄

藿香　白朮　神麯　白茯苓
烏藥　縮砂　半夏　薏苡仁
人參各一錢半　草澄茄　甘草各一分。
右生姜三片、棗二枚。

溫脾湯　治面色痿黄，脚痿弱無力，腰不拘，眩暈，脛汗出。

麻黄　芘胡各六分　白朮　酒黄蘗
猪苓　白茯苓　升麻各一分　防風
蒼朮　澤瀉二分
右煎法如常，食前熱服，候一眩，纔飲食。

又方　治筋痿兩手握固無力，兩脚行動無力，急飲食此
名筋痿，其證候口舌生瘡，忽生痰涎，忽然眩中，涎溢身上
躁熱，忽然增寒，項頸強急，小便赤白不定，大腑忽冷忽熱。
不調
連翹　防風　荊芥穗　蔓荊子
羌活　獨活　牡丹皮　山梔子

秦艽　麻黄　木香 各小分

右煎方如常食後用白湯調下

煨腎丸治腎肝損及脾損穀不化宜益精緩中消穀

牛膝　萆薢　杜中　白蒺藜

防風　兎絲子　蓯蓉　葫芦巴

破故紙 各小分　官桂 減半

右爲細末將猪腰子製如食法搗爛煉蜜和杵丸如梧桐子大每服五七十丸空心用溫酒送下如腰痛不起甚効

五疸

疸之疾有五種一曰黄汗其証身体俱腫汗出染衣黄如蘗汁不渴二曰黄疸其証食已即飢遍身皮膚爪甲面目小便俱黄卧時身体又帯赤帯青必發寒熱若發於陰部必嘔發陽部必振寒而后熱三曰穀疸其証食畢即頭眩心中怫鬱不安遍体發黄四曰酒疸其証身目發黄心中

慎痛足脛滿小便黄面發赤班五曰女労疸其証身目皆黄發熱悪寒小腹滿急小便不利凢五疸之病多是脾胃之經有熱發黄治法各當究其所因分利爲先解毒次之又時氣傷寒傷風伏暑有解散未盡發黄審各証𨚫方類

加減五苓散　治飲酒伏暑鬱發爲疸煩渴引飲小便不利

茵陳　赤茯苓　猪苓　白朮

澤瀉各等分

右㕮咀毎服四銭水一盞煎八分温服不拘時有用局方五苓散加茵陳亦可

茵陳湯　治收行瘀熱在裏鬱蒸不散通身發黄

茵陳二两　大黄一两　梔子仁三枚

右㕮咀毎服四銭水一盞煎八分温服不拘時

一清散　治熱疸發熱

柴胡三两　赤茯苓二两　桑白皮　川芎一两

甘草

苦酒

右每服四錢姜棗煎服

湯治身体洪腫發熱自汗如蘗汁脉沉

黄耆五两　芍药　桂心各三两

右剉每服四錢苦酒三合水一錢半煎至七分去滓溫

服必（約服）心煩以苦酒阻故也六七日稍愈

桂枝加黄耆湯治黄汗身腫汗出出已輙輕久久必身潤

胷中痛腰已下無汗出腰弛痛如有在皮中剝者不能飲

食煩燥小便不利

桂枝二分　芍药三分　黄耆三分　甘草

右生姜三片紅棗一枚煎食遠服仍飲熱粥以助药力

黄耆散治黄汗

黄耆　赤芍药　茵陳各二两　石膏四两

麥門冬　豆豉各一两　甘草半两

右㕮咀每服四分水一盞姜五片煎八分溫服不拘時

小半夏湯治黄疸小便黄腹滿脹喘者不可除熱熱去必噦

半夏十味剉每三錢姜十片煎溫服

必効散治黄疸通用

葶藶隔紙炒　龍膽草　山梔子　茵陳

黄芩各二分

右煎服不拘時

紅圓子治穀疸腹滿眩暈怫鬱怔忡酒疸通用二陳湯加

縮砂煎湯下

白朮湯治酒疸因下後變爲黑疸目青面黑心中如啖韮

狀大便黑皮膚不仁其脉微而數

桂心　白朮各一兩　枳實　豆豉

干葛　杏仁　甘草各半兩

右㕮咀每服四分水一盞煎七分食前服

當歸白朮湯治酒疸發黄結聚飲癖心胸堅滿不飲食小

便黄赤其脉弦濇

茯苓三兩　當歸一兩　白朮三兩　黄芩一兩

半夏二兩半　茵蔯一兩　木通　枳實
杏仁　前胡各二兩
右㕮咀每服四分水一盞煎七分食後溫服
葛根湯治酒疸
干葛三分　梔子仁　枳實　豆豉各二分
甘草一分
右煎法如常不拘時服
滑石散治女勞疸
滑石二兩半　白礬一兩枯
右爲細末每服二錢用大麥粥淸食前調服以小便出
黃水爲度
加味四君子湯治色疸
人參　白朮　白茯苓　白芍藥
黃芪　白扁豆各二分　甘草
右生薑三片棗一不拘時服

秦艽飲　治上焦口淡耳鳴脚弱發寒熱小使白濁

秦艽　當歸　芍藥　白术

官桂　茯苓　熟地黄　陳皮

小草　川芎各一匁　半夏　甘草

右以咀每服四分水一盞姜五片煎至七分去滓溫服

不拘時

諸淋

淋閉之病有五氣石血膏勞是也大抵此證多因心腎不交積蘊熱毒或酒後房勞或七情或飲冷逆熱發散不動結下集小腸膀胱受之則爲淋閉又有溫病之後余熱不散當風取涼能令人淋閉治法當清心而後滑利之而亦冷淋之一証奇効所言凡爲誤但冷淋之一方有之混五淋不可治歟尚五淋之証於他書求之可也

清心蓮子飲　治上盛下虚心火炎上口苦咽乾煩渴微熱小使赤渋或欲成淋並宜服之

黄芩半两　黄耆　石蓮肉　白茯苓
車前子　人參各七分半　麥門冬　甘草
地骨皮各半两
右㕮咀每服三錢水一盞麥門冬十个煎發热加柴胡
薄荷
導赤散治心虛蘊热小便赤澁或成淋痛
生乾地黄　木通　甘草各等分
右㕮咀每服三錢水一盞竹葉少許煎六分温服不拘時
五苓散治伏暑積熱小便赤澁如淋
五淋散治腎氣不足膀胱有熱水道不通淋瀝不出或尿
如豆汁或如沙石或冷淋如膏或热沸使血並皆治之
赤茯苓六分　赤芍藥　山梔子仁各十分
當歸五分　甘草
右㕮咀每服二錢水一盞煎八分空心服
通心飲治心經有熱唇焦面赤小便不通

木通　連翹各十分

右爲細末每服一二錢不拘時用麥門冬〻煎湯調服或灯心煎湯亦可

猪苓湯治五淋

猪苓　赤茯苓　阿膠　澤瀉

滑石各二分

右煎食前服

清肺飲子治渴而小便不利邪熱在上焦氣分也

茯苓　猪苓　澤瀉各二分　車前子

琥珀　木通　瞿麥　萹蓄

通中　灯心各五分

右煎法如常食遠熱服此証八正散五苓散多宜服之

參苓琥珀湯治小便淋瀝莖中痛不可忍相引脇下痛

人參　茯苓四分　琥珀　當歸梢

柴胡　澤瀉各三分　玄胡索七分　川楝子

井中 各一分

右㕮咀作一服長流水三盞煎至一盞去滓食前溫服數服大効中統三年六月中黄明之小使淋瀝莖中痛不可忍相引脇下痛制以參苓琥珀散治之

中書右丞相合剌合孫病小使數而欠晝夜約二十餘行臍腹脹滿腰脚沉痓不得安卧至元癸未季春一日奉勅治之遂往診脉得沉緩時時帶數常記小使不利有三不可一槩而論津液偏滲於腸胃大使泄瀉而小使濇少者一也宜分利而已熱搏下焦津液而不行者二也必滲泄而愈脾胃氣濇不能通調水道下輸膀胱者三也可順氣令施化而出右丞公平素膏粱濕熱内蓄不得施化膀胱竅濇是以起數而見少也非滲泄分利則不能快利遂處一方名曰茯苓琥珀湯内經曰甘緩而淡滲熱搏津液内蓄臍腹脹滿當須緩之泄之必甘淡以爲主是以茯苓爲君滑石甘寒滑以利竅猪苓琥珀之淡以滲泄而利

水道故以三味爲臣腎惡濕濕氣內蓄則腎氣不治益腎勝濕必以甘爲助故以甘艸白朮爲佐醎入腎醎味下泄爲隂澤瀉之醎以泄伏水腎惡燥急食辛以潤之津液不行以辛散之桂枝味辛散濕以潤燥此爲肉用故以二味爲使煎長流甘爛水使不助其腎氣大作湯劑令直達於下而急速也兩服減半旬日良愈

茯苓琥珀湯

茯苓　琥珀　猪苓　白朮各半两
澤瀉一两　滑石七分　桂心三分　甘艸

右爲細末每服五錢煎長流甘爛水盞調下空心服待少時以美膳壓之

四苓散　治尿血

茯苓　猪苓　白朮　澤瀉各小分

右煎法如常空心服

琥珀散　治小便不通或尿血

琥珀 不以多少

右爲細末每服二銭食前燈心煎湯調服

木香湯 治冷氣凝滯小便淋瀝作痛身体

木香　木通　檳榔　舶上茴香

當歸　青皮　澤浮　赤芍藥

辣桂　橘紅 各半分　甘草

右生姜二片煎法如常食前服

縮泉丸 治脬氣不足小便頻多

烏藥　益智仁 各半分

右爲細末酒煮山藥糊和丸如梧桐子大每服五十丸

空心用塩酒送下

止夜起小便多方

益智子 二十ヶ和皮剉碎　赤茯苓 三条

右用水一䀁煎至六分臨睡熱服

門方丸子丸治小便夜多脚弱老人虚人多有此證

兎絲子　家韭子　益智子　蛇床子
茴香子各小分
右爲細末酒煮糊爲丸如梧桐子大每服五十丸食前
用糯米飲或塩湯送下

消渴

消渴之証虽異説繁充腎受疾腎水枯渇心火燔熾五藏
乾燥而爲渇然有消渴内消強中之三証大抵消渇之病
心火盛而腎水微弱由之抑損心火摂養腎水爲先尤忌
房㚑飲酒治療之方祥干后

五苓散　治伏暑發渇引飲无度　方載中暑門

清心蓮子飲　治心経蘊熱作渇小便赤渋　方載五淋門

加味銭氏白朮散　治消中消穀善飢
人参　白朮　白茯苓　枳殻各半及
藿香　乾葛　木香三尓　小五味子
柴胡各半及　甘草

右煎法如常

八味丸治心腎不交消渴引飲方載痰氣門一方除附子加五味子名腎氣丸

黄耆六一湯治男子婦人諸虚不足胸中煩悸時常消渴

或先渴而欲發瘡或病癰疽而後渴者並宜服之

黄耆去芦蜜塗炙六兩　甘草炙一兩

右棗一枚煎法如常

六神湯治三消渴疾

枇杷葉　瓜蔞根　乾葛　蓮房

黄耆各等分　甘草

右煎法如常空心服小便不利加茯苓

茯神丸治消中煩熱消穀小便數

茯神　人參　枳殼　生地黄

麥門冬　牡蛎粉　黄連各一兩　蓮肉

黄芪　知母各半兩　瓜蔞根七錢半

右爲細末煉蜜和擣三二百杵丸如梧桐子大每服五

十九食遠用米飲送下

降心湯治心火上炎腎水不濟煩渴引飲氣血日消

天花粉二兩　人參　當歸　遠志

白茯苓　黄耆　川芎　北五味子

熟地黄各二兩　甘草

右紅棗二枚煎法如常

黄耆湯治諸渴疾

黄耆　茯苓　瓜蔞根　麥門冬

生地黄　五味子各半分　甘草

右煎法如常

天華粉丸治消渴飲水多身體瘦弱

天華粉　人參各半分

右爲細末煉蜜丸如梧桐子大每服五十九食前用麥

門冬煎湯送下

茯兎丹治三消渴通用亦治白濁

白茯苓五两　兔絲子酒浸三宿蒸研細作餅焙乾一十两

五味子七两　石蓮肉三两

右爲細末用山茱末六两打糊搜和搗三百五杵丸如梧桐子大每服五十丸食前用米飲湯送下

赤茯苓湯治消渴飲水大過胃氣不和腹脹不思飲食

赤茯苓　赤芍藥　枳殼　人參各半两

白朮　前胡　檳榔　桂心各三分

厚朴一两

右生姜半分棗二枚煎法如常

赤白濁

腎爲藏精之府而聽命於心貴於水火升降精氣內持若調攝失宜思慮嗜慾不節而水火不交因是爲赤白濁患赤者思慮心熱而得之白者嗜慾腎虛寒而得之大抵分赤白之二証治之

道赤散治心虛蘊熱小便赤澁遂成赤濁方戴諸淋門

清心蓮子飲　治心虛有热小便赤濁有沙膜　方見血淋門

治心經伏暑小便赤濁

人參　白朮　赤茯苓　香薷

澤瀉　木猪苓　蓮肉　麥門冬 各等分

右煎法如常

葉氏定心湯　理心氣不足榮血衰少夢寐多驚心神不守

夢中遺精白濁不已　方見心痛門

治小便白濁出髓條

酸棗仁 炒　白朮　人參　白茯苓

破故紙 炒　益智 淨洗　大茴香　左顧牡蠣 各等分

右爲末加青塩酒烏圓如梧桐子每服三十四溫酒米

飲下

分清飲　治思慮過度清濁相干小便白濁

益智仁 酒浸一宿　石菖蒲　白茯苓　天台烏藥

川萆薢 各等分　甘草

右為細末每服二銭食前用塩湯調服

遠志丸治小便赤濁如神

遠志半斤以斗十水煮去心　茯神去木　益智仁各二兩

右為細末酒煮麪糊為丸如梧桐子大每服五十丸臨卧用棗湯送下

小兎絲子丸治腎氣虚損五労七傷小腹拘急四肢酸疼面色黧黒唇口乾燥目暗耳聾心忪短氣夜夢驚恐精神困倦喜怒無常悲憂不樂飲食無味挙動乏力心腹脹滿脚膝痿緩小便滑數房室不挙股内濕痒水道澁痛小便出血時有遺瀝並宜服之久服填骨髓補五臓去百病明耳目益顔色延壽方見諸虚門　如腰脚無力木瓜湯送下

通霊散治心氣不足小便滑赤白二濁

益智仁　白茯苓　白朮各等分

右為細末每服二銭不拘時用白湯或温酒調服

遺尿失禁

右之疾由手足小陰大陽爲此病也然心腎之氣虧陽氣衰冷傳送失度則有遺尿失禁患宜補下元清心寡慾又產蓐并小兒有此疾審而施治

二氣丹　治內虛裏寒膀胱積冷陽氣漸微而小便不禁

硫黃　內桂各一分　干姜　朱砂各二分

附子炮製半兩

右以麪糊爲丸如梧桐子每服五十丸鹽湯空心下

茯苓丸　治心腎俱虛神志不守小便淋瀝不禁

赤茯苓　白茯苓各小分

右爲末以新汲水挼洗澄去新沫控乾後研爲末別取地黃汁与好酒同於銀石器內熬成膏搜和丸如彈石大空心鹽酒嚼一丸

桑螵蛸散　治男子小便頻數如稠米泔色此由勞傷心腎得之有服此藥不終劑而愈大能安神定志

桑螵蛸　遠志　菖蒲　龍骨

人参　茯神　當歸　鱉甲各八分

右爲末每服二钱臨卧時人参湯調服

一方益智子爲末米飲調下每服二钱

治小使不禁方

益智人　巴戟　桑螵蛸　兎絲子

右各等分爲細末酒煮糊爲丸如梧桐子大每服二十丸食前鹽酒或鹽湯送下

治遺尿及小使多或不禁

益智一两　竜骨四钱　牡蛎半两　川烏半两

右為細末酒煮糊和丸如梧桐子大每服五十丸空心用川萆薢煎湯送下

水腫

水腫之疾其説多蓋心火虚弱不能扶養脾土脾土由不尅制腎水水溢益而致偏身浮腫又由脾土弱不能養肺金故久則發喘然有陰水陽水之二證因陰冷腫者先

以實脾類之劑堅脾土而後可浮水矣陽水者其浮水而後可補益脾土也大抵水腫之治療不過陰陽二證審之實脾散治陰水發腫用此見實

厚朴　木瓜　木香　乾姜
附子　草菓仁　大腹皮各一錢半　甘草

右生姜三片棗二不拘時服

當歸散水腫之疾多由腎水不能攝養心火心火不能滋養脾土故土不制水水氣盈溢氣脉閉塞滲透經絡發爲浮腫之證心腹堅脹喘滿不安

當歸　桂心　木香　赤茯苓
木通　檳榔　赤芍藥　牡丹皮
陳皮　白朮各一錢三分

右作一服水二鍾紫蘇五葉木瓜一片煎一鍾不拘時

五皮散治風濕客邪於脾經氣血凝滯以致面目虛浮四肢腫滿心腹膨脹上氣喘促

五加皮　地骨皮　大腹皮　茯苓皮

生姜皮各二分半

右煎法如常食遠服澄濟方五加皮地骨皮加陳皮桑

白皮

分氣補心湯治心氣欝結發爲四肢浮腫上氣喘急

木通　川芎　前胡　大腹皮

青皮　白朮　枳殼　甘草各一分

香附子　白茯苓　桔梗各一分半　細辛

木香

右生姜二片棗二食前服

疎鑿子飲治水氣通身洪腫喘呼氣急煩多渴大小便不

利脹堅業不得者

羌活　商陸　澤瀉　赤小豆

秦艽　木通　檳榔　大腹皮

茯苓皮　椒目各一分三分

右生姜二片不拘時服

導水茯苓湯治水腫頭面手足偏身腫如爛瓜之狀手按而塌陷手足隨手而高突喘滿倚息不能轉側不得着床而睡飲食不下小便秘澁溺出如割而絶少並有而如黑豆汁者服喘嗽氣逆諸藥不效用此即愈亦嘗騐其病重之人煎此藥時要如熬阿剌吉酒相似約水一斗止取藥一盞服後小水必行時即漸添多直至小便變清白色爲愈

赤茯苓　麥門冬　澤瀉　白术各三兩

桑白皮　紫蘇　檳榔　木瓜各一兩

大腹皮　陳皮　砂仁　木香各七錢半

右㕮咀每服半兩水二盞灯草二十五根煎至八分去滓空心服如病重者可用藥五兩再加去心麥門冬二兩灯草半兩以水一斗於砂鍋內熬至一大椀再下小銚內煎至一大盞五更空心服滓再煎服連進此三服

自然利小水一日添如一日

人参木香散治水氣病

人参　木香　茯苓　滑石

琥珀　檳榔　猪苓　甘草各等分

右爲細末每服五分生姜三片水一盞煎至七分不得

時溫服日進三服

大半夏湯治脾土受濕不能制水々漬於腸胃溢於皮膚

漉々有声怔忡喘息名水脹

半夏　陳皮　茯苓　桔梗

檳榔各等分　甘草

右剉研每服三錢水一盞半生姜三片煎至八分去滓

食前溫服

加味四七湯治風冷寒邪客搏心腹作痛

桂枝　白芍藥　半夏　人参

紫蘇各一錢半　白茯苓　厚朴　枳殻

卉竹各二朱

右生姜三片棗二一食前服

木香流氣飲治面目虛浮四肢腫滿喘急水道赤澁方見氣門

紫蘇子湯治諸氣不得劫腫滿喘此氣理肺脾消水方見喘門

流腸九氣壯者用之

黑牽子二朱　大黄　巴豆各一分

麻仁九躰虛者用之

麻仁　杏仁　桃人　紫蘇

檳榔

右五味等分若腸痛加白朮乾姜此病脾虛發故也

五靈煮散治水腫

牽牛子　赤茯苓　陳皮　檳榔

木香各半分

右五味爲散如茶法煎三兩沸湯即飲之此藥兼治一

切肺氣脚氣若見心胸煩悶脹一盞即愈奔豚氣上築

心胸不忍者倂三两盏之効

膧消后治

紫蘓 一两　茯苓　杏仁 各三分　陳皮

桑白皮 各二分　防己　桔梗　檳榔

半夂 各一分

右生姜三片食后契服

服前茉后

人参　半夏　茯神 各小分

右細未以溫水吞之

脹滿

脹滿之証多是脾胃素弱或病後失調外為風寒暑湿之氣所侵内為憂思七情之氣所傷及過食生冷飲饍之類并傷脾胃以致五臟傳尅陰陽之氣不得升降痰飲結聚中焦逆戾脹滿之疾其為証或腸鳴氣走漉漉有声两脇腰背痛連上下或頭疼嘔逆胸滿不食大小便為之不利

其脉浮者易治虚小者爲難治矣又如積聚之類大難治

凡業方在尤尚求積聚門更脚氣及婦人血膨皆能令人

脹滿又當各以類求之

中滿分消湯治中滿寒脹寒疝大小便不通四肢厥冷食

入反出下虚中滿腹中寒心下痞躁寒厥奔豚不收並治之

益智　半夏　木香　茯苓

升麻各一分　人參　青皮　川烏

當歸　茈胡　乾姜　華澄茄

黄連各六分　黄耆　黄蘗　呉茱萸

草豆蔻　厚朴　广黄　澤浮各半分

右作一服水二鍾生姜三片煎至一鍾食前服大忌房

勞酒温麪生冷硬物

消脹丸治諸脹

木香　大黄　茯苓　厚朴

澤浮各一兩　黑牽牛　滑石六兩

右爲細末滴水和丸如梧桐子大每服五十丸食前用
生姜湯送下
導氣丸治諸痞塞関格不通脹脹如鼓大便結秘小腸腎
氣等疾功効尤速
青皮 用水蛭等分同炒赤去水蛭　莪朮 用虻虫等分同炒赤去虻虫
胡椒 茴香炒去茴香　三稜 乾漆炒去乾漆　檳榔 斑猫炒去斑猫　赤芍藥 川椒炒去川椒
乾姜 硇砂炒去硇砂　附子 青鹽炒去青鹽　茱萸 牽牛炒去牽牛　石菖蒲 桃仁炒去桃仁
右各等分剉碎與所製藥炒熟去水蛭等不用抵以青
皮等十味爲細末酒糊爲丸如梧桐子大每服五十丸
加至七十丸空心用紫蘇湯送下
順氣木香散治氣不升降嘔逆悪心胸膈痞悶脇肋脹滿
及酒食所傷噫氣呑酸心脾刺痛大便不調面色痿黄肌
肉消瘦不思飲食兼治婦人血氣刺痛一切冷氣並皆治
之 方見氣門
廣茂潰堅湯治水中滿腹脹内有積塊堅硬如石冷令人坐

臥不安大小便澁滯上喘氣促面色痿黄遍閲身腫

廣茂　黄連　茈胡　甘艸用生

神麯　澤瀉各二尔　陳皮　吳茱萸

青皮　升麻各一尔　黄芩　草豆蔻煨

厚朴　當歸　益智各半分　紅花二分

半夏七分　乾葛二分

右作一服水二鍾先浸茱少時煎至一鍾食遠服忌酒

濕麪中滿服后衛減積塊未遣再服后半夏厚朴湯

木香流氣飲調榮衛利三焦行瘀滯消脹滿方見諸氣門

五膈寬中散治七氣沉滯飲食不下氣滿膨脹方見翻胃門

人參芎歸湯治煩躁喘急虛汗厥逆小便黑名血脹

人參　木香　辣桂　五靈脂

烏茱　蓬朮　甘艸　縮砂仁各一尔

川芎二尔半　當歸　半夏一尔半

右作一服水二鍾生姜五片紅棗二枚紫蘇四葉煎至

一鍾食前服

木通飲治脹肋刺痛膨脹小便赤澁大便不利或浮腫　木通　陳皮　紫蘇莖　甘艸各二尔　右作一服水二鍾生姜二片棗一枚灯心十莖煎至一鍾不拘時服

……一切氣脾虛作脹痛氣

人参 官桂 各七分 桑白皮 桔梗
陳皮 黃芪 麥門冬 青皮
大腹皮 半夏 各一錢 紫蘇子 茯苓
香附子 木香 各一錢二分 甘草

右作一服水二鐘生姜二片棗一枚煎法如常

平肝飲子治喜怒不節肝氣不平邪乘脾胃心腹脹滿頭眩嘔逆脈來浮弦

防風 枳殼 桔梗 赤芍藥
桂枝 各一錢半 木香 人参 檳榔
川芎 當歸 陳皮 各八分 甘草

右生姜三片煎法如常不拘時服

紫蘇子湯治憂思過度致傷脾胃心腹膨脹喘促煩悶腸鳴氣走漉漉有聲大小便不利脈虛緊濇 方見喘門

強中湯治食啖生冷過飲寒漿有傷脾胃遂成脹滿有妨飲食甚則腹痛

人参 青皮 陳皮 丁香 各二錢
白朮 一錢半 附子 草菓仁 乾姜 各一錢
厚朴 甘草 各五分

右生姜五片棗二枚煎服不拘時嘔者加半夏或食麪脹滿加蘿蔔子各半兩

大正氣散治脾胃怯弱爲風寒濕氣所傷遂致心腹脹滿
有妨飲食
白朮　陳皮　半夏　藿香
厚朴　桂枝　枳殼　檳榔
乾姜各一不　甘艸
右生姜二片紅枣二一枚煎不拘時服
枳實湯治脹脹發熱大便秘實脉多洪數病名熱脹
枳實　大黄各二不　厚朴三不　桂心八分
甘草
右生姜三片紅枣二一枚煎不拘時服嘔者加半夏一錢
大異香散治失飢傷飽痞悶停酸且食不能暮食病名穀脹
三稜　蓬朮　青皮　半夏麴
陳皮　藿香　桔梗　枳殼
香附　益智各小分　甘艸
右生姜二片枣二一枚煎食心遠服

木香化滯散 破滯氣治心腹滿悶

木香　莪蒁　青皮　縮砂人
人參　檳榔　白朮　白豆蔻
藿香　橘皮　大腹子　白茯苓
白檀香　桔梗各五分　甘草

右爲細末每服三錢水一盞半煎至一盞食前稍熱服沸湯點服亦可忌生冷硬物

積聚

五積六聚者五臟六腑之有所積聚也然肺之積曰息賁心積曰伏梁脾積曰痞氣肝積曰肥氣腎積曰奔豚皆喜恐怒憂思過制五藏結而不散遂成此疾各有積處而其痛不移六聚者六腑聚處其痛無常大抵如此又分氣血食之三則氣積者在右脇積者在左脇食積者在中央宜細窮其所由可治之也

大七氣湯治五積六聚狀如癥瘕隨氣上下發作有時心

腹疼痛上氣室塞小使脹滿大小使不利

益智　陳皮　蓬朮　京三稜

青皮　桔梗　香附　藿香

肉桂各一夻半　耳艸一夻

右生姜二片食前服

散聚湯治久氣積聚狀如癥瘕隨氣上下發作有時心腹

絞痛攻刺腰脇小腹䐜脹大小使不利

半夏　枳椥　當皈　杏仁

附子　陳皮　茯苓　枳殼

厚朴　桂心　川芎　吳茱萸

耳艸各一夻

右生姜二片食遠服大使不利加大黄

枳殼散治五種積氣三焦痞塞胸膈滿悶呃吐痰逆口苦

香酸常服順氣寬中除痃癖消積聚

枳殼　益智　陳皮　京三稜

莪朮　檳榔　肉桂各一分　肉豆蔻

厚朴　青皮　木香　乾姜

甘草各半分

右生姜二片棗二不拘時服

廣茂潰堅湯治中滿腹脹內有積塊堅硬如石令人坐卧

不能大小便澁滯上氣喘促面色痿黃通身虛腫見脹滿門

息賁湯治肺積在右脇下大如覆杯久不愈病洒洒寒熱

氣逆喘欬発爲肺癰其脉浮而毛

半夏　桂心　人參　吳茱萸

桑白皮　葶藶　甘草各一分半

右生姜三片棗二食前服

半夏湯治肺積息賁欬嗽

半夏　細辛　桑白皮　前胡各一分半

桔梗　貝母　茈胡　訶棃勒

人參　白朮　甘草各一分

右㕮咀每服三錢水一盞生姜三片棗二　煎至七分去

滓溫服食後夜卧各一服

枳實散治息賁氣脹脇脹硬欬嗽見血痰粘不利

枳實　木香　檳榔　葶藶

赤茯苓　五味子　訶梨勒　甘草各半兩

杏仁一兩

右㕮咀每服三錢水一中盞生姜半分同煎至六分去

滓不拘時溫服

伏梁丸治心積起臍上至心大如臂久不已病煩心身体

股背腫環臍而痛其脉沉而芤

茯苓　厚朴　人參　枳殼

三稜　半夏　白术各等分

右爲細末麪糊和丸如梧桐子大每服五十丸食遠用

米飲湯送下

消痞丸治心下痞滿及積年久不愈者

姜黄 白术各一戔 枳實半戔 半夏
人參 橘皮各四分 黄連 黄芩各六分
縮砂 澤泻 厚朴各三分 猪苓二分半
神麯 乾生姜 赤茯各二分
右爲細末湯浸蒸餅爲丸如梧桐子大每服七八十九
至百丸食前用白湯送下
勝紅丸治脾積氣滯胸膈滿悶肚脹痛氣促不安嘔吐清
水丈夫酒積婦人血積小兒食積並皆治之
青皮 陳皮 三稜 蓬术
乾姜 良姜各一戔 香附二戔
右爲細末醋糊爲丸如梧桐子大每服五十九食前用
生姜湯送下一方用蘿蔔子一兩炒
脾之積痞氣丸在胃脘覆大如盤久不愈令人四肢不收
発黄疸飲食不爲肌膚
厚朴四分半 黄連八分 吴茱萸三分 川烏頭

川椒各半分　黄蓮　澤瀉　人参各一分
茵陳　白茯苓　砂仁各一分半　巴豆霜
官桂各四分　黄芩　白朮各二分
右爲細末入別研藥和勻煉蜜爲丸如梧桐子大初服
二丸一日加一丸二日加二丸漸加至大便溏再從二
丸加服淡甘草湯送下食前用而後如積減大半勿服
秋冬加厚朴五錢半黄連一錢秋黄芩一錢

鱉甲丸治肥氣体瘦無力少思飲食
鱉甲三兩　荊三稜三兩　川大黄二兩　枳殼三兩
木香一兩半　桃仁一兩半
右爲細末醋糊和丸如梧桐子大二十丸空心用溫酒
送下晩食ノ再服

肥氣圓治肝之積在左脇下如覆杯有頭足如亀鱉壯久
不愈発咳逆嘔其脉弦而細
當歸　蒼朮各一兩半　青皮一兩　蛇含石醋淬七分半

三棱　蓬术　鐵孕粉（各三兩与三棱蓬术同入醋煮一伏時久）

右為細末醋煮米為丸如菉豆大每服四十丸用當皈浸酒下食远服

奔豚湯治腎積發於小腹上至心如豚奔走之狀上下無旼久不愈病喘逆骨痿少氣其脉沉而滑

甘李根皮　乾葛（各一兩一分）　當皈　川芎

白芍藥　甘草　黃芩（各二兩）　半夏（四兩）

右㕮咀每服四錢水一盞半煎七分服

沉香石斛湯治腎臓積冷奔豚氣攻少腹疼痛上衝胸脇

沉香　石斛　陳麯（各一兩）　赤茯苓

人參　巴戟　桂心　五味子

白术　芎藭（各三分）　木香　肉豆蔻（各半兩）

右㕮咀每服三錢水一盞生姜二片枣二　食前煎服

賢之積奔豚丸發於小腹上至心下若豚狀或上或下無旼久不已令人喘逆骨痿少氣及治男子内結七疝女子

瘕聚帶下

厚朴七分　黃連五分　石菖蒲　白茯苓

澤浮各二分　附子　全蝎　独活各一分

川烏頭　丁香各五分　肉桂二分　苦楝實三分

巴豆霜四分　玄胡索一分半

右爲細末入巴豆霜末研勻煉蜜和丸如梧桐子大初服二丸一日如一丸二日如二丸漸加至大使溏再從二丸加服淡塩湯送下食前服間而後始病減大半勿服穐冬加服厚朴半兩如積勢堅大先服前藥不減於一料中如椵存性杜砺三錢癥瘕帶下病勿服

麯蘗丸　治酒積癖不消心腹脹滿噫酸嘔逆不食脇肋痛疼

神麯　麥蘗各一兩　黃連半兩

右爲細末沸湯搜和丸如梧桐子大每服五十丸食前用生姜湯送下

法製檳榔　治酒食過度胸膈膨滿口吐清水一切積聚

鷄心檳榔一戔　縮砂一戔　白荳蔻一戔　丁香一戔
粉草　橘皮　生姜各半斤　塩二戔
右件用河水两碗浸一宿次日用慢火砂鍋内煑乾焙
乾入新瓶收每服一撮細嚼酒下或爲細末湯調服亦可

十八味蒁朮散治諸積聚疰丈夫一切脹痛寒熱癧婦人
血痛羸瘦似癆瘵証等
蒁朮　杏仁　當皈　芎藭
肉桂或良姜　生地黄　赤茯苓　干姜
白朮各二分　丁香　枳殻　香附子
川芎　呉茱萸　檳榔各一戔　牛膝
三稜各一戔三分　甘艸
右生姜二片棗二　煎法如常

宿食

人身之有命藉食也故胃以納之脾以尅化之两脾胃喜
暖不宜以生冷傷之体虚者不善調養飢飽失時過飡生

冷之物脾胃虛弱不能尅化停蓄胃脘淤作宿滯輕則吧
悪胸滿或泄或利其臭如抱懷鷄子或米穀不化重則積
聚而結癥瘕又有挾寒暑冝具弁施治也

丁香脾積圓治食積心腹膨脹不得尅化 方載諸氣門

感應圓治男子婦人小兒停積宿食冷物不能尅化有傷
脾胃或泄浮臭如抱壞鷄子或下利膿血並皆服此通利

百草霜二兩　杏仁一百四十枚　巴豆七十粒　肉豆蔲二十个
川乾姜一兩　南木香二兩半　丁香一兩半

右除巴豆粉百草霜杏仁三味外餘四味杵爲細末与
前三味同拌研令細用蠟遺先將蠟六两鎔化作汁以
重綿濾滓更以好酒一升於銀石器内煮蠟鎔滾數沸
傾出候酒冷其蠟自浮於上取蠟秤用凡春夏修合用
清油一两秋冬用清油一两半於銚内熬令香熟次下
酒煮蠟四两同化作汁就鐺内乘熱拌和前項藥末成
劑分作小鋌子以油單紙裹之旋丸服餌每服三十丸

空心姜湯下

紅圓子壯脾胃消食去膨脹 方見脾胃門

阿魏丸治脾胃怯弱過食肉麪生菓之物停滯中焦不能
尅化以致肚脹刺痛嘔惡不食或利或秘悉皆主之

阿魏　管桂　蓬朮　麥蘖

乾姜各半兩　百草霜三分　巴豆去殼油三七个

右為末和勻用薄糊丸如菉豆大每服二十丸不拘時
姜湯送下麪傷用麪湯下生菓傷用麝香湯下

香藿散治宿食留飲積聚中脘噫臭脅氣心腹疼痛或臟
腑泄並皆治之

香附子三兩　紫藿　蒼朮　陳皮各二兩

耳艸一兩半

右生姜三片葱白三根不拘時服如頭痛如川芎白芷

縮砂香附湯治噫宿腐氣心膨脹滿或時令冷疼

香附十兩　烏薬五兩　縮砂　粉草各二兩

右細末每服二錢用紫蘇三葉塩少許煎湯調下不拘時服大便秘用橘皮湯調下

穀神丸消食健脾益氣進養飲食

人參　縮砂　神麯　香附子
青皮　陳皮　麥蘗　枳殻
三稜　蓬朮各等分

右爲細末粳米糊爲丸如梧桐子大每服五十丸空心米飲送下塩湯下亦可

蠱毒

蠱之爲毒雖有數種閩廣深山之人於端午日以蛇虺蜈蚣蝦蟇三物同器貯之聽其互相食啖俟一物獨存謂之蠱其毒依人強弱所傷有緩急大抵試蠱毒法令病人唾唾水中沉者是毒也浮者非也或含一大豆其豆脹皮脫者蠱也豆不脹皮不脫者非也又以鵠皮至病人卧下勿令知覺病甚則是也否則非也此外一切之食物亦毒害

分別而早速可施治遲延則難救之
神仙解毒萬病丹治一切蠱毒菰子毒鼠莽毒惡菌草全
石毒哭疫死牛馬肉毒河豚毒時行瘟疫山嵐瘴瘧急喉
閉纏喉風胼病黄膽赤眼瘡癤衝冒寒暑熱毒上攻或自
縊溺水折撲傷損癰疽發背未破魚臍瘡腫湯火所傷百
虫犬鼠蛇傷男子婦人或中顛邪狂走鬼胎鬼氣並宜服
之凡人居家或出入不可無此蠱真濟世衛家之書如毒
蠱嶺南最多若通官嶺表經覺思不快使服之即安二廣
山谷間有草曰胡蔓草又名斷腸草若以人急水吞之急
死緩水吞之緩死又取毒蛇殺之以草覆上以水洒之數
日菌生其上取為末酒調以毒人始亦無患再飲酒即毒
発之死其俗淫婦人多自配合北人與人情分相好多不
肯逐北人回陰以藥置食中北人還即戒之曰子某年來
若從其言即復以蠱解之若過期不往必死矣名曰定年
蠱北人届彼亦宜誌之若覺中毒四大不調即使服之家

於鷄豚鵞鴨魚羊等肉下菜僎食此物即觸発其毒急求此菜一粒或吐或利隨手便瘥昔一女子久患勞瘵病為屍虫所噬磨一粒服之二時久吐下小虫千餘條一大者正為臥之後兵服蘇合香丸半月遂無如常至牛馬六畜中毒亦以此救之無不効

山茨菇 二両

紅芽大戟 一两半淨洗

文蛤 三両淡紅黄色者搥碎洗淨 本草云五倍子一名文蛤

續隨子 去殻研細以紙裹壓去油 每研一两

麝香 三分研

右各研為細末和匀以糯米粥為劑每料分作四十粒於端午重陽七夕谷如欲急用限日亦得於木臼中杵數百下不得令婦人孝子不具足人鷄犬之類見之切宜秘惜不可廣傳輕之無効○如癰疽発背未破之時用冷水磨塗痛處并磨服良久覺痒立消○陰陽二毒傷寒心悶狂言乱語胷膈壅滞邪毒未発及瘟疫山嵐瘴氣纒喉風冷水入薄荷一葉同研下○急中顛邪喝

吁乳走兒胎兒衣並用煖無灰酒下○自縊落水死心頭煖者及驚死兒速死未隔宿者並冷水磨灌下○蛇犬蜈蚣傷並用冷水磨塗傷處○諸般癰疾不問新久臨発時煎桃柳枝湯磨下○小兒急慢驚風五痫八痢蜜水薄荷一葉同磨下○牙関緊急磨塗一九分作三服量大小與之○牙痛酒磨塗及含半少許吞下○湯火傷東流水磨塗傷處○打撲傷損炒松節無灰酒下○年深日近頭疼大陽疼用酒入薄荷葉磨紙花貼大陽穴上○諸般癇疾口眼喎斜眼目掣眂夜多睡涎言語蹇澁卒中風口禁牙関緊急筋脉攣縮骨節風腫子脚疼痛行歩艱辛一應風氣疼痛並用酒磨下有孕婦人不可服

治河豚毒方

五倍子　白礬

右等分爲細末水調服之

中蠱下血者用蝟皮燒爲灰細研以水調下二錢匕日三
服立愈

泉櫃方治金蚕蠱毒纔覺中毒先吃白礬味甘而不澁次
喫黑豆不腥者是也（右以石榴皮煎汁飲之即吐出治虫而愈）

國老飲治蠱毒

白礬　甘草

右等分爲末水調下吐出黑涎一兩梳或浮下

礬灰散治中諸物毒

晋礬　建茶各等分

右爲末每服二錢新汲水調下得即效未吐再服吐

解毒丹治誤食諸毒草并百物毒救人於必死

板藍根（四兩生者）　貫衆（二兩去土）　青黛（別研）　甘草

右爲末蜜丸如梧桐子以青黛別爲衣如稍覺精神恍
惚悪心即是誤中諸毒急取茅十五丸爛嚼用新汲水
下

自汗門

心之所藏在内者爲血發外者爲汗〻乃心之液也而自汗之證由心腎倶虛也陰虛則陽湊發熱而自汗陽虛則陰必乘發厥而自汗陰陽偏勝之所致也由一切病驚怖房室勞極產蓐本皆能令人自汗也又睡中不覺汗出者名盜汗心虛之所致也治療之法宜歛心氣益腎水調和陰陽水火升降而其汗自止兼他病則又於各類求之牡蠣散治諸虛不足及大病後体虛津液不固体常自汗

黄耆　麻黄根　牡蠣 米泔浸去土火煅通赤各一两

右㕮咀每服三分水一盞小麥百餘粒同煎八分不拘時服

黄耆建中湯 男子婦人血氣不足常自汗 方見諸虛門

黄耆湯治喜怒驚恐房室虛勞致陰陽偏虛或發厥自汗或盜汗不止並宜服之

黄耆 两半　白茯苓　熟地黄　肉桂

天門冬　麻黄　龍骨各一戔　五味子

小麥　防風　當歸　朮州各半戔

右㕮咀每服四分水一盞姜三片煎七分溫服不拘時

𤼵厥自汗加熟附子𤼵熱自汗加石斛

防風散治盜汗

門芎一分　人參半分　防風二分

右爲末每服一錢臨卧米飲調下

耆附湯治氣虛陽弱虛汗不止肢体倦怠

黄耆　附子各等分

右㕮咀每服四錢水一盞姜十片煎八分食前溫服

溫粉止汗

右用門芎白芷藁本各一分爲末入米粉三分以帛包

撲周身則汗止

牡蠣白朮散治漏風證飲酒中風汗多食則汗出如洗久

不治必爲消渴

牡蛎 三分 白术 一兩二分半 防風 二兩半

右剉碎每服五錢水二盏煎至七分食遠溫服悪風倍防風白术汗多面腫倍牡蛎

虚煩

虚煩之病体虚之者亦挟𠤎榮衛不調有陰陽之二氣偏勝或陰虚陽盛或陰盛陽虚々々則外寒陰虚則裏熱陽盛則外熱陰盛則内寒矣然虚煩之証多是陰虚生内熱所致也又虚勞吐浮傷寒及大病之後虚煩之証有之臨病之間審而宜用平和藥不可用峻補劑也

竹葉石膏湯治大病後表裏倶虚内无津液煩渴心躁及諸虚煩熱与傷寒相似但不悪寒身不疼痛不可汗下宜服之 方見傷寒門

溫膽湯治大病後虚煩不得睡臥及心膽虚怯觸事易驚短氣悸乏或復自汗並宜服之 方見傷寒門

人参竹葉湯治汗下後表裏虚煩不可攻者

竹葉　人参二兩　甘草　干姜二兩半
石膏　麦門冬各九分
右㕮咀毎服四錢水一盞半姜三片粳米一撮煎熱去滓
空心服済生方除石膏加茯苓小麦二味
橘皮湯治動氣在下不可發汗發之反无汗心中大煩骨
節疼痛目眩悪寒食返吐逆穀不得入宜服此楽
橘皮二兩半　人参一分　竹茹半分　甘草
右㕮咀毎服四錢水一盞姜二片棗二煎七分空心温
服治人書加生姜一兩棗八作六味
小草湯治虚労憂思過度遺精白濁虚煩不安
小草　黄耆　當歸　麦門冬
石斛　酸棗仁各二兩　人参半兩　甘草
右㕮咀毎服四錢水一盞姜三片煎八分温服不拘時
辰砂妙香散治心氣不足精神恍惚虚煩方見心痛門

健忘

此證由憂思過度損心胞徒然而忘其返然亦過思傷脾
則肥令人健忘理心脾神凝意定而其証自止
茯苓飲子治痰飲蓄于心胃怔忡不止
赤茯苓　半夏　茯神　麥門冬
橘皮各一分半　沉香　檳榔各一分　甘草
右生姜二片不拘時服
參乳丸治心不足怔忡自汗
人參一兩　乳香三分　當歸二兩
右為細末研勻山藥煮糊和丸如梧桐子大每服二十
丸食後棗湯送下
小定志丸治心氣不足恍惚多忘常服安神定志
遠志　菖蒲各一兩　人參　白茯苓各三兩
右為細末煉蜜為丸以硃砂為衣每服二十丸食後用
米飲送下
寧志膏治心神恍惚不眠健忘

辰砂　乳香各半兩　酸棗仁　人參各一兩
右爲末和勻煉蜜爲丸如彈子大每服一丸空心用溫
酒或棗湯送下
朱雀丸治心神不定事多健忘心火不降腎水不升
沉香半兩　茯神二兩
右爲細末煉蜜爲丸如小豆大每服三十丸食後用人
參湯送下
加味茯苓湯治痰迷心胞健忘失事言語如癡
白茯苓　陳皮　半夏　人參
香附子　益智各一兩半　甘草
右生薑二片烏梅一个不拘時服
十味溫膽湯治心膽虛怯觸事易驚夢寐不祥異象感之
遂致心驚氣鬱生痰涎々与氣搏變生諸証或短氣悸乏
或復自汗四肢浮腫飲食無味心虛煩悶坐卧不安
半夏　枳實　陳皮各二錢　白茯苓一錢半

酸枣仁　遠志　五味子　熟地黄
人参各一分　粉草
右生姜三片、枣二、不拘時服
養心湯　治心虛血少，驚惕不寧
黄耆　茯神　白茯苓　半夏
當皈　川芎各一分半　遠志　酸枣仁
肉桂　栢子仁　五味子　人参各一分
粉草
右生姜三片、枣一，食前服，加枳椇、赤茯苓，治停水怔悸
秘傳酸枣仁湯　治心腎水火不交，精血虛耗，痰飲内蓄，怔
忡恍惚，夜卧不安
酸枣仁　遠志　黄耆　白茯苓
蓮肉　當皈　人参　茯神各一兩
陳皮半兩　粉草
右㕮咀，每服四錢，水一盞半，生姜三片，[illegible]一，以瓦器煎

七分日二服臨卧一服

吐血

血者猶水行地中百門理則無塵決患也榮衛失調血氣七情相干氣血逆乱变而生吐血衂血咳血諸証盖心主血肝藏之脾爲之統思慮傷心脾或因積热致此疾又咳血衂血者湯心肺故也諸証多端也審而治之

赤芍茱湯治瘀血蓄胃心下脹滿食入節咽名曰血咽

赤芍茱二两　半夏一两半　陳皮一两

右㕮咀每服四錢水一盞姜七片煎七分温服不拘時

加味理中湯治飲酒傷胃遂成吐血

乾姜　人参　白朮各一两　乾葛半两

甘草

右㕮咀每服三钱水一盞煎七分温服不拘時

茯苓補心湯治心氣虚耗不能藏血以致面色萎黄五心煩热咳嗽唾血及婦人懷娠惡阻嘔吐亦宜服之

白茯苓　人参　前胡　半夏
陳皮　枳殼　紫蘇　白芍药
桔梗　乾葛　當歸　熟地黄
川芎各一分　甘草
右生姜三片棗一食前服
治鼻衄用局方四物湯加側栢葉煎服
黄芩芍药湯治鼻衄
黄芩　芍药　甘草
右㕮咀每服三分水一盞煎六分温服
側栢散治門損吐血下血或飲酒太過勞傷於内其血妄
行出如涌泉口鼻皆流須臾不救即死
側栢葉一两半　荆芥穗　人参各一两
右為細末入飛羅麪一錢新汲水調如稀糊不拘時啜服
衄血止秘方燒山梔子存性為末吹之
又方治衄血百治不止以蒲黄血端為末吹之

下血

下血之患内傷七情并酒食外四氣相干則血氣逆亂而榮衛失度使人下血若風入腸胃者脉浮而下血在糞前是名近血停積大腸者脉沉滯而下血在糞后乃名遠血或寒或熱或酒食或蠱毒各審脉証可施治矣

敗毒散治風熱流入大腸經下血不止若肉酒食毒加巴豆炒黄連去巴豆不用

槐花散治腸風臟毒下血

槐花炒　栢葉　荊芥穗　枳殼

右爲末每服二錢空心米飲調下

槐角丸治五種腸風下血痔瘻脱肛下血並宜服之

槐角一两去枝梗炒　地榆　黄芩　當歸

防風　枳殼各半斤

右爲末酒糊丸如梧桐子每服三十丸空心米飲下

加減四物湯治腸風下血不止

側栢葉　生地黄　當歸　川芎 一兩

枳殼　荊芥穗　槐花 各半兩　甘草

右生姜二片烏梅少許煎空心服

阿膠湯治傷寒热毒入胃下痢膿血

黄連 二兩　梔子仁 半兩　阿膠　黄蘗 各一兩

右煎法如常

黄連香薷散治伏暑絲不鮮血 方載中暑門

不换金正氣散治腸胃受湿下血不止加黄連烏梅同煎

方見傷寒門

胃風湯治風湿氣虚入于腸胃或下瘀血者 方見下痢門

槐角散治腸胃不調脹滿下血

蒼术　厚朴　陳皮　當歸

枳殼 各一兩　槐角 二兩　烏氣 半兩　甘草

右煎法如常

當歸和血散治腸澼下血濕毒下血

槐花　青皮各六分　當歸身　升麻一分
荊芥穗六分　川芎四分　熟地黄　白朮各六分
右爲細末每服二三錢清水飲調下食前

痔漏

牡痔腸痔血痔牝痔脉痔皆蘊熱毒或過食燒炙新酒久坐而血脉不流或七情氣結臟腑闇其毒不能消散發而成五痔或藏肛門内或突出乎外或下膿血鮮血肛邊痛者痔之証也不痛者腸風也辨之可施治又肛門之左右別有一竅流出膿血名爲單漏治之須用温暖藥生肌肉其竅在皮膚者易愈臟腑有損而生竅者未易治也
加減排膿托裏散治五痔腫
丁枝　厚朴　人參　茯苓各一兩
香附子　白朮　大黄　陳皮各二兩
甘草
右九味爲細末可服之痔并腫物亦用此藥

寛腸円　五灰膏塗痔瘡之后或臟腑秘結不通者用此茉寛腸

黄連　枳殼各小分

右爲末麪糊丸如梧桐子每服五十丸空心米飲下

橘皮湯治氣痔

橘皮　枳殼　川芎　槐花各半两

檳榔　木香　桃仁　紫蘇莖葉

香附子　甘草各二錢半

右生姜二片棗一枚煎溫服

荊芥湯治氣痔發痔

荊芥穗　枳殼　槐花　紫蘇

香附各小分　甘草

右爲細末每服二錢空心用米湯調下

加味四君子湯治五痔下血面色痿黄心忪耳鳴脚弱氣乏口淡食不知味

人参　白朮　茯苓　白芍
黄芪 各等分　甘草
右爲細末每服二錢匕食前服一方有五味子旱蓮草
地榆散治血痔
右用地榆爲細末每服二錢匕食前米湯調下日三服
熏洗方
槐花 半兩　蓮房 一个　荆芥　五倍子 三个
地榆 半兩
右爲末每用半兩水一瓶以瓦器煎了入百錢汞熱先
熏後洗
付藥辛螺殼粉丹薄色合好酢梅干肉続飯夫可用

脱肛

肺与大腸爲表裡故肺臟蘊熱則肛門閉結肺臟虚寒則
肛門脱出矣又有婦人産育用力過多及小兒久痢后臟
寒皆能使肛門突出治之必須温肺臟補腸胃久則自收

釣腸円治肛門外諸痔及肛門腫痛或下膿血腸尾下血以
致肛門脫出並服之

荒蔞 二个燒存性　胡桃仁　綠礬 枯　白附子
鷄冠花 炒各五兩　枳殼　附子　訶子 各二兩
白礬 枯　半夏　天南星 各二兩　蝟皮 兩个鑵内燒存性

右爲末以醋煮麪糊円如梧桐子每服三十円空心温
酒送下

香荊散治肛門脫出大人小児悉皆治之

香附子　荊芥穗 各等分

右爲末每服三匙水一大椀煎熱淋洗又方用五倍子
爲末每用三介入白礬一塊水二椀煎洗立効○又方
用木賊不以多少燒存性爲細末摻肛門上按入即愈

槐花　槐角 各等分

右爲細末用羊血蘸菜炙熱食之以酒送下

縮砂湯治大腸虚而挾熱脫肛紅腫

縮砂　黄連　木賊 各小分

右爲細末每服二銭空心用米飲調下

香荊散治脱肛

香附子　荊芥穂 各半両　縮砂 二分半

右爲細末每服三分食前用白湯調下

木賊散治脱肛不瘥

右用木賊燒存性爲末摻肛門上按之

癲癇

癲癇之疾總録所謂大人曰癲小兒曰癇雖然癲者全啟於心癇者歸於五臟爲癇者應乎心羊癇者應乎脾鷄癇者應乎胃豬癇者應乎腎牛癇者應乎肺是也難經曰重陽者狂重陰者癲諸書所載雖其説不同由陰陽偏純風邪湘于所致也難治之證也經歳月治療不差則幸得免

牛黄清心圓治心氣不足神志不定驚恐悸怖虚煩少睡常發狂癇言語錯乱 方載中風門

金露円治痰迷心竅恍惚狂言婦人痰血上衝或歌或笑
言語狂乱並皆治之
生地黄　巴豆一両　黄連二両
桔梗　貝母各一両　呉茱萸　防風
紫菀　柴胡　乾姜　白茯苓
蜀椒去目上行　菖蒲　枳殻　鼈甲
人参　厚朴　草烏頭二両　芎藭
桂心各一両　甘松各一両　一方用甘遂

右為末以麪糊円如梧桐子大服五円心中痰患姜湯
湯下心痛醋石榴皮湯下口瘡蜜湯下頭痛石膏湯葱
茶下一切脾氣橘皮湯下水浮氣浮陳皮湯下赤白痢
甘草乾姜湯下胸膈噎悶通草湯下婦人血氣當飯酒
下症氣嵐氣小腸氣及下墜附子湯下傷冷脹痛酒食
所傷酒疸黄疸結氣痞塞鶴膝並用塩湯投酒下

家蔵方五癇丸治癲癇發作不問久年新日並宜之

全蝎 一分半炙　雄黄 一分半別研　蜈蚣 二十条去足炙
天南星 炮一分　烏蛇 一分酒浸一夕去皮骨焙干　麝 二分別研
白礬 一分　白附子 半分　皂角 四分槌研水半升揉汁十分白礬一同熬干研
白姜蚕 一分半　朱砂 一分別研
右為末，姜汁煮麪糊丸如梧桐子，每服三十丸，姜湯下。
小定心湯　治心氣不定，風邪所乘，驚悸恍惚，夢多厭罷。
白茯苓 四兩　官桂 三兩　芍藥　乾姜
遠志 去心　人參 各一分
右棗一枚，煎法如常，日三夜一服。
治風癇，因虛羸氣弱，驚悸多魘，心神不定，茯苓飲方
白茯苓　遠志 各二分半　芍藥　防風 各一分半
桂 二分　甘草
右六味麁擣篩，每服六錢匕，水二盞，棗二枚擘，生姜一片棗大拍碎，煎至一盞，去滓，入鐵粉一字，攪勻，食后服，日二夜一。

風厥

論曰内經曰二陽一陰發病主驚駭背痛善噫善欠名曰風厥夫胃土也肝木也木尅土故風勝土不勝木故善噫土不制水則腎氣上逆而善欠爲風厥也

治風厥多驚駭背痛善欠遠志散方

遠志　人參　細辛　白茯苓

黄耆　桂心各一兩　熟乾地黄　菖蒲

白术　防風各半兩

右一十味擣羅爲散每服二錢匕温酒調服空心晚食前

治風厥驚駭背痛善噫善欠茯苓湯方

白茯苓　熟乾地黄　人參　桂去粗皮各一兩

半夏一兩半　麥門冬半兩　甘艸

右七味生姜半分切煎不拘時温服日二

治風厥肩背痛驚惕不安善噫多欠獨活湯方

獨活　人參　白茯苓　當歸一兩

桂　遠志　熟乾地黄　防風各半

細辛一分

右一十味煎法如常不拘時服日二

陰癩

陰癩其種有四腸癩氣癩外腎浮脹癩水癩是也皆腎經虛寒或爲勞疲所傷或爲風濕所干結不散而爲此証又有小兒自生外腎偏墜者脂疾也不可醫療云云

橘核円　治四種癩病卵核腫脹有小大或堅硬如石痛引臍腹甚則膚囊腫脹成瘡時出黄水或成癰潰爛

橘核　海藻　昆布　海帶

川楝子　桃仁各一兩　厚朴　木通

枳實　玄胡索　桂心　木香各半兩

右爲末酒糊円如梧桐子毎服七十九空心塩湯任下虛寒甚者加熟川烏一兩堅脹久不消者加硇砂二分

牡丹散　治小兒外腎偏墜

防風　牡丹皮各等分

右為末每服二錢温酒調服如不飲酒塩湯點亦可

三白散治膀胱蘊熱風濕相乘陰囊腫脹大小便不利

白牽牛二兩　桑白皮　白朮　木通

陳皮各半兩

右為末每服二錢姜湯調下

宣胞丸治外腎腫痛

黑牽牛一兩　青木香一兩　川木通一兩

右為細末酒糊為丸如梧桐子每服三十丸用温酒或

塩湯送下

陰癩秘方

山桃皮　葛粉

右細末荷葉黄蘗呵蛛草根莖葉煎洗後可付一切瘡

腫茶良

癘風之疾蓋風與血啟於分肉之間與衛氣相干道不

利故使肌肉膹䐜而有瘍衛氣有所凝不行故其肉有不
仁也有榮衛熱其氣不消故使鼻柱壞而色敗皮膚瘍潰
風寒客於脉不去名曰癘風此病有上者以辨・散取鼻
延惡血出縫中出在下者以通天再造散取惡物除血於
穀道中出温熱浸漬經絡久則虛使風入於人也氣受之
則在上多血受之則在下多氣血俱受甚重非神醫弗能
起此病鮮從上下衛來者皆是可治之且偶愈若不能絶
滋味遠色慾皆不免再發則終於不能救矣孫真人云吾
常治四五百人終無一人免於死云非不能治也蓋無一
人能守禁忌耳矣私云聞於日域有此一証得治者窮其
術者欲我未能治此病矣

通天再造散　治大風惡疾

鬱金 一匁半　大黄 一匁　白牽牛 取頭末六錢半生半炒
皂角刺 一匁

右為細末每服五錢日未出向東以無灰酒調下盡量為

度晚利黑頭小虫病稍輕者止利如魚腸臭穢物忌食
発毒之物半年但食稠粥軟飯衛匕調理自然頭尾皮
膚如常甚者不過二兩次須将理不可妄有労動及終
身不得食牛馬驢騾小肉犯者死不可救矣

皂棘湯治大風（皂莢刺 九半斤炙二斤　北大黄一斤　粗粉半斤　右爲細末每服二錢空心酒調服取下患物服未數日出虫血色臭）

（皂角丸治大風諸癩）
肥長皂角　二十條先炙透後去皮弦具核自落

右以皂角肉多用酒慢火煎得稠粘濾去清者候冷入
雪糕杵爲丸如梧桐子大每服五十九不問飢飽酒送

硫黄酒殺癩風虫

明硫黄　不拘多少研細

右酒調空心飲清汁明日添硫黄再研入酒如前服或
添大楓子油更好

烏蛇丸治風癩殺虫

烏蛇肉　酒浸焙　蜂房　炙各一兩半　桃仁　浸去皮日乾　白殭

皂角刺　貫仲　独活　檳榔

苦参（各七錢半）　蕪荑　雄黄

硫黄（各半兩）　硃砂（二分半）　胡麻子（四兩）　蝦[illegible]（固去頭足炙）

右爲細末以長皂角十條水三升煎成膏和爲末丸如

梧桐子大每服三十丸空心温酒送下

雷丸散　風癩取虫

雷丸　阿魏　貫衆末（各二分）　麝香（半分）

水銀　硫黄　雄黄（各二分半用乳鉢入醋同研令盡爲度）

右爲極細末每服一錢天明温酒調下明日再服

蔓荊丸　治大風

蔓荊子　蒼耳子　枸杞子　牛蒡子（炒）

黑牽牛　胡麻子　香白芷　何首烏

威靈仙　荊芥穗　白蒺藜　直殭蠶

細辛　角穗　苦参　草烏

独活（各一兩）

右爲細末大風油和丸如梧桐子大每服二十四丸食

前用茶清送下

仙方治大風惡疾雙眼昏昏不辨人物髮眉自落鼻梁

崩倒肌膚瘡如苔蘚㽷若不可救此方特效

右用皂角刺三斤炭火蒸久曬乾為末濃煎大黃湯下

一七服旬日間眉髮再生肌膚悅潤眼目愈明

胡麻散 解風熱毒氣瘾疹瘙痒 方見風門

遇仙丹

人參　紫參各一兩　苦參　白殭蠶各二兩

右為細末麪糊和丸如梧桐子大每服三十丸食前溫

鹽湯送下日二服次服疎風散

三濟丸治大風惡疾

川芎　當歸　熟地黃　荊芥各二兩

細辛　防風各一兩　桂心半兩

右剉碎先以醋一升浸一宿濾出焙乾再入生地黃一

斤搗汁浸一宿焙乾再以酒一升浸一伏時焙乾徑入乳

香半兩以餘酒腊地黄汁浸蒸餅爲丸如梧子大陰乾收貯后用好烏頭一箇炮裂剉荊芥穗少浸酒三分從温熱下茶五十九食遠服

葉湯淋渫大風瘡

桑葉　荷葉　地黄葉　皂角葉
蒴葉　蒼耳葉　菖蒲葉　何首烏葉

右等分曬乾燒存性爲細末如面茶用洗手面身體大風惡疾瘡痍茶毒膿汁淋漓眉鬢墮落手足指脫頑痺痛痒顏色枯痒鼻塌眼爛齒豁唇揭病証之惡無越於斯負此病者百無一生

癘風不瘳證

乍熱乍寒身體瘑手足指脫眼爛鼻塌齒豁唇翻顏色枯黄眉鬢墮落頑痺痛痒不能屈伸此証不治　虫入骨髓貪人肝則眉睫脫落貪人肺則鼻柱頹積崩貪人腎則

語音喪散食人腎則耳鳴如雷若食其心則諸痛痒瘡心
實可之　禁物勿淫慾忌塩及一切口味勿補之　好物常喫白粥白飯
烏蛇圓
烏蛇　白花蛇　好酒三夜浸醻節骨頭去皆各五两
攢柳　独活　白胡麻子　桃仁
苦辛　蒺梨子　皂夾刺　朱砂各一夂
秘術口巨勝子六两（白胡麻白六两カル蔚ノ其ニモ又也）
右烏細末梧桐子大每三十圓空心温酒下丸法長肥
皂角不拘多少水四五升斗煎以湯挼角濃汁煎煉成
膏和藥可丸之也
江春家秘術之藥也　又每造散常可服
管蠡備急方卷之中

管蠡備急方
下
WA 16
66
3

管蠡備急方卷之下

癰疽瘡瘍

凡瘡之痛痒有自屬虛實寒熱故痛而實者為熱虛而痒者為寒經云諸瘡皆生於心然者心主血而行氣々血凝滯而為癰疽瘡瘍闊大一寸已上曰癰疽癰者六腑之所生皮薄而血氣聚表也疽者五臟之所生皮厚而氣積肌肉也一寸已下曰瘡瘍諸瘡々中惟背疽丁瘡尤為急証不期日數有刻死之證各頗異也蓋癰疽丁瘡初生之証有或先熱而后惡寒或先痒而后痛若不痛者最為惡証且如背疽初生如黍粟粒大幾有覺時便以艾於痛処灸之使毒氣隨火散若失之於初瘡勢已成則危矣大率癰疽已成則當審其虛實先驅散毒氣而熱瀉次之於此臟并五善七惡証依四節八事之術次第之治療無誤則無后前后之治法混亂則病勢漸增劇而至死慎之大病疾腸癰婦人之乳癰此外之証多端也詳而救之

消毒散治癰疽初發時先服此藥則散肌膚之毒氣

乳香半兩　菉豆一兩

右細末白湯服之

五香連翹湯治諸瘡腫初覚一二日使人迸寒發寒熱

乳香　菉豆　大黄　連翹

沉香　木香　独活　桑寄生

丁香　射干　升麻　麝香各一分

甘草

右生姜二片煎不拘時服

五香湯治毒氣入腹托裏若有異証於内加減

丁香　木香　沉香　乳香各二分

麝香三分

右煎法如常空心服若嘔者去麝香加藿香一分湯者

加人参一分

大沉香湯治初成膿通用

独活　木通各二分　忍冬　萆薢一两一分

當歸　連翹　沉香　木香

乳香　藿香　丁子一分半　升州

外麻　射干各二分

右煎法如常銀器煎劫或去當歸加橘紅各一分

秘傳托裏散膿潰而后用此某

黄耆　忍冬二兩半　當歸一兩八　甘艸

右酒入少許煎法如常病在上部食後病在下部食前服之

十六味流氣飲治無名悪瘡癰疽等証

川芎　當帰　芍藥　防風

人参　木香　黄耆　官桂

桔梗　白芷　檳榔　厚朴

烏藥　紫蘇　枳殻各一分　甘草

右煎法如常

九珍散治一切癰疽瘡癤腫毒因氣塵血熱而生者

芍藥　白芷　當歸　川芎

甘艸　大貝　生乾地黄　茯苓

黄芩各等分

右水一盞酒半盞煎熱服兼治婦人乳癰等瘡

内托升麻湯治婦人兩乳間出黒頭一作黒瘡

乳癰初起亦治

升麻　葛根　連翹　當歸身

黄蘗　黄耆　肉桂五分　牛蒡子

甘艸各一錢

右水一盞酒半盞煎食後服

白芷升麻湯治臂上生癰

白芷一錢五分　升广　桔梗各一錢　生黄芩三錢

酒黄芩四錢　紅花半錢　甘艸

右煎法如常

黄耆人参湯治諸瘡破後食少無睡及有虚熱[illegible]氣所觸

黄耆二錢　人参　白术　麥門冬

蒼术　陳皮　升广　五味子

當歸身　黄栢　甘艸各一錢　炒麺五分

右作一帖水二鍾煎至一鍾食遠服

内補黄芪湯治諸瘡腫發背已破後虚弱無力体倦懶言諸食無味少病脉濇自汗口乾並宜服之

黄耆　人参　茯苓　麦門冬

川芎　當歸　白芍藥　熟地黄

官桂　遠志　甘艸各一分

右作一服水二鍾生姜三片枣二煎一鍾食遠服

嘉禾散外科精要云治癰疽既破后不食氣羸弱而或咳嗽

者　方見氣門

右去白豆蔻生姜一片枣一煎服

牡丹湯治腸癰小腹腫痞按之即痛小便如淋時時發熱

自汗悪寒其脉遲緊者膿未成可下之當有血洪数者已

成不可下

牡丹皮　瓜蔞仁一分　芒硝　桃仁各一分

大黄五分

右作一服水二鍾煎一鍾去滓入硝再煎數沸不拘時服

人湯治腸癰腹中疞痛煩毒不安或脹滿不食小便

澁婦人産後虚熱多有此病縱非癰但疑似間便可服

薏苡仁　瓜蔞仁各三分　牡丹皮　桃仁[illegible]

乙如煎法常不拘時服

雙解散治使毒内蘊熱氣外挾寒邪精血夾滯瞳結痰

川大黄 兩　澤瀉　牽牛　白芍藥

桃仁 各一兩　辣桂 鐵　甘草

右生薑三片煎法如常

壯丹散治肺癰胸乳間皆痛口吐膿血氣作腥臭。

杜丹皮　赤芍藥　地榆　苦梗

薏苡仁　川升麻　黄芩 各一兩半　甘草

右煎食遠服

排膿散治肺癰吐膿後宜服此排膿補肺

嫩黄耆　川白芷　北五味　人參 各等分

右爲細末每服二錢食後蜜湯調服

五香白术散寛中和氣滋益脾土生肺金進美飲食

沉香　木香　乳香　丁香

藿香 各五錢　人參　白术　白茯苓

薏苡人　山茱　桔梗　白扁豆

蓮肉　縮砂各一两　粉草

右為細末每服一錢空心用紫蘇塩湯調服棗湯亦可

有汗加浮麥煎湯調服

加味當歸飲子治諸瘡瘍諸痛痒瘡皆屬心火々鬱則發之

當歸　生地黄　川芎　防風

荊芥　何首烏　柴胡　白芍药

川芎　羌活　黄芪　紅花

蒼朮各一錢　甘草

右生薑二片煎食遠服沐浴取微汗效速使血氣通和

服之應效

連翹散賢湯治耳下至缺盆或到肩上生瘡堅破如石動

之無根名曰馬力從手足少陽經中來也或生兩脇或已

流膿作瘡未破者並皆治之

連翹　黄芩　芍药　當歸尾

京三稜　黄連酒炒二次　蒼朮各二錢　土瓜根

柴胡一两二錢　甘草

石件一半烏末煉蜜和丸如菉豆大至一

五十丸一半吹咀每服半兩水一盞八分

盞去滓臨卧睡熱服頭下脚高去枕而卧每口作寸

次噤留一口送下不茶畢如常

柴胡連翹湯治男子婦人馬刀瘡

柴胡　連翹　知母　黄芩各半兩

黄蘗　生地黄各三分　甘草　當皈尾一分半

中桂　牛蒡子二分　瞿麥穗六分

右剉如麻豆大每服三分或五分水二大盞煎至一盞

去滓食后稍熱時々服之

主馬回疔奪命散治疔瘡及喉痺乳鵝腫痛大効

杜蛎　當帰　牛蒡子　白殭蠶各半兩

大黄一兩

右吹咀每服半兩用青石磨刀水酒各一盞煎去滓連

進二服疔瘡服後出汗者生無汗者死

治疔走了黄毒衮將死者

木通　大黄　山梔子　金銀花
乳香　連翹　牛蒡子　地骨皮
没薬　皂角刺　瓜蔞
右各等分剉碎每服半兩氣壯者加朴硝用水一椀酒
半椀煎一服定愈救命仙方也
當歸散治附骨癰及一切惡瘡
當歸　山梔子十二枚　木鼈子一枚去殼
右爲細末每三錢冷酒調服
內托黄耆柴胡湯治附骨癰
黄耆二分　柴胡一分　羌活半分　連翹一分三分
官桂三分　黄蘗二分　生地黄一分　土瓜根一分酒製
當歸尾七分半
右㕮咀作一服水三盞酒一盞同煎至一盞去滓熱服
宿食消盡服一服而愈　昔賈德茂男年十歲丁未四月
十一日於左腿近膝股內出附骨癰不辨已漫腫皮
澤不硬瘡勢甚大其左脚乃肝之脾々

肝經之分少侵足太陰脾經之分其脉
按之緩而微有力一方無黄蘗
疝治悪核風腫毒四肢煩熱拘急
独活　木香　射干　桑寄生
連翹　外广　沉香　川大黄用生
耳草各一两
右㕮咀每服四錢水一中盞煎至六分去滓入竹瀝半
合更煎一二沸放温服日三得快利爲度
貫衆　川芎　茵陳　地骨皮
荆芥　独活　防風　地萹蓄各一錢
當皈三錢　耳草
右㕮咀水三椀煎三沸去滓通手洗之
枳實湯治瘰疬
枳實　外广　射干　欵冬花
黄芩　前胡各三分　大黄一錢　犀角六分
木香二分　耳草

出每服以水九升煮取三升下大黄一沸去滓内
硭硝二三服

四聖散治瘰癧服白花蛇散轉利后服此調之水去其根

海藻　石决明煆　羌活　瞿麥穗各等分

右爲細末每服二錢米湯調下清水盡爲度

瞿麥飲子治瘰癧馬刀並治

瞿麥穗半斤　連翹一斤

右爲粗末水煎臨卧服此藥經効多不能速驗宜待歲
月之人除也

守癭丸治癭瘤結硬

通草二兩　杏人　牛蒡子各一兩　射干
訶梨勒　海藻各四兩

右爲細末煉蜜和丸如彈子大每服一丸食後噙化日三度

玉女英治痱瘡痒痛

滑石半兩　菉豆四兩微炒

右研勻以綿揾撲之一方有棗葉一兩

寸膏治火燒人肉爛壞

麻子仁碎一合取　栝白皮　柳白皮　山

白芷各二兩　耳汁

右剉細以猪脂一斤煎三上三下去滓以塗瘡上日三

緑雲散治灸瘡止痛

栝葉　芙蓉葉並端午日午時採不拘多少陰乾

右為細末每遇灸瘡黑蓋子脫了即用水調少許如膏

茶攤猪紙上貼之養膿更無痛楚

内補十宣散治癰疽初愈時服之瘡口合无後患

人參　當歸　防風　厚朴

肉桂　芎藭　桔梗　白芷

耳汁各一兩　黄耆一兩

右為細末每服三錢加至五錢温酒調下不服酒者木

香湯下服此茶則生肌肉愈後暫可服但服早則再

發患右之又婦人室女小兒皆可服

折傷

論曰折傷者謂其有所傷於身体者也或爲刀斧所及或墜墮險地打撲身体皆能使血出不止又恐瘀血停積于臟腑結而不散去之不早有入腹攻心之患治療之法須外用敷貼之藥散其血止其痛內則用花蘂石散之類化利瘀血然後款々調理生肌或因折傷而停鬱其血又當順之或因湯火所傷并畏一二方以備搜討

花蘂石散治一切金刃所打撲傷損身体血出者急於傷處摻藥其血自化爲黃水如有內損血入臟腑熱煎童子小便入酒少許調一大服之立效若牛觝腸出不損者急送入用細絲或桑白皮尖茸爲線縫合肚皮縫上摻藥血止立活如無桑白皮用生麻縷亦得並不得封裹瘡口恐作膿血如瘡乾以津液潤之然後摻藥婦人產後敗血不盡惡血奔心胎死腹中胎衣不下並用童子小便調下

硫黃上色明淨者四兩搗爲粗末　花蘂石一兩搗爲粗末

右二味相拌和令勻先用紙筋和鹽泥固濟瓦罐子一个候泥乾入藥於內再用泥封口候乾安在四方磚石上書八卦五行字用炭一秤籠疊周匝自巳午時從下

着火令漸々上徹直至經宿火冷炭消又放經宿罐冷
取出細研以絹籮子籮至細罷合内盛依前法服
没藥乳香散治打撲傷損痛不可忍者
白朮五兩　當歸　芎藭　白芷
没藥　肉桂　乳香各一兩
右爲末入研藥再研令匀每服二錢温酒調下不拘時
導滞散治重物壓傷或從高墜下或吐血不能禁止或瘀
血在内胸腹脹滿喘促氣短
當歸　大黄各二兩　右爲細末每服三錢不拘時温酒調服
雞鳴散治從高墜下及木石所壓凡是傷損血瘀凝積痛
不忍並以此藥推陳致新
大黄一兩　杏人三七粒
右研細酒一椀煎至六分去滓雞鳴時服至曉取下瘀
血即愈若使使覺氣絶不能言取藥不及急擘開口熱
小使灌之
口味芎藭湯治打撲傷損敗血流入胃脘嘔黑血如豆汁

當歸　白芍藥　芎藭　荊芥穗

百合各小分

右㕮咀每服四錢水一盞酒半盞同煎七分不拘時候

調經散治跌撲損傷跡利後用此藥調理

川芎　當歸　芍藥　黃耆

青皮　烏藥　陳皮　熟地黃各一錢半

乳香　茴香各一錢

右煎服不拘時

玉真散治諸瘡口入風爲破傷風項強牙關緊急欲死者

防風　南星各二兩

右細末每服三錢童子小便一大鍾煎熱調不拘時服

治破傷腸出不斷腸出欲燥而草土着腸者

右作大麥粥取汁洗腸推内之常研末粥飲之二十日

稍々作強糜百日後可瘥草土當蹤在皮外

四物湯治金瘡血出多通用

當歸　芍藥　熟地黃　川芎各小分

右煎法如常多弱者加白茯苓人參二味等分

牡丹散治金瘡箭頭在骨遠年不出

牡丹皮　白斂各一兩　桑白皮　藿香葉

丁香　麝香各一分

右爲細末每服二錢匕温酒調下日三服淺者十日深者二十日箭頭自出

蒲黄散治金瘡血出腹脹欲死

蒲黄　生地黄　黄芪　當歸

芎藭　白芷　續斷各一兩　甘草三分

右爲細末每服二錢匕空心酒調下日三四服血化爲水而下若口噤斡開口與之仍加大黄一兩半

治箭頭在咽喉中或胸膈中及諸處不出者

右用鼠肝五具細切爛研傅之兼以鼠腦髓或鼠頭血塗之並良亦治人針折在肉不出并刀刃傷

治箭頭在肉不出方

右以白頸蚯蚓十四條内銅器中次入塩一兩於日中

明並化作汁塗者箭鏃并及傷処須臾痒則出

定血散治一切刀傷血出不止收歛瘡口

南星生　槐花　欝金各等兩　半夏二兩

乳香　没藥各二分半

右為細末研勻每用乾摻患處忌水洗

急救諸方

救自縊法凡自縊高懸者徐徐抱住解繩不得截斷上下安脚臥之以一人用脚踏其兩肩手挽其髮常令弦急勿使緩縱一人以手按據胷上數摩動之一人摩捋臂脛屈伸之若已強直但漸屈之并按其腹如此一時頃雖得氣從口出呼吸眼開仍引按不住須臾以少桂湯及粥清潅令喉潤漸漸能嚥乃止更令兩人以管吹其兩耳此法最好無不活者自旦至暮雖冷亦可救暮至旦陰氣盛為難

又法緊用兩手掩其口勿令透氣兩時久氣急即活

落水救溺水法凡人溺水者救上岸即將牛一頭却令溺水之人將肚横覆在牛背上兩边用人扶策徐徐牽牛而行以出腹内之水如醒即以蘇合香圓之類或老姜

擦牙若無牙以活人於長板櫈上仰卧却令溺水人如
前法將肚相抵活人身上水出即活
孫真人救落水死急解去死人衣帶灸臍中即活、
得救方又法凡溺水死一宿尚可救搗皂角以綿裹納下
部須臾水出即活又將醋半盞灌鼻中
得救方又法以屈死人兩脚着生人肩上以死人背貼生
人背擔走水出即安
凍死救凍死法四肢直口噤只有微氣者用大釜炒灰令
煖以囊盛熨心上冷即换之目開氣出然後以粥清稍
々進之若不先溫其心使將火炙則冷氣与火爭必死
救魘死不得着灯火照亦不得近前急唤多殺人但痛咬
其足跟大母指甲边并多唾其面即活如不醒者移動些
子徐唤之若元有灯即存如無灯切不可用灯照又用筆
管吹兩耳或以皂角爲末吹兩鼻中或以塩湯灌之或搗
韭汁半盞灌鼻中冬月掘根研汁用
又方視上唇内有如黍米粒以針挑破
又用蓬莪朮末酒調服一盞

又方塩一盞水一盞和服以冷水噀之吐即治

辛夷散治魘寐卒死諸暴絶證用半夏不拘多少湯洗七次為末每用少許吹入鼻中心頭温者可治倉卒無茅急於人中穴及兩脚大拇指内離甲一韭葉許各灸三五壯即治

朱犀散治中惡中忤或為鬼氣所魘急以安息香蘓木擣末之類燒於患所然後此茅灌之

犀角五分 麝香 朱砂各一分

為末每一錢水調灌之

又方治客忤中惡在途中得之令人心腹絞痛脹滿不急救殺人好京墨為末水調二分服或瓦器盛湯用衣襯塩盪臍腹

骨鯁治骨鯁入喉

縮砂 甘草各等分

右為末以綿裹少許噙之旋旋嚥津久之隨痰出

又方貫衆濃煎一盞半分三服一咯而骨出

誤吞銅物不化濃煎砂仁湯服之銅自下或用生韭菜爛服之其銅自化或以堅炭為末米飲調服於大便浮下

烏梅狀

痼冷

人身貴陰陽外降無偏勝痼冷之証真陽耗散脾胃虚弱而依飡食冷物傷脾胃痼結其冷於臟腑不散以致手足厥逆畏冷增寒飲食不化吧吐涎沫或洞泄或小便頻數治法脫下元理脾胃又有咳嗽當於咳嗽門求之矣

姜附湯治一切沉寒痼冷諸證方見中寒門

沉香畢澄茄散治内挾積冷臍腹弦急痛引腰背面色痿黄臟腑自利小使滑數小腸一切氣痛並皆治之

附子　　華澄茄　　沉香　　胡芦巴

肉桂　　補骨脂　　茴香　　巴戟天

木香　　川楝子各四兩　　川烏半兩　　挑仁二兩

右㕮咀每服三錢水一盞入塩少許煎八分空心熱服

附子茴香散治氣虚積冷心腹絞痛

肉豆蔻　　茴香　　白木　　木香

人參　　白茯苓　　乾姜各一兩　　附子一枚

丁香半兩　　甘草

㕮咀每服三錢水一盞鹽少許煎七分空心服

積熱

右證熱毒蘊積內或體氣素實之人感觸熱毒氣鬱積臟腑間或服餌酒炙之物并丹石藥欲助其熱結滯於內變生諸證治之審脉証在心膈者清之結臟腑者湯滌之更量氣体虛實輕重而調治之

洗心散治風壅痰滯心經積熱口苦脣燥眼澁多淚大便秘結小便赤澁

白朮一兩半　麻黃　當歸　荊芥穗

芍藥　甘草　大黃各八兩

右爲末每服二錢水一盞生姜薄荷各少許同煎溫服

消毒犀角飲治大人小兒內蘊邪熱痰涎壅滯或腮頂結核遍生瘡癤已出未出並宜服之

防風八兩　鼠粘子十四兩　荊芥穗　甘草各十六兩

右㕮咀每服三錢水一盞煎七分食後溫服

龍腦雞蘇圓治煩渴涼上膈解酒毒除邪熱并治咳嗽咯血衄吐血諸淋下血胃熱口臭肺熱喉腥脾疸口甜膽

疸口苦並宜服之

柴胡銀州者二兩和木通以湯半外浸一二宿取汁後入膏　生乾地黄八兩　黄耆兩

麥門冬四兩　阿膠炒　蒲黄炒各二兩　甘草一兩半

人參二兩　木通二兩同柴胡浸　雞蘇淨葉一斤取薄荷

右除別萊外並搗爲末將好蜜二斤先煉一二沸然後下生乾地黄末不住手攪令勻取木通柴胡汁慢火熬成膏勻令焦然後將其餘萊末同和爲圓如豌豆大每服二十丸嚼破熟水下虚寒煩熱消渴驚悸人參湯下咳嗽唾血鼻衄吐血麥門冬煎湯下惟諸淋用車前子煎湯下

潤肺湯 發明内　治大腸燥結不通

外麻　當歸尾　生甘草　煨大黄

桃仁　麻黄　熟地黄各一　生地黄二分

紅花三分

右件剉如麻豆大都作一服水三盞先件萊溫煎至一盞熱服食前以通利爲度

十九 發明内　治不渴小便閉邪熱在血分也

黃蘗（二兩酒拌陰干） 知母（二兩酒浸陰干） 肉桂（半兩）

右上三味氣俱陰以同腎氣故能神而泻下焦火也桂

与火邪同体故曰寒因热用凡諸病在下焦皆不渴也

熱水為丸百沸湯下

荊黃湯治風热結滯或生瘡癤

荊芥（四兩） 大黃（一兩）

右㕮咀每服三錢水一盞煎六分空心服

三黃丸治丈夫婦人三焦積熱咽喉腫閉心膈煩躁小使

赤澁大使秘結並宜服之

黃連　黃芩　大黃（煨各十兩）

右為末煉蜜圓如梧桐子每服四十円熟水吞下一方

用臘劑為衣円如大豆夜間啥化一兩圓又好（又為剉散煎服）

五臟內外所因證治

論曰人身之有形於外者必有諸內故五臟之受病於內

而發於外者必見之眼耳鼻舌口牙之間心經蘊热則口

舌生瘡唇口裂折唇与胃相通故受热則嘘氣臭穢腎受

冷則耳不能聽或兼風則牙痛頷腫肺受風邪則皮毛瘙

痺積每則發而為癰疽肝受病則目不能視髮乃血之餘焦枯者血不足也皆病在內應乎外也凡有其証必須考其所自來辨其冷熱虛實治之

枳殼煮散治悲哀傷肝氣痛引兩脇

防風　川芎　細辛　枳殼　桔梗各四兩　甘草　乾葛一兩半

右㕮咀每服四錢水一盞薑三片煎七分空心服

柴胡散治肝氣實熱頭疼目眩眼赤心煩

柴胡　地骨皮　玄參　羚羊角　甘菊花　赤芍藥　黃芩各一兩　甘草半兩

右㕮咀每服四錢水一盞薑五片煎八分溫服不拘時

瀉膽湯治膽實熱惡寒脹滿脇下堅硬口苦咽乾

半夏三兩　酸棗仁二兩半　生地黃五兩　黃芩一兩　遠志　茯苓各二兩　甘草一兩

右㕮咀每服四錢水一盞炒糯米一捻薑七片煎服

心湯治心經實熱痞滿發渴煩悶喘急

黄連兩　甘草炙三兩　黄芩　甘草

人参　乾姜各二兩

右㕮咀每服四錢水一盞棗三煎七分服

桔梗湯治肺癰咳嗢膿血咽乾多渴方見咳嗽門

栢子仁湯治肺氣虚寒兩脇脹滿

栢子仁　白芍薬　茯神　防風

桂心　當帰　芎藭　細辛

附子

右㕮咀每服四錢水一盞姜五片煎七分温服不拘時

玄参湯治腎臓實熱心下煩悶耳聽无声腰背強痛

五加皮　生地黄　玄参　黄芩

羚羊角　石菖蒲　赤茯苓　通草

甘草　麦門冬各等分

右㕮咀每服四錢水一盞姜五片煎八分不拘時服

眼目

論曰人之有兩眼猶天之有兩曜視万物察纖毫何所不至日月一時之晦者風雲雷雨之所致也眼之失明者四

并七情之為害也大抵眼目為五臟之精華一身之至要故五臟分五輪然肝屬木曰風輪在眼為烏睛心屬火曰曰輪在眼為二眥脾屬土曰肉輪在眼為上下胞肺屬金曰氣輪在眼為白精腎屬水曰水輪在眼為瞳子而亦藉血為之包絡五臟或蘊積風热或七情氣欝結而不散上攻眼目各隨五臟所屬而見或腫痛羞澁多淚或生障瞖昏暗而失明其證七十有二治之須窮其所因風則驅散之热則清凉之氣結則調順之切不可輕用針刀点割又且不可過凉劑恐擬其血脈不流而成痼疾當量老少氣体虛實用藥又有腎虛者令人眼目無光或生冷瞖止當補暖下元益其腎水隨各証治之

洗肝散治風毒上攻暴作赤目腫痛難開隠澁眵淚

薄荷　當歸　羌活　防風

山梔子仁　大黃　川芎各等分　甘草

右為細末每服二錢食後熱水調下

補肝湯治肝虛兩脇滿痛筋脈拘急不得喘息眼目昏暗

防風 細辛 梔子仁 白茯苓

官桂 山茱萸 蔓荊子 桃仁各小分

車前 甘艸

右大棗二枚煎不拘時溫服

還睛神肝丸治肝虛兩目昏暗衛風淚下

白朮 細辛 芎藭 決明子

人參 羌活 當歸 白茯苓

若參 防風 官桂 地骨皮

玄參 黃芩 五味子 車前子

菊花 青葙子各分 甘艸

右爲細末煉蜜爲丸如梧桐子大每服三十丸加至四十丸不拘時米飲送下

明眼地黃圓治男子婦人肝虛積熱上攻眼目翳膜遮清羞澀多淚此藥多治肝腎兩經俱虛風邪所乘并治暴赤熱眼

牛膝三兩 石斛 枳殼 杏仁

防風各四兩 生地黃 熟地黃各一斤

右爲末煉蜜圓如梧桐子每服三十四食少塩湯溫酒
任下

八味還睛散治散翳形如鱗点或瞼下起粟子而爛日夜
痛楚瞳仁最疼常下热淚

白蒺藜 防風 粉草 木賊
山梔子各半两 草決明一两 青箱子一分 蝉退一分

右爲末麦門冬去心煎湯食後調下

菊花散治肝受风毒眼目昏朦漸生翳膜

甘菊四两 蝉蜕 白蒺藜 木賊一童使内浸宿曝
羌活各三两 荊芥穗 甘艸各二两

右爲細末每服二钱食後茶清調下

菊花散治肝氣壅翳膜遮睛隱澁難開

甘菊花一两 木賊 防风 白蒺藜
甘草各半两 木香半两

右爲細末每服一钱匕不拘時沸湯點服

密蒙花散風毒退翳障及赤爛弦眥

防风 川芎 白蒺藜

荊芥　蟬蛻　甘菊花各二兩

右為細末每服二錢食後桑白皮煎湯調服

同治男子婦人風毒上攻眼目昏暗翳膜遮障羞明熱

淚隱澀難開眶痒赤痛瞼背紅爛瘀肉侵睛

羌活　防風　柴胡　甘草各一兩

右為細末每服二錢水一盞半煎七分食後薄荷茶清

調服菊花苗湯調下亦可忌醃藏魚鮓鹽醬濕麪炙煿

發風等毒物

湯泡散治肝經不足風熱上壅眼目赤澀睛疼多淚

赤芍藥　當歸洗焙　黃連各等分

右為末每服二錢用極濃湯乘熱燻洗冷即再溫日三

五次

辰竜散

紫貝三分煅粉　烏賊骨二分　枯礬一分熬之　竜腦

辰砂各二銖

右極細研点目

洗梅散此等辰竜散石膏鹽消各一分加之治梅花翳故名洗梅散

耳

夫耳者腎之所候腎者精之所藏腎氣實則精氣上通聞五音聽矣若疲勞過度精氣先虛風寒暑濕自外入喜怒憂思自内傷而逆致聾聵耳鳴熱壅加之出血出膿則成聤耳底耳之患治法述乎后矣

芷芎散治風入耳虛鳴

白芷　蒼术　陳皮　石菖蒲

細辛　厚朴　半夏　紫蘓莖葉

肉桂　木通　甘草各一分　川芎二分

右作一服水二鍾生姜五片葱白二根煎一鍾食後服

桃風湯治風虛耳聾方見風門

治厥耳聾

右用和劑流氣飲加石菖蒲生姜三片葱白三根同煎食後温服

桂星散治風虛耳聾

肉桂　川芎　當皈　石菖蒲

細辛　木通　木香　白蒺藜

黄[illegible]　[illegible]草各[illegible]　白芷粉　天南星各一分半

右紫蘇三葉生姜三片食後服一方加全蝎去毒一分

白龜散耳者宗脈之所聚腎氣之所通小兒腎臟風有熱

熱氣上衝於耳津液結滯則生膿汁有因沐浴水入耳內

水温停積搏於血氣蘊積成熱亦令耳膿汁出謂之聤耳

久而不瘥則變成聾

白礬　黄丹　龍骨各半兩　麝香一分

右研極細先以綿杖子展盡耳中膿水用藥一字分摻

兩耳內日二次勿令風入

茯神散治上焦風熱耳忽聾鳴四肢滿急昏悶不利

茯神一兩　羌活半兩　防風半兩　蔓荊子半兩

麥門冬一兩　石菖蒲半兩　薏苡人半兩　五味子半兩

黄耆半兩　甘草一分

右㕮咀每服三錢水一中盞入生姜半分煎至五分去

滓食後温服

芎藭飲治耳鳴

川芎　當歸　細辛各半兩　石菖蒲

白芷各三分　官桂三分
右入紫蘇姜枣不拘时服

鼻

鼻者肺之候平和則吸引香臭若七情内鬱六淫外傷飲食労役鼻氣不得宣調清道壅塞而成疾也爲衄爲癰爲息肉爲瘡瘍爲清涕爲窒塞不通爲濁膿或不聞香臭皆肺不調邪氣鬱積于鼻清道壅塞也治法寒則温之热則清之壅則散之審而施治

辛夷散治肺虚爲四氣所干鼻内壅塞涕出不已或氣息不通不聞香臭

辛夷　川芎　木通　細辛
防风　羌活　藁本　外广
白芷　甘草

右爲細末每服二錢食後茶清調服

防风湯治鼻淵腦热滲下濁涕不止久而不止必成衄血

防风一两半　黄芩　人参　麦門冬
川芎　甘草各一两

右細末每服二錢食後沸湯調服日三服

川椒散治鼻流涕

川椒　訶子　肉桂　川白芷

川芎　細辛　白朮各等分

右爲細末每服二錢食溫酒調服

梔子仁丸治肺熱鼻發赤瘰名曰酒齄鼻

梔子仁

右爲細末以黄蠟爲丸如梧桐子大每服二十丸食後

用茶酒任下

細辛散治鼻齆有息肉不聞香臭

細辛　瓜蒂各等分

右爲細末綿裹如豆大塞鼻中

菖蒲散治鼻肉窒塞不通不得喘息

菖蒲　皂角各等分

芎藭散治鼻塞不聞香臭

芎藭　辛夷各一兩　細辛三分　木通半兩

右爲細末每用少許綿裹塞鼻中日三易之一方以枸

膽汁和綿裹塞鼻中

芎藭散治鼻塞爲齆

芎藭　檳榔　肉桂　广黄
防風　木通　細辛　石菖蒲
白芷各一分　木香　川椒　甘草各半分

右㕮咀每服三分水二盞生姜二片紫蘇葉少許煎至八分去滓食遠服

口舌

夫口者脾之所主五味之所入也五味入口藏于胃脾則運化而以養五臟口臭者則腑藏膿腐之不同蘊積於胸膈之間而生熱衝發手口也口瘡者爪熱攻脾而所致也唇者又脾胃之所主也因並燥勝則唇乾熱勝則唇裂或生瘡矣舌者心之候也脾胃不和而風寒中之則舌强而不能言壅热攻之則舌腫而不得語更有重舌木舌舌胎出血等之証審而治之

升麻散治上膈壅毒口舌生瘡咽喉腫痛

升麻　赤芍藥　人參　桔梗

二蔔各一分　甘草半两

右以咀每服四钱水二盞姜五片煎八分温服不拘時

瀉黃飲子治風热蘊於脾經唇燥折裂口舌生瘡

白芷　升麻　枳壳　黄芩

防風　半夏　石斛各一两　甘草

右以咀每服四钱水一盞姜五片煎八分温不拘時

治口臭方

川芎　白芷　陳皮　桂心各四两

枣肉八两

右爲細末次細枣肉乾則加煉蜜和丸如大豆許且服

十丸食前食後常含之或吞之七日大香

治心氣不足口臭

益智　甘草

右爲細末時時乾舐之更以沸湯調服立效

治口氣臭方

右以鷄舌香含之抱朴子云應邵漢官侍中年老口臭

帝賜鷄舌香含之日華子云雞舌香治口氣所以三君

以事郎官日含鷄舌香欲其奏事對答其氣芬芳也

綠雲散治口瘡臭氣瘀爛久而不瘥

黄蘗半兩 青黛 甘艸各二分

右爲細末研勻臨卧以一字安舌下嚥津不妨天明瘥

兼金散治蘊毒上攻口舌生瘡

細辛 黄蓮各等分

右爲末先以布帛蘸水揩淨患處摻藥其上涎出即愈

治重舌新蒲黄爲末摻之吐去又摻凡五七次愈亦治舌腫脹

又方五灵脂米醋一椀同煎旋漱之安

牙齒

齒乃骨之餘氣骨乃腎之所主呼吸之戶門也精氣强則齒自堅腎氣衰則齒自豁且手陽明大腸之脉入於齒灌注於牙倘爪寒壅熱之氣鬱滞心胃衝發於口則齒爲之痛矣輕則宣露斷頭浮腫甚則爲痒蠹齲脫之證也亦有腎氣虛壅齒痛宣露當以補腎藥以治之

蒺藜散治牙齒疼痛

萆薢　良姜　胡椒　細辛各等分

右為末每用少許啥溫水隨痛處鼻内搐

莽草散治爪壅熱氣上攻齒齦浮腫或連頰車疼痛或宣
露血出

莽草　升麻　柳枝　槐角
鶴虱　地骨皮　藁本　槐白皮

右剉散每一兩水撓入塩少許煎热含冷吐之又含一

赴筵散治爪牙虫牙攻注疼痛不可忍者

良姜　草烏　細辛　荊芥各等分

右為末每用少許於痛處擦之有涎吐出不得吞嚥良
久用塩水灌漱其痛即止用腐炭末一半相和常使揩牙

牙痛散治牙風疼痛立效

細辛半兩生　白芷一兩生　川烏頭一兩生　乳香三分

右為末每用少許擦牙痛處引涎吐之須臾以塩水灌
漱濟生方除白芷川烏用全蝎草烏

独活散治爪毒攻蛀牙根腫痛

川芎　独活　羌活　防風各半兩

細辛　荊芥　薄荷　生地黄各二錢

右㕮咀每服三錢水一盞煎八分溫服

小薊散治牙齒出血

百草霜　小薊　香附子　蒲黄各等分

右爲末揩牙上立愈

漱口沉香散治牙糟熱毒之氣衝發齒断腫痛成瘡或瘥

或發并皆治之

沉香　外广各一兩　細辛半兩　香附子八兩

右剉研每服二錢水一大盞煎三兩沸去滓溫漱冷即

吐去悞嚥不妨日三五次

取牙落不犯手

草烏　華撥各半兩　川椒　細辛各三兩

右爲末每用少許揩在患牙處內外其牙自落

治牙齒不生

雄鼠屎三七枚　麝香半錢

右同研細用之揩齒勿食酸鹹之物

又小兒齒多年不生

右用黑豆三十枚牛糞火内燒令烟盡取出細研入麝香少許研匀先以鍼挑破不生處令血出却塗藥在上不可見風忌醎酸物

咽喉

咽喉者爲一身總要與胃相接呼吸之所從出蘊熱毒生風痰壅滯而不散發而爲咽喉病或生瘡形如肉臠爲腫痛窒塞而不通吐嚥不下甚則生出重舌或熱毒衝上腭生瘡謂之懸癰又有喉痹纏喉風之二証發增寒壯熱有纏喉風之證也發作無增減者喉痹也右數證急不救則害人治法先去風痰以通咽膈而後解其熱毒矣更酌寒亦能令人咽閉吞吐不利臨病詳審可施治

救桔湯治風痰上壅咽喉腫痛吞吐如有所礙

苦桔梗　甘艸各二兩

右㕮咀每服三錢水一盞煎七分食後温服

五香散治咽喉腫痛毒氣結塞不通急宜用之

木香　沉香　雞舌香各一兩　麝香三錢

薰陸香一兩

右爲末入麝香研匀每服二銭水一盞煎服不拘時

利膈湯治脾肺有热虚煩上壅咽喉生瘡

雞蘇葉　荊芥穗　防風　桔梗

人參　牛蒡子　甘草各一兩

右爲末每服二銭沸湯點服如咽痛口瘡甚者加姜蚕

一兩更佳

上清丸治咽喉腫痛痰涎壅盛

薄荷一斤　川芎　防風各二兩　桔梗一兩

砂人半兩　甘草四兩

右爲細末煉蜜和丸如皂角子大每服一丸不拘時噙化

外广散治咽喉腫痛上膈壅热口舌生瘡

外广　人參　乾葛　赤芍藥

桔梗各二銭　甘草

右生姜一片食遠服又方去乾葛加乾姜等分同銼也煎法去姜

白礬散治纏喉風急喉風

白礬三銭　巴豆二枚去穀分作六片

右將白礬於銚内慢火熬化爲水置巴豆其内候乾去

已三分耶白礬研爲末每少許以竹管吹入喉中立愈本
事方去已用烏雞子清調白礬灌入喉内

鍼法　治喉閉

右法鍼少商穴出血立愈其穴在兩手大指内側去爪
甲角如韭葉許三稜鍼之出血立効

腋臭門

十香丸　含化令人遍体俱香
沉香　木香　白檀香　零陵香
甘松　藿香　雞舌香　肉豆蔻
白芷　細辛　芎藭　檳榔
丁香各半两　龍腦　麝香各一分
右爲細末研匀爛蜜和丸如芡實大每服二丸不拘時
含化嚥津每日不拘晚三二度

治腋氣臭於瓶狸者
白礬　黄丹各一两　百礬　鐵粉
雄黄　膩粉各一分
右爲細末每夜洗以皂莢水洗後用唾津調末塗之

治体氣方

枯礬　輕粉　蛤粉　蜜陀僧

射香 各等分

右爲細末研勻每用少許摻之

治腋氣方

右用熱蒸餅一枚擘作兩片摻蜜陀僧細末一分許急俠在腋下略騰少時候冷棄之如一腋有病只用一半藥元方平生苦此疾來紹与偶得此方用一次遂絕根本

治腋氣方

右用活田螺一箇以好射香少許安於田螺內却埋於露天地上不可雨打待七々四十九日取出看患處淨洗拭乾用墨㨪之却再洗看有黑處是竅子用田螺汁點之兩度立愈

婦人調經衆疾論

論曰夫女子十四則月水行男子十六則陽精溢此皆合丁陰陽之數各及其時故男子之精氣亘盛女子之月水自[illegible]經之道貴乎耗其氣以行其血々盛氣衰是謂定

則百病不生孕育無損矣且婦人之病四時所感六淫七情所傷參与男子治法一同惟胎前產後七癥八瘕崩漏帶下之証爲異故別貯方究其所因多由月水不調變生諸證大槩婦人之疾以經候如期爲安或有愆期當審其冷热虛實而調之先期而行者血熱故也法當清之過期而行者血寒故也法當溫之然又不可不察其有無外邪爲之寒热而後投藥且經行之際与產後一般將理失宜爲病不淺若被驚則血氣錯乱經脉斬然不行逆於上則從鼻口中出逆於身則爲分勞瘵之疾若其時勞力大過則生虛热變爲疼痛之根加之多端之證之雜述治法各具後矣

大溫經湯治衝任虛損月候不調或來多不已或過期不行或崩中去血過多或經損娠瘀血停留小腹急痛五心煩热

阿膠　芎藭　當歸　人參
肉桂　甘草　芍藥　杜丹皮各一兩
半夏二兩半　吳茱萸三兩　麥門冬五兩半

右㕮咀每服三錢水一盞姜五片煎八分空心熱服

四物湯治衝任虛損月水不調常服調益榮衛養血氣

當歸　川芎　白芍藥　熟乾地黃各等分

右㕮咀每服四錢水一盞八分空心服崩中去血過多者加膠艾煎服

內灸散治婦人血氣虛損崩下漏下淋瀝不已或冷氣凝積血堤腰胯刺痛凡月水不調血暈頭眩七癥八瘕並宜服之

藿香葉　丁香皮　熟乾地黃　肉桂各一兩半

甘艸　山茱　當歸　白朮

白芷各八兩　川芎　藁本　乾姜

黃耆各二兩　茴香一兩半　木香一兩　陳皮四兩

白芍藥十兩

右爲末每服三錢水一盞姜五片艾十葉同煎空心熱服溫酒調下亦可如產後下血過多加蒲黃煎惡露不快加當歸紅花煎吧吐加藿香生姜煎上熱下冷加荊芥煎

治血敵治衝任經虛經事不調不以多少前後並治

當歸　川芎　白芍藥　玄胡索

肉桂 各二兩

右㕮咀每服四錢水一盞煎至七分食後熱服

溫經湯方

當歸　川芎　芍藥　桂心

杜丹皮　莪朮 各半兩　人參　甘草

牛膝 各一兩

右㕮咀每服五錢水一盞半煎至八分去滓溫服

小溫經湯治經候不調血臟冷痛

當歸　附子 各等分

右㕮咀每服三錢水一盞煎至八分空心溫服

通經圓治婦人室女經候不通臍腹疼痛或成血瘕

川椒　蓬朮　乾漆　當歸

青皮　乾姜　大黃　桃仁

川烏　桂心 各等分

右爲末將一半用米醋熬成膏和餘藥一半成劑臼中

杵之圓如梧桐子陰乾每服五十圓醋湯酒空心任下

濟生方不用川烏有血花亦分

治婦人月水不利臍腹疞痛牛膝散

牛膝一兩　桂心　赤芍藥　桃仁

延胡索　當歸　牡丹皮　川芎

木香各三分

右爲末每服方寸匕温酒調下食前

琥珀散治婦人室女月水凝滯腹脇脹痛及血逆攻心眩

暈不省並皆治之

刘寄奴　牡丹皮　熟地黄　玄胡索

烏藥　赤芍藥　蓬莪朮　京三稜

當歸　官桂各一兩

右前五味用烏豆一升生薑半斤切片米醋四升同煑

豆爛爲度焙乾入後五味同爲末每服二錢空心温酒

調下

膠艾湯治勞傷血氣衝任虛損月水過多淋瀝不斷及姙

娠調攝失宜胎氣不安或因損動漏血傷胎並宜服之

阿膠 芎藭 甘草各二兩 當歸

艾葉各三兩 熟地黄 白芍藥各四兩

右㕮咀每服三錢水一盞酒半盞煎至八分空心熱服

當歸煎治婦人赤白滞下臍内疼痛不飲食日漸羸瘦

當歸 赤芍藥 牡蠣 熟地黄

阿膠 白芍藥 續斷各一兩 地榆五錢

右爲末醋糊圓如梧桐子每服五十圓空心米飲下

療經血不止

黄芩五分 當歸 栢葉 蒲黄各四分

生姜二分 艾葉一分 生地黄二十四分 伏龍肝十二分

右煎法如常

治婦人經水不止

香附子 白芍藥 熟艾等分

右煎服空心

一方

熟艾 阿膠半兩 乾姜一錢

右㕮咀以水五盞先煑艾姜至二盞半入膠消洋温

分二服一日服盡

如聖散治婦人血崩

棕櫚　烏梅各一两　乾姜一两五分並燒過存性

右爲細末每服二錢烏梅酒調下空心食前服久患者

不過三服即愈

如神散治婦人血崩不止赤白帶下

香附子　赤芍藥各等分

右爲細末每服二錢塩一捻水一盞煎至七分温服允

時候日二服拾服見效

抑氣散治婦人氣盛於血變生諸證頭暈膈滿皆可服之

香附子四两　肉桂二两　甘草二两　白茯苓

右爲末每服二錢食前用沸湯調服

當歸建中湯治婦人一切血氣不足虛損羸之

當歸四两　肉桂二两　甘草二两　白芍藥六两

右㕮咀每服三錢水一盞姜五片棗二枚同煎空心熱服

乞力伽散治血虛肌熱又治小兒脾虛蒸熱羸瘦不能飲食

白术　白茯苓　白芍藥各等分　甘草

右爲細末姜棗煎二錢和服

逍遥散治血虚煩熱月水不調臍腹脹痛痰嗽潮热

芎藭　當歸　茯苓　芍藥

白术　柴胡各一两

右㕮咀每服三錢水一盞煨姜一塊薄荷少許煎服不拘時

治婦人氣血不和心胸煩悶不思飲食四肢少力頭目昏眩身体疼痛赤芍藥散

牡丹皮　白茯苓　赤芍藥　白芷各一两

芎藭　柴胡一两半

右爲細末每服二錢水一盞生姜三片棗一同煎至七分温服食後臨卧

草豆蔻散治婦人血風冷氣攻脾胃呃逆不納飲食

人參一两　草豆蔻仁　白茯苓　半夏各三分

白姜　白术　縮砂人　枇杷葉

桂心　木香　青皮　芎藭各半两

右爲細末每服三錢水一大盞姜三片煎至七分去滓

黒功散治婦人血氣虛冷時發刺痛頭目昏悶四肢乏力
寒熱往来狀似労倦並宜服之
牡丹皮 壹一分　芍薬 一分　白芷 一分　乾姜 各一分
當皈 一分半　玄胡索 一分半　陳皮 一分半　官桂 一分
烏薬 一分半　川芎 一分半　苦梗 各半両
右為末毎服二分生姜三片半酒半水煎空心服
八偃散治血氣心腹疠痛立験
當皈　厚朴　芍薬　枳殻
人参 各四分　茯苓 五分　肉豆蔻 二分　木十
右為末煎法如常
菝苡丸治婦人癥瘕腹脹妨痛令人體瘦不思飲食
茯苓 三分　當帰　桂心　赤芍薬
檳榔　枳殻　木香　昆布
琥珀 各半両　桃仁　鼈甲　大黄 各一両
右為末煉蜜圓如梧桐子大食前粥飲下二十丸
三棱煎治婦人血瘕血瘕食積痰滞

三陵 莪茂各二两 青橘皮半下

麥芽一兩炒各

右用好醋六外煑乾焙爲末醋糊貟如梧桐子大每服三四十貟淡醋湯下痰積多姜湯下

治婦人血氣攻心腹疼痛延胡索散

延胡索 當歸 川芎 桂心各三分

木香 枳殻 赤芍藥 桃仁各半两

熟地黄一两

右姜二片煎法如常

麝香杏人散治婦人陰瘡

射香少許 杏仁不以多少燒存性

右爲細末如瘡口深用小紬袋子一ケ盛藥滿繫口臨上藥炙熱安在陰内立愈

白礬散治婦人陰腫堅痛

白礬半两 甘草半分生 大黄一分生

右爲末每用棗大綿裹内陰中日兩換

洗方治婦人陰痒

以蛇床子白礬煎水淋洗

取虫方　治婦人陰痒有虫用雞肝乗熱内陰有虫當盡下牛肝猪肝乗熱皆可用

交接輒血出方

黄連六分　牛膝四分　甘草

右三味細切以水四升煮取二升洗之日三度瘥

又方以熟艾堅裹一團然後以綿裹内陰中

妊育　附轉女成男法

論曰生育之道陰陽二氣交感而成胎若陰血先至陽精後衝血開裹精陽内陰外陰抱陽胎而男形成矣若陽精先入陰血後參精開裹血陰内陽外陽抱陰胎而女形成矣又云婦人月信初止一日三日五日及男女生命旺相陽日服交合則有子皆男若二日四日六日又值男女生命休囚死絶陰日時交合有子多女過此外皆不成胎又有所謂轉女成男法女子但懷娠胎三月名曰始胎血脈、流象形而變是時男女未定故令於未滿三月之間服轉令生男也

又治婦人無海久冷不能孕育

秦艽　桂心　杜仲　防風
厚朴各三分　人參一兩　附子生　白茯苓各一兩半
細辛二兩一分　白薇　乾姜　沙參
牛膝　半夏各半兩

右並生碾爲末煉蜜丸如赤豆大每服五十丸空心醋
湯米飲任下無効更加丸數已覺有孕便不可服極有
神効

謊々因治婦人衝任虛寒胎孕不成或多損墜
澤蘭葉兩半　肉桂　當歸　熟地黃各一兩
白朮兩半　川芎　石斛酒浸各一兩　乾姜半兩炮
白芍藥　牡丹皮　延胡索各一兩

右爲末醋糊丸如梧桐子每服五十丸空心溫酒下轉
女成男法　以斧置姙婦床下繫刃向下勿令人知恐
不信者令待雞抱卵時依此置窠下一窠盡出雄雞
又方取有姙孕弓弩弦縛姙婦腰下滿百日去之
又方取雄雞尾上長毛三莖潛安姙婦卧席下勿令知

又方取夫髮一及手足甲潛安卧席下勿令知之（已上四法皆在有孕三个月前用之）

胎前門

論曰人之夫婦猶天地也天地之道陰陽和而万物生矣夫婦之道陰陽和而男女生矣故婦人先須調其經而百病不生百病不生而成孕育然猶當知氣盛血衰則無孕血盛氣衰乃有孕須以抑氣生血爲先若有胚胛則服安胎順氣之劑及善將理以候分免如胎前產后變生諸證皆由不善調攝所致茲已詳具各方于后臨病之際又當對証求藥若外感四氣内傷七情以成諸疾治法則与男子無異當於各類求之但胎前治病損動胎氣之藥尤宜避忌可也

参橘散　治娠娠三月惡阻吐逆不食或心虛煩悶

赤茯苓　　橘皮（各一兩）　　麥门冬　　白术

厚朴（姜製，各半兩）　　甘艸

右生姜五片竹茹少許煎法如常温服

、參橘皮湯　治阻病吧吐痰水

參　　陳橘紅　　白术　　麥門冬、各一兩

厚朴　白茯苓各半两　甘草　赤茄一块
右生姜二片煎法如常空心食前温服
人参丁香散治姙娠恶阻胃寒呕逆翻胃吐食及心腹刺痛
人参半两　丁香　藿香各一分
右煎法如常
半夏茯苓汤治姙娠恶阻恶闻食气胸膈痰逆呕吐恶心
白芍药　旋覆花　桔梗　陈皮去白麸炒
人参　川芎各半两　熟乾地黄　赤茯苓各三分
半夏一两一分　甘草
右姜二片煎法如常空心热服
治姙娠恶阻呕吐不止头痛全不入食服诸药无効者用
此药理血归原则愈
人参　川芎　当归　芍药
丁香各半两　白茯苓　白术　陈皮各一两半
苦梗　枳壳各一分　半夏一两　甘草
右生姜三片枣一枚煎服之
又方

人參　丁香　柿蒂各一兩　良姜半兩
甘草
右爲細末每服三錢熱湯點下無時

竹茹湯　治妊娠呕吐頭疼眩暈
橘紅　人參　白术　麥門冬各一兩
白茯苓　厚朴各半兩　甘草

右生姜三片入竹茹一塊煎不拘時温服

安胎飲　治妊娠悪阻呕吐不食胎動不安或時下血
地榆　茯苓　熟乾地黄　當歸
川芎　白术　半夏　阿膠
黄耆　白芍藥各十分　甘草

右煎法如常

療妊娠參四箇月腹痛時々下血
續斷八分　艾葉　當歸　乾地黄六兩
竹茹　阿膠　雞蘓各四錢

右煎法如常

茅湯　治妊娠腹中疞痛下痢

白芍 茯苓 當歸 澤瀉

川芎各二兩 白朮一兩半

右爲末每服二錢空心温酒米飲任下

立効散治婦人胎動不安如重物所墜冷如水

川芎 當歸各等分

右煎法如常食前温服

療妊娠被驚惱胎向下不安小腹痛連腰下血

當歸 川芎各八分 阿膠炙 人參各四分

艾葉四分 大棗二十箇 茯苓拾分

右煎法如常

當歸散 治妊娠中惡心腹疞痛

當歸 丁香 川芎各三兩 青橘皮二兩

吳茱萸半兩去梗湯泡三次炒黑

右爲細末無時温酒調下一錢

白朮散治妊娠胎氣不和飲食不進

白朮炒 紫蘇各一兩 白芷炒 人參各二兩

訶子 青皮 川芎各三分 甘草

右生姜一片煎不拘時服

集驗方療姙娠二三月上至捌玖月胎動不安腹痛已有所見方

艾葉　阿膠　當皈　川芎各三两

𠃧十

右煎法如常

大腹皮散治姙娠大小便赤澁

枳殻　大腹皮各一分　赤茯苓三分

𠃧十

右爲末葱白湯調下不拘時

麥門冬湯治姙娠心驚膽怯煩悶名曰子煩

麥門冬去心　防風　白茯苓各两　人參半两

右姜三片淡竹葉五片煎溫服

紫蘇飲治胎氣不和揍上心腹脹滿疼痛謂之子懸

大腹皮　川芎　白芍茅　陳皮

紫蘇　當皈各一两　人參半两

𠃧十

右生姜三片葱白三寸煎空心溫服

□氣湯治姙娠心腹脹滿兩脇妨悶不下飲食四肢

羌活　赤芍药　枳椰　青皮
大腹皮　陳皮　赤茯苓　半夏
桑白皮　桂心各半两　紫蘇莖二两　甘草
右姜三片枣二箇煎無時候温服與局方分心氣飲大同小異加灯心煎

大聖散　治姙娠忪悸睡夢多驚心腹脹滿連臍急痛胎氣上逼
白茯苓　川芎　麥門冬　黃耆
當歸各一两　人參　木香各五分　甘草
右姜三片煎温服

訶梨勒散　療姙娠心腹脹滿氣衝胷膈煩悶四肢少力不思飲食
訶梨勒　赤茯苓　前胡各一两　陳皮
大腹皮　桑白皮各三分　枳壳　川芎
白术各半两
右爲末生姜二片枣子一箇煎温服無時

羚羊角散 治姙娠中风頭項强直筋脉挛急言語蹇澁痰涎不消或時發搐不省人吏名曰子癇

羚羊角 镑　　川独活　　酸棗仁 炒去殼　　五加皮 去木各半分

薏苡仁 炒　　防風　　當歸　　川芎

茯神 去木　　杏仁 各四两 去皮尖　　木香 不見火 各二分半　　甘中

右姜三片煎不拘旹服常服養胎氣美飲食

白术散

白术　　紫蕤　　白芷　　訶子

陳皮　　川芎 各三分　　甘中

右姜二片煎温服

防风散 治姙娠中风卒倒心神悶乱口噤不能言四肢强急

防風　　桑寄生　　葛根 各一两　　菊華

防已　　北細辛　　秦艽　　當歸

桂心　　茯神　　羚羊角 各半两　　甘中

右生姜二片煎去滓入竹瀝半合温服

治姙娠中風腰背强直旹復反張

防风　　葛根　　川芎　　生乾地黄 各二两

杏仁[illegible] 广黄去節各两半 桂心 独活
防已各一两 甘艹
右煎法如常
白朮散治姙娠傷寒煩熱頭痛胎氣不安或吐逆不飲
白朮 橘紅 麥門冬 人參
前胡 赤茯苓 川芎各一两 半夏半两
甘艹
右每二片淡竹茹一分煎法如常無時溫服
广黄散治姙娠外傷風冷痰逆咳嗽不食
广黄 陳皮 前胡各乚两 半夏
人參 白朮 枳殻 貝母
甘艹各半两
右葱白三寸姜二片棗一箇煎服之
黑神散又名烏金散 霊苑方名肉桂散治热病胎死腹中者
何以答曰因母患热病至六七日以后臓腑極热熏煑其胎
是以致死緣兒死自冷不能自出但服黑神散暖其胎須
臾胎即自出何以知其胎之已死但看産母舌青者是其

候也

桂心　當歸　芎藭　乾姜

生乾地黄各兩　黑豆二兩　附子半兩　甘草

右爲細末每服二錢空心温酒調下一方无附子有蒲黄

七宝散治姙娠婦瘧或先寒后热或寒多热少或热多寒

少或一日一發或隔日發或腹痛矣

人參　厚朴　當歸　陳皮

乾姜半兩　甘草

右棗二个煎服之

又方　丈夫瘧門之七宝散治一切瘧

猪苓散療姙娠小便澁痛兼療胎水

猪苓五兩

右爲末白湯調方寸匕加至貳匕日參夜貳不差宜轉

下之

治姙娠大小便不通热閉心膈腹脹妨悶妨害飲食

大黄　木通　檳榔各兩

大腹子三錢　訶子肆箇去核半生半煨　枳壳三分

爲末以童便一琖葱白二寸同煎服之

散治氣未怯不宜瘦胎令服此藥安胎益氣易產

人參　訶子　麥芽　白朮

神麯　陳皮 各等分

右煎服空心

無憂散治胎肥氣逆臨蓐難產

當歸　川芎　白芍藥 各三錢　木香

甘草 各一錢半　枳殼　乳香 各三錢　血餘 一錢半燒

右㕮咀每服三錢水一盞煎八分溫服不拘時

集效催生神應黑散兼治橫生逆產

百草霜　香白芷末 各等分

右和勻每用二錢童便并好醋調稀更以沸湯服之甚效

產後門

蓮軒曰凡婦人產畢且令飲童子小便一盞不得便臥生且宜閉目而坐須臾方可扶上床仰臥宜立膝高倚枕頭厚鋪茵褥使無賊風吹着兼收々令人以軟物從心擀至臍下使惡露不滯如此者兩三日常令產婦聞醋氣或燒乾漆烟若無乾漆以破舊漆器燒之以防血逆迷運之患

分免之後須更且食白食一味不可令大飽逐日漸增之
仍吃与童子小便一戋飲之或童子小便以好酒和半戋
温服三日過後方可進醇酒并些𧂭味及突爛猪蹄肉或
雖維亦不可大過若纔產便与酒恐產毋藏府方虛不禁
酒力必引血逆入四肢致生諸証或热酒入脏致昏悶况
不善飲者乎纔產食肉太早緑藏府方虛恐成泄泻或变
積滞亦不可喜怒憂思動力太早恣食生冷及不避风寒
或冷水洗濯當時虽未覓大損滿月之後致病百端或成
產後諸疾小可虛羸失於將補便成大患終身悔而不及
其產後倘有諸証不論巨細並有方苐可治

黑神散治婦人產後惡露不盡胎衣不下血氣攻心

黒豆炒半升　熟乾地黄　當皈　肉桂
乾姜　甘草　芍药　蒲黄各四両

右為末每服二钱熱酒調下入童子小便尤為佳濟生
方除蒲黄加附子

胎衣秘方

伏龍肝　雲母等分

右爲細末每服三錢布糊調温服

奪命丹治產後血入衣中脹滿衝心久而不可或去血過多肺氣喘促謂之孤陽絶陰亦難治之証急宜取鞋底炙熱小腹上下熨之次進此藥

附子半兩 牡丹皮 乾漆各一兩

右爲末用酸醋一升大黄末一兩同熬成膏和藥圓如梧桐子每服五七圓温酒送下

芎歸湯治產後去血過多暈煩不醒一切去血並宜服之

當歸 芎藭各二分

右煎法如常腹中痛加白芍藥發寒熱加乾姜白芍藥吃逆加茯苓生姜小便不利加車前子咳嗽痰多加紫菀半夏生姜

清魂散方治血暈

澤蘭葉 人參各一分 荊芥一兩 川芎半兩

右爲末用温酒熱湯各半盞調一錢急灌之下咽即開眼氣定即醒

四物湯產後通用春夏乾姜少加秋冬少增加方見前新

產之後虽無疾故宜將息調理脾胃美進飲食則臟府易平復氣血自然調和百疾不生加味四君子湯

人参　茯苓　白朮　甘草

陳皮　藿香　縮砂仁　黄耆各小分

右剉散每四銭姜三片棗一枚煎温服

當歸黄耆湯治產後失血過多腰脚疼痛壯热自汗

當歸三兩　黄耆　芍藥各二兩

右㕮咀每服四銭水一盞姜五片煎服不拘時

抵聖湯治產後血氣傷脾胃腹脹滿悶嘔逆悪心

赤芍藥　半夏　澤蘭葉　陳皮

人参各二分　甘草　生姜半兩

右㕮咀每服四分水一盞煎服不拘時

增損四物湯治產後陰陽不和乍寒乍熱如有悪露未盡陽停滯胞絡亦能令人寒热但小腹急痛為異

當歸　白芍藥　川芎　人参各一兩

甘草半兩　乾姜一兩

右㕮咀每服四銭水一盞姜三片煎服不拘時

治産後児枕腹痛侵冷氣故也

芎藭　桂心　當皈　呉茱萸

茯苓　芍薬　牡丹各六分　桃仁十分

右煎法如常

療産後下血不盡腹内堅痛不可忍

當皈　芍薬　桂心各三両　桃仁一百二十枚製

右煎法如常若不愈加大黄三両

治産後血塊腹痛

荊芥　川當皈　乾地黄　芍薬各半両

蒲黄一分銚内隔紙炒赤

右為末毎服二銭食後熱酒下

廣済療産後悪露不多下方

川牛膝　大黄　牡丹皮　當皈各六分

芍薬　蒲黄　桂心各四分

右為末以生地黄汁調酒服方寸匕日二服血下愈

延胡索　桂心各半両　當皈一両

右為細末熱酒調下二銭

專治婦人方治產後中風不省人事口吐涎手足瘈瘲

當歸　荊芥穗各等分

右爲細末每服二錢水一錢酒少許煎至七分灌之

論曰產後不語者何答人心有七孔三毛產後虛弱多因致停積閉於心竅神志不能明了又心氣通於舌心氣閉塞則舌又強矣故令不語如此但服七珍散

人參　石菖蒲　生乾地黃　川芎各一兩

細辛一錢　防風　辰砂各半兩

右爲細末每服一錢薄荷湯調下不拘時

治產後不語方

人參　石菖蒲　石蓮子不去心各等分

右煎服

人參當歸散治產後去血過多血虛則陰虛〻〻生內熱其證心胷煩滿吸〻短氣頭痛悶乱晡時輒甚與大病後虛煩相類急宜服之

乾地黃　人參　當歸　肉桂

麥門冬各一兩　白芍藥二兩

右㕮咀每服四錢水二盞先以粳米一合淡竹葉十片煎至一盞去米葉入薑并棗三枚煎溫服血熱甚者加生地黄

治產後蓐勞蓋緣生產日淺久坐多語運動用力遂致頭目四肢疼痛寒熱如瘧壯宜服白茯苓散

白茯苓一兩　當歸　川芎　桂心

白芍藥　黃耆　人參各半兩　熟乾地黄半兩

右生薑棗煎服

小兒論

論曰小兒初生受胎氣之厚者病疾自少稟賦怯弱者又藉藥力以扶植元氣何況養護不謹或受驚觸或飲食過度衝冒寒暑以致變生諸証調治之法又須察脈觀證審之而後投以藥餌畧備數方于後以備倉卒

手虎口三關紋訣歌詩

虎口有三關　風命氣相攀　青紅驚急病

黃黑水惕殘　紫色生驚搐　紅青熱在肝

關中存五色　節節見紋班

氣關

氣關從氣論　因氣便成形　關中青与白

定是食傷生

風關

風關通九竅　色々是風紋　過了三關節

相逢可賀生

命關

命關生死路　青黑定曹凶　過了三關節

皂醫總是空

臍風撮口

論曰小兒初生一七日内忽患臍風撮口十无一活坐視其斃良可憫也有一法撚驗世罕有知者凡患此証兒齒齦上有小泡子如粟米狀以溫水蘸熟帛包手指輕擦破刮口開便安不用服藥

陳氏方治小兒臍瘡不乾

白礬　白龍骨各少分

右爲末每用少許傅之又有用綿子燒灰亦可

氏方治撮口用白姜蚕末蜜調塗口唇内即瘥

口瘡重舌

論曰小兒夜啼要飲乳若口到乳上即啼而不乳者心脾額皆微热急取灯照口若無瘡舌必腫也随証施治

浮心湯治口瘡用黄連去芦為末蜜水調服

洗心散治小兒心經蘊熱滿口生瘡 方載積热門

珠礬散治口瘡鵝口不能乳者朱砂細研白礬等分為末使乱髮纏指舌上令淨以藥傳之

夜啼客忤

論曰夫小兒胎熱則心躁而喜夜啼或腹熱啼時有汗而身仰或口舌瘡腫不能吮乳故夜啼不止也客忤者見生人氣忤犯而啼也

秘方治小兒在胎中受驚故生未滿月而發驚用朱砂研細同牛黄少許取猪乳汁調稀抹入口中入麝香當門子尤妙

乳頭散治夜啼不止腹中疼痛

黄耆　當歸　甘草　赤芍藥

木香各等分

右爲末每挑少許着乳頭上服

胎熱胎寒 附盤腸内吊

論曰凡小兒胎中受熱生下則多驚啼身熱或大小便不通胎中受寒生下則身青体冷或腹痛盤腸内吊須察其候而治之

釀乳方解胎中受熱生下面赤眼閉不開大小便不通不能進乳食

澤瀉二兩半　猪苓　赤茯苓　天花粉各一兩半

生地黄一兩　茵陳　甘草各一兩

右㕮咀每服三錢水一盞煎食後令乳母捏去宿乳却服

生地黄湯治小兒生下遍体皆黄狀如金色身上壯熱大小便不通乳食不進啼呌不止此胎黄之候皆因母受熱而傳於胎也凡有此証乳母宜服此藥并略与兒服

生乾地黄　當歸　赤芍藥　川芎

天花粉各等分

右㕮咀每服五錢水一盞煎服

當歸散治小兒胎中受寒生下再感外風面色青白四肢厥冷大便青黑心腹疼盤腸内吊並皆治之

當歸　黄耆　細辛　黄芩

龍骨　桂心　赤芍藥各半兩

右爲每服以乳汁調下一字日三服看兒大小加減之服

魏香散治盤腸内吊

蓬莪朮半兩　真阿魏一分

右先用溫水化阿魏浸蓬莪朮一晝夜焙乾爲末每服一字煎紫蘇米飲空心調下

木香散治小兒盤腸氣通不已面青手冷日夜啼叫尿如米泔

川楝子七个去皮核用巴豆二十五粒去皮同炒令巴豆黄去豆不用　木香

黄史君子肉　延胡索　茴香一分

右同爲末清米飲空心調下量兒大小服之

急慢驚風

論曰驚風有陰陽二證身熱面赤而發搐搦上視牙關緊硬者陽證也因吐瀉或只吐不瀉日漸困面色白脾虛或

冷而發驚不甚搐搦微々目上視手足微動者陰証也陽
証急驚風用凉劑陰証慢驚風用温菜不可一槩作驚風
治也又有一証欲發瘡疹先身熱驚跳或發搐搦此兆驚
風當宜解散

産室冊治急驚風大人方見風門

牛黄清心圓 同前

浮青丸

當歸 龍膽 川芎 山梔子仁

川大黄煨 羌活 防風各等分

右爲末煉蜜丸如雞頭大每服半丸至一丸煎竹葉湯
同沙糖水化下

吉州醒脾散 治慢驚

人參 橘紅 甘草 白朮

白茯苓 木香 全蝎各半兩 半炙

白附子 南星 陳倉米二百粒

右爲末服一錢水半盞姜二片棗一 煎服

防風温膽湯 消痰順氣踈風

半夏 枳殼 茯苓各半兩 陳皮

防风各二分半 甘草分半 人参二分

右剉散每服三錢水一盞姜三片紫蘇五葉煎服

錢氏白术散 治慢脾風

白术 人参 茯苓各五分 藿香五分

乾葛各一兩 木香五分 甘草

右煎法如常一方加冬瓜仁防风

通心飲 通心經蘊熱利小便退急驚潮热及治旋螺风

木通 連翹 瞿麦 梔子仁

黄芩各一分 甘草

右灯心麦門冬煎服之

星香散治小兒急慢驚风搐搦竄視涎潮

南星二分半 橘紅 木香各一分 全蝎二枚

右剉散姜二片煎法如常頻灌之大便去涎即愈

防风湯治急驚後餘熱不退晩後手足搐掣心悸不寧及

吐入乜測洽切目動邪风中入肝經兩目視人閉眼不常

防风 川芎 大黄 白芷

黄芩各三分　細辛　薄荷各二分　耳中

右爲末每服錢半濃白湯下不拘時

　　變蒸發熱

惺々散治變蒸發熱咳嗽痰涎鼻寒聲重

茯苓　白术　人参　川芎

細辛　桔梗各十分　耳中

調氣散　右薄荷五皮煎服之一方去川芎加芍茉天花粉半細辛撳

治小兒變蒸吐浮嗁吐不乳

木香　人参　厚朴　香附子

陳皮　藿香　耳中各十分

右姜二片棗二枚煎服此証但以惺々散治之或熱盛

微表或熱實便閉微利或不治自愈

神仙黑散子治變蒸有類驚狀上唇有白疱如魚目珠者

宜服此茶

　　广黄　杏仁連皮　大黄各十分

三味燒存性研末每服半錢水半盞煎服抱兒入慈幃

衷連進有微汀身凉即愈

中悪風癇 附天吊

藿香回 治小兒卒中悪毒心腹刺痛 方載諸氣門

人参羌活散 治小兒馬癇張口搖頭半癇喜揚舌犬癇兩足拳攣手出鷄癇搖頭反折其四証並属陽俱宜此治之立効

柴胡 地骨皮 前胡 各一錢半 天麻 二錢半
人参 芎藭 独活 羌活
枳殻 茯苓 各半兩 桔梗 二錢半 右寸

右薄荷五皮煎服

細辛大黄湯 治風癇熱癇

細辛 大黄 防風 右寸

右㕮咀毎服一錢水半盞加犀角屑少許煎服

至宝丹 治諸癇急驚卒中客忤天吊並宜治之 方見風門

感冒四氣

人参羌活散 治傷寒發熱 方見前

七宝散 治感寒頭昏体熱小兒乳母同服

紫蘇葉 香附子 各三錢 橘皮 桔梗

白芷　川芎各一两　加广黄少許　甘草

右姜一片枣半枚煎服

解肌湯治傷寒發熱心煩燥湯

广黄去節半两冬月三分　人参　芍药各半钱　川芎

前胡各一分　独活半钱

右姜一片薄荷一叶煎法如常

黄连香薷散治伏暑發渴或作痢利並宜方見中暑門

不换金正气散治感冒风湿頭目昏重時發吐热方見傷寒門

地骨皮散治虚热潮作又治傷寒壯热

知母　柴胡　人参　地骨皮

赤茯苓　半夏各小分　甘草

右姜三片煎服之

人参前胡湯治感冒發熱

前胡一钱　柴胡　黄芩　半夏

人参　桔梗各半两　甘草

右姜枣煎服之一方治痢加地骨皮

嗽喘諸痢

華蓋散治肺感寒邪咳嗽声重方見咳嗽門
參蘇飲久嗽不宜卒止先須調氣宜服此方見傷寒門
瀉肺散治肺氣壅盛咳嗽不已
桑白皮　地骨皮各一兩　甘草
右粗末同煎食后服
清脾湯治因食傷脾停滯痰飲發爲寒熱瘧疾渴熱者
宜方見瘧疾門
養胃湯治内傷生冷外感風寒增寒壯熱臟府寒者宜
鬼哭飲治瘧疾久不愈者
常山　大腹皮　茯苓　鱉甲各等分
甘草
右爲末用桃柳枝各七寸同煎臨發時服之畧吐出涎
不妨
露星飲治久瘧成労
秦艽　白朮　柴胡　茯苓
半夏　檳榔　黄芩　常山
官桂各等分　甘草

右以咀每服三錢酒醋各一盞姜二片煎露一宿次早服

草菓飲治發瘧寒多熱少或遍身浮腫者

厚朴　青皮　草菓　藿香

半夏　丁香皮　神麯　良姜 各等分

甘草

右姜二片棗二ヶ空心煎服

嘔吐浮痢 附脱肛

藿香散治小兒吐哯吧逆身熱面青不進乳食

藿香 一錢半　丁香　人参　白朮

茯苓　神麯　扁豆 各半錢

右爲末每服半錢罌粟米飲温調下陳皮煎米飲下亦可

助胃膏治小兒冷氣入胃吧吐不止

白豆蔻 仁四十　木香 三錢煨　縮砂仁 四十　人参 去芦

白茯苓　白朮 各半两　丁香 五錢　肉豆蔻 四ヶ

乾山茱 一兩　甘草

右爲末每服一錢陳紫蘇木瓜湯調下

八参散治小兒虚熱煩渴因吐浮煩渴不已

人參半兩　茯苓二兩半　生犀　桔梗各二錢半
乾葛半兩　甘草
右爲末每服一大錢水一中盞入灯心五莖同煎至六
分放温不計時候煩渴者以新竹葉湯下量年紀加減
觀音散治小兒外感風冷内傷脾胃吐逆吐瀉不進乳食
石蓮肉炒去心一分　茯苓　人參　白芷
木香炮　綿耆各一錢　神曲炒二錢　白扁豆三錢
甘草
右棗一枚藿香三葉煎服或發爲癎又可服之
豆附丸治小兒搐搦吐瀉
肉豆蔻一个　附子一个炮
右爲末麪糊丸如粟大飯飲下
益黄散治脾胃虚寒吐吐不止或泄瀉腹痛並治之
丁香四錢　陳皮二兩　訶子　青皮各一兩
甘草
右爲末每服一錢水半盞食前煎服
訶子湯治臟寒泄瀉

訶子　人参　白茯苓　白术各一兩

木香炮　陳皮　豆蔻各半兩　甘草

右爲末每二片煎服寒甚者加附子

水煑木香丸治下痢赤白裏急後重方見下痢門

紫霜丸治宿滯不化胸腹痞滿泄瀉如痢當以此藥推利

杏仁四十九个去皮尖别研　巴豆去皮心出油細研三十粒　代赭石火煅醋淬研

赤石脂末各一兩

右研勻湯浸蒸餅丸如黍米大三歲以下服三兩丸或

以乳汁或米飲下皆可

木香散治諸般瀉利日久不安並皆治之

白术　麥芽　木香　人參

陳紅　茯苓　神曲　青皮

當歸各一錢　甘草

右爲末每服二錢姜二片米五粒煎温服

木香丸治下痢赤白

黄連一兩用呉茱萸炒去茱萸不用　肉豆蔻二个　木香一分二件一處麩煨

右爲末麪糊丸如黍米大赤痢粟米飲下白痢厚朴湯

下赤白相雜陳米飲下

調理脾胃 附積聚并丁奚哺露 同浮腫脹滿秘結

四君子湯 調脾胃進飲食

人參 白术 茯苓各等分 甘草

右爲末每服一錢鹽湯點服 方加陳皮縮砂名六君子湯

丁香散 治胃虛氣逆哯乳不食

人參五錢 丁香 藿香各二錢半

右以咀每服二錢水半盞煎熱入乳汁少許煎服

加減觀音散 調理脾胃宜常服之

白术 人參 白扁豆蒸 白茯苓

黄耆蜜水炙 麥蘗炒 乾山藥 神麴炒

香附子炒各等分 甘草

右爲末每服一錢空心米湯下

挨積丸 治宿食傷脾停滯不化脹吐脹痛

三稜炮 丁香各三兩 乾姜炮一錢半 丁皮

青皮各一兩 巴豆二錢半

右爲末醋糊丸如粟米大每服十丸生姜湯下大小加減

加減磨積丸治臟腑怯弱内有積滯脹吐脹痛腸鳴泄瀉

或因食再肥虫動作痛叫哭不已悉皆治之

乾漆三分　丁香一兩　青皮　三稜各二兩　莪朮四兩

右爲末糊如麻子大每服十九生姜湯下依兒之歲增之

紫霜丸治小兒乳食失節宿滯不化胸腹脹痛大便酸臭

方見吐瀉類　加減不换金正氣散治小兒冷熱不調下痢赤白食少者方見吧吐瀉痢門或去黄連和白扁豆二分

十全丹治乳哺不調傷於脾胃丁奚哺露積聚腹痛

枳殼　炮各一分　檳榔生用　青皮　陳皮

木香　莪朮炒　三稜炒　縮砂仁各半兩

丁香　香附子一兩

右末以神麯末寸糊丸如黍米大空心米湯下五十丸

退腫塌氣散治積水驚水或飲水過多停積於脾故四肢

腫而身熱宜用茅内消之其腫自退

蘿蔔子　赤小豆　陳皮各半兩　木香一分

甘草

右姜棗煎服

方積水穿亦並宜服之

苹逆　青皮　陳皮　木香炮各一兩

檳榔一ヶ

右爲末紫蘓木瓜湯點下忌服求州

橘皮飲子治日食不化心腹脹滿吧逆惡心不進飲食

陳皮　人參　高良薑　檳榔各一分

白茯苓半分　苹寸

右薑棗煎服

木香散治心經伏熱小便不通

木通一兩　牽牛子半兩炒　滑石一兩

右爲末灯心葱白煎服

匀氣散治脾肺氣逆喘嗽面浮胸膈痞悶小便不利

桑白皮一兩　陳皮一兩半　桔梗一兩　苹寸

藿香半兩　木通四兩　赤茯苓一兩

右每服二永水小盞薑二片煎服

五疳五軟附諸虫

五疳保童圓治小兒五疳一云肝疳其候搖頭揉目白

之睛流汗遍身合面而卧目中淚痒肉色青黄髮立頭
節骨腦熱腹中積聚下利頻多久而不瘥轉甚羸瘦二曰
心疳其候渾身壯熱吐痢血常頰赤面黄胸膈煩滿鼻乾
心躁口舌生瘡痢久不瘥多下膿血有時盜汗或乃虚驚
三曰脾疳其候腹多脹脉喘促氣麤乳食不多心腹脹滿
多啼欬逆面色萎黄骨立毛焦形枯力劣胸膈壅悶水穀
不消口鼻常乾好喫泥土情意不悅愛暗憎明腸胃不和
痢多酸臭四曰肺疳其候欬嗽氣逆皮毛乾焦饒涕多啼
咽喉不利揉鼻咬甲壯熱憎寒口鼻生瘡唇邊赤痒腹内
氣脹乳食漸稀大腸不調頻頻洩痢糞中米出皮上粟生
五曰腎疳其候肌肉消瘦齒齗生瘡寒熱時作口鼻乾燥
腦熱如火脚冷如氷吐逆既增乳食減少瀉痢頻併下部
開張肛門不收疳瘡痒痛已上疾狀皆療

青黛　雄黄飛研　射香研　蘆薈研
熊膽　胡黄連　黄連去鬚　竜膽去芦頭
苦練根　蝦蟆炙　蝸牛微炒　木香　白鮮焦炒　大全焦黄各
明砂微　五味子　青橘皮

天漿子 各一分炒 蠐頭 一枚炙令黄 乜 蠍 兒服 拾

右爲細末用糯米飯和丸如麻子大每服一

丸不計時候温米飲下日三服

鱉甲散治痨勞骨蒸

鱉甲 九肋者沸湯浸洗用童子小便塗炙 黄耆 蜜炙 白芍藥 各一两

生熟地黄 地骨皮 當歸 人參 各半两

右煎法如常

香砂正氣散治小兒痨傷積痛風痰喘嗽心腹絞痛吐瀉

臟腑虚鳴

香附子 砂仁 各叉 大腹皮 莪术 炮

紫蘇梗 各七分半 陳皮 茯苓 各叉半 白芷

白术 三稜 藿香 檳榔

半夏 桔梗 各五分 厚朴 一两 甘草

右姜二片棗一枚煎服

消痨圓治諸痨多因飲乳喫食大早或久患腸胃虚吐虫

瘦弱肚大發熱無時吐沫

黄連 神麯 麥蘗 各一两 使君子

肉豆蔻　檳榔　厚朴各半两　木香一分

右為末麵糊丸如菉豆大每二三十丸滚白湯下

大芦薈丸治疳熱虫和胃止泻

黄連　胡黄連　白蕪荑去扇　芦薈

鶴虱　雷丸竅間白者佳赤者殺人勿用　青皮

木香各半两　射香一分別研

右為末粟米飯丸菉豆大米飲下一二十丸

木香丸治疳痢冷热不調五色雜下裏急外重

黄連參分　木香　紫厚朴　縮砂

夜明砂各或分　訶子肉一分炒

右為末粳米飯丸广子大每服十五丸乾艾葉生姜煎

湯食前溫下

使君子丸治臟府虛滑疳瘦下痢腹脇脹痛不思乳食常

服安虫神胃消疳肥肌

厚卜　青黛各半两疳热兼驚帶熱湯者方可用此一味

訶子半生半煨去核　陳皮各半两只藏府不調不用　使君子肉一两麫裹煨熟去面焙干

為末煉蜜丸如鷄頭大每服一丸米飲化下

以上三歲已下服半六乳汁化下
方治肝膽停热致令筋弱項軟搖頭不起
附子生　南星
等分爲末姜汁調摊貼患處次服防風丸浮青丸
羚羊角丸治小兒五六歲骨氣虛筋脉弱不能行者
羚羊角屑　白茯苓　防風　虎脛骨塗醋炙黄
酸棗仁炒　生乾地黄各半兩　黄耆
桂心　當歸各一分
右爲末煉蜜丸如菉豆大食前以温酒研破二五丸服
之一月漸々而可行也
使君子湯治五痔下痢之秘方
使君子　黄連各二分　茯苓　人参
白术各一两　陳皮　木香　檳榔
莪术各二分　丁子　訶子　縮砂各一分
耳汁
右煎服熱甚者加芍薬一两
治小兒耳边鼻下赤爛温痒名吁[illegible]瘡

黄丹一分燒令赤色　菉豆粉一分　白礬一分飛過

右研細乾傅瘡上唾調亦可

化虫丸　治諸虫

鶴虱一兩大炒花蜜黑色　苦楝根皮各半兩　胡粉　檳榔

白礬半生半枯　酸石榴皮各一分　蕪荑

黄連

右為末麵糊丸如麻子大一歲兒三丸漿水入香油三

五滴送下其虫小者皆化成水大者自下一方加雷丸

或用猪胰肉湯下

語遲門

菖蒲丸　治在胎母有驚怖邪氣來於兒心舌本不通五六

歲長猶不能言

人參　石菖蒲　麦門冬　遠志

川芎　當歸各二分　滴乳香　朱砂各一分

右為末煉蜜丸麻子大每服十五丸米飲下

行遲門

又散　治小兒生一二三歲不能行者

上加皮一兩　牛膝　木瓜各分
右爲末每服二錢半弱飲調入酒三滴食前服日進一二
服一方用牛膝鹿茸五加煎湯送下地黄最効方見前

龜胸門

百合丹治胸高脹滿其狀如龜
大黄　天門冬　杏仁　百合
木通　桑白皮　甜葶藶　石膏各半兩
右爲末煉蜜丸菉豆大每服五丸臨卧熟水送下

龜背門

松蘂丹治生下不能護背破風吹入背俞經骨或坐早亦
致此
松花　枳殼　防風　独活各一兩
广黄　大黄　前胡　桂心各半分
右爲末煉蜜丸麻子大每服九丸粥湯下

顖陷門

又治小兒顖陷不得滿
黄狗頭骨炙黄爲末雞子清調傳那滿

疹豆門

財坘論曰夫小兒瘡疹始之證必先見面燥腮赤目胞出赤呵欠煩悶乍凉乍熱咳嗽噴嚏足稍冷多睡驚或似瓜癎並瘡疹之證已私云遍身虽發热而耳骨冷也而疮瘡之證腎水心火虽目相搏火不勝水若热越骨則骨敗〻證也必瘡疹変黑色凶也是難治矣又疱瘡之由兒始生之時啼声　發所含悪血隨吸下相火曰煎熬血也而兒初出胎未發啼声已前使傍人以綿纏指拭口中則成疹輕而小兒諸證無色於瘡疹古來治法多誤云〻陳文仲兆改之不得免其害是上古所生乍今時相違者欽文仲所施治可專用之在口傳

参蘓飲　瘡疹未出寒熱往來疑似通用之　方見傷寒門

錢氏白术散　治法如前又吐泻用之　方在前

木香散　治發瘡疹身熱作渴或喘滿丈牙

木香　大腹皮　人参　桂心

赤茯苓　青皮　前胡　呵梨勒

干姜　丁香　甘草各二分

右㕮咀每服二錢水小盞姜三片煎空心溫服

四君子湯治瘡疹既發根窠紅光澤而無他證

人參　白伏苓　白朮　甘草各等分

右煎法如常

異功散治豆出欲靨未靨之間頭溫足冷腹脹渴急服

此不切不可與蜜水

木香三錢半　官桂二錢　當歸三錢半　人參二錢半

茯苓二錢　陳皮半兩　厚朴半兩　白朮二兩

半夏半兩　丁香半兩　肉豆蔻半兩　附子一兩

右為麤散每服三錢水一大盞半生姜五片肥棗二同煎至七分濾去滓空心溫服三歲兒作三度服五歲兒兩度服一周兩歲兒三五度與服病有大小以意加減

此某家傳五世累經效驗

消毒飲治毒氣壅遏壯熱心煩瘡疹難出未能勻遍

牛蒡子六兩　荊芥穗一兩　甘草二兩　防風

升麻各一兩半

右㕮咀每服二錢水一盞煎服如大便利者不宜服之

人参麥門冬散治發熱煩渴

麥門冬二兩　人参　甘草　陳皮

白朮　厚朴各半兩

右㕮咀每服一錢水一盞煎六分溫服不拘時

綿茧散治因豆瘡身体肢節上有瘡蝕瘡膿水不絕用出蛾綿茧不拘多少以生白礬搥碎置其内炭火燒令礬汁尽取細研乾摻瘡上

治小兒出瘡疹眼内有雲翳方

輕粉　黄丹各等分

右為末筒吹在耳内左眼有翳吹右耳右眼有翳吹左耳即退

治斑瘡入眼

蒺藜　甘草　羌活　防風各等分

右搗每服二錢研水下撥雲見日有効

敗草散治瘡爛濃汁不乾者

参身屋上爛草揀淨者為末摻之蓋墻草又住多受風霜之氣故解痘瘡毒

斑瘡於血斑黑大盛者狂者黄芩加

奇ノ 犀角地黄湯

犀角一两　生地黄半斤　芍药三分　牡丹皮一两

管蠡備急方卷之下

右件書者當時三子之内信州之客齡壯餘也予同鄉姝而請爲門人予自弱徒然老矣剩々家世故愧見遠來客而辞數度尚強不止難默止而諾既两輩携樽來我以上來辞謝之語對矣姝云彼客者有　太神宮參籠之願朔皈国念日醫術端々搜求也客驚云我隔多国來豈吏端々語庶沈一流之傳尋窮也由壯者所言難宥唱然應望要聞口曰度禮部醫建乎未達乎朔念日謂何窮其術而卉席笑嘆戲客称亢日然棄介尤堪笑者歟而留私宅交席十有五日及步々醫論問答客幸然而告云兼約之期幾餘五日逮彼術請尤盡余亦驚迷急望之備仍雇聽達之祐筆一两輩任口令紀之

始大人中風門而終小兒瘡痘門總八十一門也而先
哲之所論其辭深遠微而初心之輩難了解粗漏略
拾易曉了之語添和愚言爲論或小言而辨易之論者
任本文加論曰之二字或有門而不及論者久之或門
次不審者任愚意改煎後并自予祖祢已來撰覚効之
茶方蓋扶疾醫之初中後記之嗚呼誹雖同焚狂言丸
日綴成三卷以備急矣於扶今者朔每來時儻待後覧
人幸希令刊多謬者也

天文三七月十一日蒙　敎恩正五位下治部大輔度會
常光爲信濃國任片切左近燕源頼爲公謹誌

管蠡備急方得之江戸古董鋪紙墨古色筆法猷勁為
天文中之物無疑焉度會常光不知為何人也問諸勢州
人東吾尹吾尹答曰度會姓蔓衍數家不知為何人搜索
彼家之系譜始得知常光江戸醫官人志本氏之先也今
人志本氏有大小二家其小者即是也此書治部大輔者
誤也神人未有任治部大輔者也有位無官所謂無官大
夫也宜察焉爭於是始得明常光伊勢神人而今人志本
氏之先也况其子孫奕世業醫是書蓋為其先世之禁方
無疑矣故記其故於卷尾以吾尹所示系譜略附于此
文化十一年春三月廿八日　水戸小宮山昌秀識

人志本氏略系

度會常保——常宗——常好

常郷——常貞

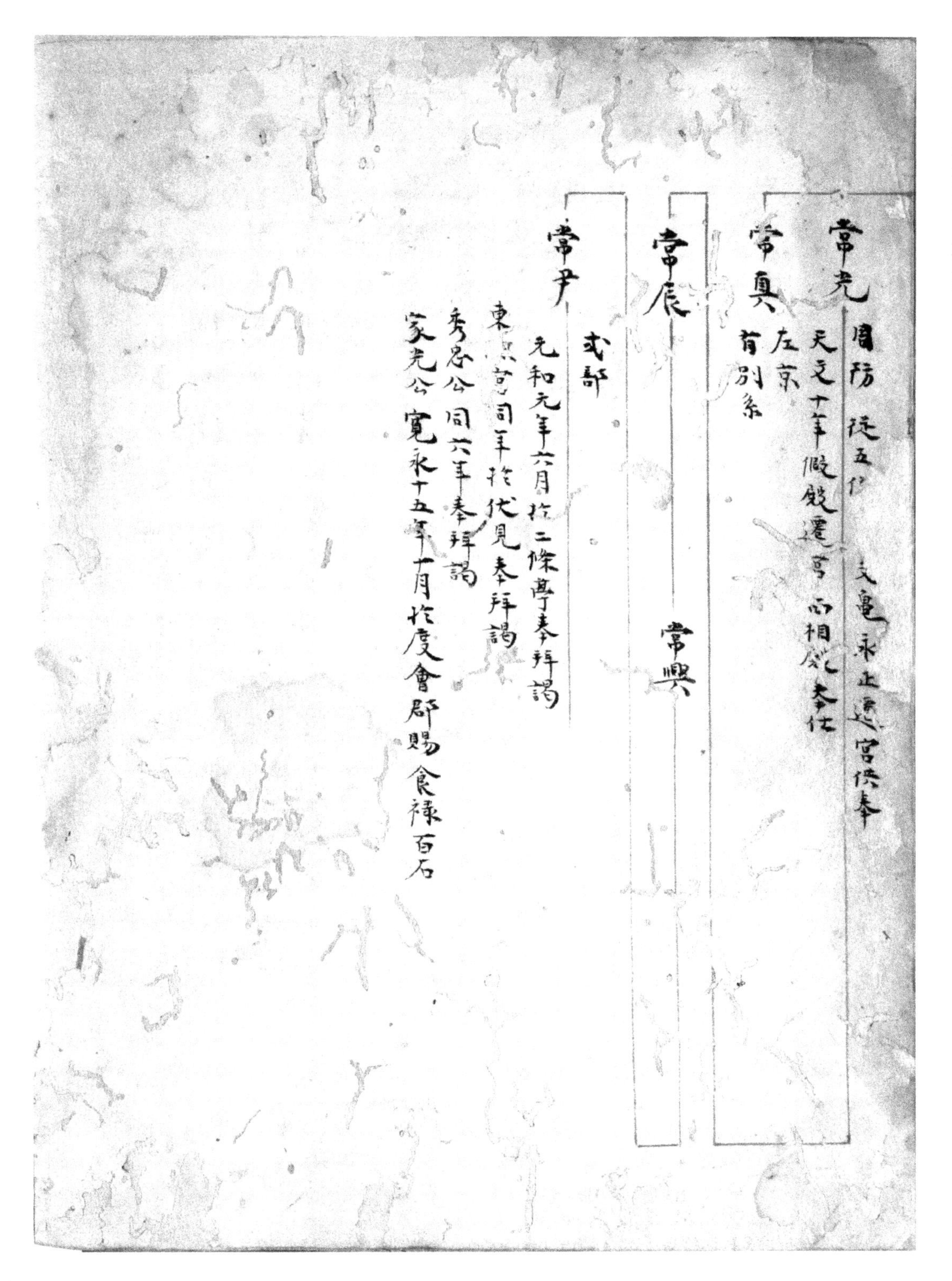

常光　周防　従五位　文亀永正遷宮供奉
天文十年假殿遷宮而相従奉仕

常真　左京
首別系

常辰　常興

常尹　式部
元和元年六月於二條亭奉拜謁
東照宮同年於伏見奉拜謁
秀忠公同六年奉拜謁
家光公寛永十五年十月於度會郡賜食祿百石

海外漢文古醫籍精選叢書·第二輯

崇蘭館試驗方

(日)福井楓亭　口授

内容提要

《崇蘭館試驗方》，又名《崇蘭館集驗方》《崇蘭館經驗方》。本書輯録日本江户時期京都名醫福井楓亭臨床常用經驗醫方七百一十首。「崇蘭館」爲福井家學舍堂號。本書爲福井氏家族試驗良方，所録醫方來源範圍廣泛，以《傷寒論》《金匱要略》《備急千金要方》《外臺秘要》爲主，兼有中國清代以前歷代重要醫著載録之方；書中記載的十一首家方，爲福井家臨證施用之寶貴經驗醫方。

一 作者與成書

本書扉葉無作者署名，書首無序，書末無跋。封皮題箋「崇蘭館試驗方」，書名下以小字題署「楓亭口授」；正文中可見小字旁註「楓亭先生云」字樣。由此可知，此書當爲福井楓亭口授臨床常用經驗醫方，由其門人筆録整理而成，但具體成書年代尚無法確定。

福井楓亭（一七二五—一七九二），名輗、立啓、啓発，字大車，楓亭爲其號，通稱柳介，一稱立助，京都（一説奈良）人，是日本江户時期著名臨床醫家。楓亭幼時學習家傳醫術，後從學於名醫萱隆伯。寬政二年（一七九〇），應幕府之召至多紀氏主持的躋壽館（江户醫學館前身），專門講授醫學經典《靈樞》，曾被任命爲内直一職，監管製藥所。福井楓亭博覽歷代醫書，并付諸臨床實踐，因學識淵博、醫術精湛而獲「大醫」之名。

福井楓亭知識廣博，深諳醫學典籍，大量汲取中國晋、唐、宋時期醫學的精華，尤其是唐代孫思邈《千金方》和王燾《外臺秘要》的醫學思想。正如淺田宗伯在《先哲醫話》卷下所云：「楓亭醫術自是高手，京師人傳其起痼扶衰，懸决生死日時，多奇驗……拙軒曰：楓亭翁喜讀《千金》《外臺》，故其論病説方，多本其書。於先輩着鞭之後，欲别開生面，不得不假手孫、王二氏也。」❶

福井楓亭醫術精湛，爲日本江户時代折衷派著名臨床醫家。他博采衆方，折衷古今，經方、時方兼用，曾創製很多經驗醫方，如具有代表性的名方疝氣八味方，載於福井楓亭《方讀弁解》下部上「疝瘕」和「腸癰」兩證，可用治小腹以下痛，又治腸癰初起，云：「大凡小腹以下病，多行此方……臍下及脚攣急，陰囊腫或痛，婦人腰以下著痛……小腹瘀血有塊……婦人陰門時隱痛，或陰户突出者，又腸癰等，用此方。」❷「凡腸癰之初難分别，有用此方。瘀血、水氣，一切少腹以下之患，多行此方。」❸楓亭所撰醫著主要有《崇蘭館方藪》《方讀便解》《瀕湖脉解》《病因考》《證治弁義》《銅人要義鈔》等。

楓亭是福井家醫系的初代，其子榕亭（一七五三——一八四四）、孫棣園（一七八三——一八四九）相

---

❶ 淺田宗伯．先哲醫話［M］．京都大學圖書館富士川文庫藏明治十三年（一八八〇）刻本：（卷下）二八—二九．

❷（日）福井楓亭．方讀弁解［M］／／大冢敬節，矢數道明編集．近世漢方醫學書集成．東京：株式會社名著出版，一九八三：（五四）三二〇—三二一．

❸（日）福井楓亭．方讀弁解［M］／／大冢敬節，矢數道明編集．近世漢方醫學書集成．東京：株式會社名著出版，一九八三：（五四）三二九．

繼承嗣家業。在福井氏醫家中，除楓亭之外，榕亭、晋、貞憲等名醫輩出。其中，楓亭長子榕亭更是當時的一流名醫，仕於朝廷，曾任尚藥，授丹波守。文政三年（一八二〇），因參與模刊仁和寺本《黄帝内經太素》卷二十七而名揚四方。

二 主要内容

《崇蘭館試驗方》輯録了名醫福井楓亭的臨證經驗良方。全書將七百一十首醫方按照日語假名讀音「以呂波（イロ八）」順序編排，共分爲三十六類，包括以（十二方）、吕（四方）、波（二十五方）、仁（十六方）、保（二十二方）、邊（七方）、土（三十四方）、知（三十二方）、利（二十三方）、遠（十六方）、和（二方）、加（二十九方）、與（九方）、多（三十一方）、禮（十一方）、曾（十二方）、通（九方）、奈（二方）、良（一方）、宇（十九方）、久（二十三方）、也（三方）、末（九方）、計（二十四方）、不（十九方）、古（三十九方）、惠（十二方）、天（十一方）、阿（七方）、左（四十方）、幾（二十九方）、之（九十八方）、比（十一方）、毛（七方）、世（五十九方）、須（三方）。這種按讀音順序來分類編排醫方的方式，非常適於日本人檢索查找。

書中對每首醫方的論述，主要包含方名、出處、主治病證、組成、劑量、製備、服法、加減等方面的内容，但不是每一首方都包含上述全部要素。其中所載醫方的藥物劑量并非傳統所用兩、錢等計量單位，而是以諸如「大」「中」「小」「大二」「中一」之類的方式表達，當爲福井楓亭個人或其家傳的計量單位，頗具特色。

書中所載醫方主要來源於漢代張仲景《傷寒論》和《金匱要略》、唐代孫思邈《備急千金要方》、王燾《外臺秘要》以及宋代《太平惠民和劑局方》《太平聖惠方》等。每一類醫方基本先列張仲景《傷寒論》《金匱要略》之方，次出孫思邈《備急千金要方》《千金翼方》和王燾《外臺秘要》的醫方，再録清以前歷代醫著所載之方以及福井家傳醫方。書中載方來源於中國歷代醫著的多以該書的簡稱標出。如「傷寒」指《傷寒論》，「金」爲《金匱要略》，「千」指《備急千金要方》，「外」爲《外臺秘要》，「三因」即《三因極一病證方論》等。

經筆者粗略統計，書中載方直接標注來源於中國歷代醫著者，《傷寒論》五十四首，《金匱要略》三十五首，《備急千金要方》六十六首，《外臺秘要》七十二首，《太平惠民和劑局方》三十首，《太平聖惠方》三十三首。此外，所引醫方尚有出自宋代朱肱《傷寒活人書》、許叔微《普濟本事方》、陳無擇《三因極一病證方論》、楊士瀛《仁齋直指方》、南宋楊倓《楊氏家藏方》，元代薩遷《瑞竹堂經驗方》，明代陶華《傷寒六書》、董宿《奇效良方》、虞摶《醫學正傳》、王肯堂《證治準繩》、龔廷賢《萬病回春》《壽世保元》、吴又可《温疫論》，清代張璐《張氏醫通》、程鐘齡《醫學心悟》、王子接《絳雪園古方選注》、王夢蘭《秘方集驗》以及其他兒科、婦科醫著。此外，部分題爲「梅深師」「深師」「小品」「廣濟」「古今」「古今録驗」「崔氏」「梅」等的醫著，早已在中國失傳，當係轉引自《備急千金要方》《外臺秘要》《醫心方》《證類本草》等醫籍。

從《崇蘭館試驗方》所録醫方出處的數目，可看出福井楓亭對《備急千金要方》和《外臺秘要》的喜愛，如直接引用《備急千金要方》之方六十餘首，引用《外臺秘要》之方七十餘首，是本書引用最多的兩書；但是，每一類下仍然將《傷寒論》《金匱要略》之方列於首位。這些現象反映出楓亭折衷古今，既重視經方，又兼用時方的學術特點。書中還收録有福井「家方」十一首，總體上以組方精、藥味少爲特點，基本由二至七味藥物組成。此外，書中尚收録有日本和方，如梅花散、痛風方、鷓胡菜湯等。

三 特色與價值

《崇蘭館試驗方》選録從漢代《傷寒論》《金匱要略》到唐代《備急千金要方》《外臺秘要》、宋金元《太平聖惠方》《太平惠民和劑局方》、明清時期《奇效良方》《萬病回春》《證治準繩》等，基本包含中國歷代重要醫方著作，所引醫籍豐富多彩；主治內、外、婦、兒、五官各科疾病，適應病證非常廣泛；所選録醫方，大多經過福井楓亭臨床運用驗證，確有療效。因此，本書可爲後人臨床選方用藥的重要參考方書，亦是倉促之間查找醫方組成和主治病證的工具書，具有較高的臨床實用價值和文獻研究價值。

書中所載每一首醫方的内容，包括方名、出處、主治病證、組成、劑量、製備、服法、加減，較少有疾病分類與辨證、方義分析、藥物功效等的理論闡述，臨床選方簡便易行。

本書載録醫方多數爲福井楓亭臨床試驗方，如「以」部匀氣散方來源於《瑞竹堂經驗方》，小字旁註「楓亭先生云：凡中風不治症，或老人氣壅滯似中風之症者」，可見此匀氣散係經福井楓亭親驗。「以」部痿症方，源出於清代王夢蘭編《秘方集驗》，由當歸、芍藥等九味藥組成，楓亭用以治療「腰以下痿而不起」而療效顯著，使該方在日本廣泛流傳運用。

此外，本書中收録有若干日本「和方」和福井「家傳方」，多爲日本醫家自創之方。「和方」如「波」部下的梅花散，用治小兒初生，由紅花、藿香、桂枝等十四味藥組成；「通」部下的痛風方，亦爲福井家方，又稱防癸散，用治痛風，由羌活、木通、忍冬、金銀、黄連、土骨（或足痛加牛膝）、防癸、將軍組成；「之」部下的鷓胡菜湯，治療小兒蟲積，由鷓胡菜、大黄、甘草組成。據日本《國書總目録》記載，日本現存記載和方的著作主要有慈赫《和方》、村井杶《和方一萬方》、大道寺公保《和方選》、佚名氏《和方藥名考》、三宅意安《和方彙函》、大淵堂主人《和方經驗録》、木下健《和方新集》、福井潤《和方上池秘録》、衣關玄益《和方類聚鈔》、三宅意安《延壽和方續編》和《延壽和方彙函》、石山源司《元始書》等❶，但目前無法考證《崇蘭館試驗方》所載和方與這些著作的關係。

本書的另一重要價值在於記載了福井家傳方，主要有：地黄湯、療淋疾方、增損烏沉湯、頭瘡驗方、瑚琅四苓散、香艾湯、口瘡方、安豆湯、四物萆薢湯、七疝散、防癸散。這些家傳方對主治病證的描述十分簡略，部分藥方僅有組成、加減而無主治病證的記載。如「知」部下的「地黄湯」，用治膀胱蓄血，晝日熱減，至夜獨熱者，由羚羊、地黄、升麻、牡丹、芍藥五味藥組成；「利」部下的「療淋疾方」，未載主治病證，由奇良（土茯苓）、木通、車前、忍冬、甘草（或加大黄）組成。「保」部下的防癸散，「和方」稱爲「痛風方」，福井家稱爲防癸散，未載主治病證，由羌活、木通、忍冬、土骨、黄連、牛膝、防癸組成。以上十一首方總體上以組方精、藥味少爲特點。如口瘡方僅有大青、黄連兩藥，藥味最多的七疝散由桂枝、木通、桃仁、烏藥、延胡、牡丹、黑丑七味藥組成。

❶（日）國書研究室.國書總目録[M].東京：岩波書店，一九七八.

福井楓亭另有一部醫方著作《崇蘭館方藪》，摘選中國諸家醫方中頗有良效者二千八百二十一首而成，按病證分門别類，每一類病證下收載數方。《崇蘭館試驗方》由楓亭口授，門人筆録而成，全書載方七百一十首，多數醫方亦來自於中國諸家醫方，少數來源於日本和方、福井家方，從文中可知當爲楓亭臨床親驗。但《崇蘭館試驗方》的分類體例按照日語假名「以呂波(イロハ)」順序編排，在醫方的檢索方面更爲方便快捷。《崇蘭館試驗方》和《崇蘭館方藪》兩書所引醫方，皆以張仲景《傷寒論》《金匱要略》、孫思邈《備急千金要方》、王燾《外臺秘要》爲主，兼采後世歷代醫學著作。

四 版本情况

《崇蘭館試驗方》未經刊刻，僅有幾種鈔本存世，但書名略有差異，如《崇蘭館集驗方》《崇蘭館經驗方》等。此外，《崇蘭館集驗方考按》《崇蘭館試驗方讀辨解》亦爲福井家類似的醫書。其中，鈔本《崇蘭館集驗方》，現藏於日本京都大學圖書館富士川文庫、乾乾齋文庫；鈔本《崇蘭館經驗方》，藏於日本九州大學圖書館；鈔本《崇蘭館試驗方讀辨解》，藏於日本乾乾齋文庫；鈔本《崇蘭館集驗方考按》，藏於日本乾乾齋文庫；而鈔本《崇蘭館試驗方》有三種，現藏於日本國立國會圖書館白井文庫、東京大學圖書館鴨軒文庫、東北大學圖書館狩野文庫。❶

本次影印采用的底本，爲日本國立國會圖書館白井文庫所藏鈔本。此本筆寫年代不詳，藏書號

❶ (日)國書研究室.國書總目録[M].東京：岩波書店，一九七八：(第五卷)二十七.

「特1—2144」，僅有一册，四眼裝幀。封皮題「崇蘭館試驗方」，題簽下署小字「楓亭口授」。無序、無目次，亦無跋。首葉題書名，無著者信息。四周無邊，無界格欄綫。每半葉十四行，每行二十三字。正文中個别地方以朱筆「○」圈點，天頭處偶有眉批，時有小字旁註。

《崇蘭館試驗方》載録了七百一十首經日本江户時期折衷派名醫福井楓亭臨床親試的有效驗方，臨床實用價值較高。書中多數醫方采自中國歷代醫籍。福井楓亭學識淵博，博覽中國歷代醫著，收載了大量中醫良方，促進了中醫古方在日本的流傳與運用；楓亭醫術精湛，臨床内、外、婦、兒、五官各科治療經驗豐富，通過親身實踐，積累了許多適於日本運用的中、日古方。這些都在《崇蘭館試驗方》一書中得到了較好的體現，故本書具有較高的文獻研究和臨床運用價值。此外，書中載録的福井氏家傳醫方，特色鮮明，亦值得今人深入挖掘整理和考證研究。

何慧玲　蕭永芝

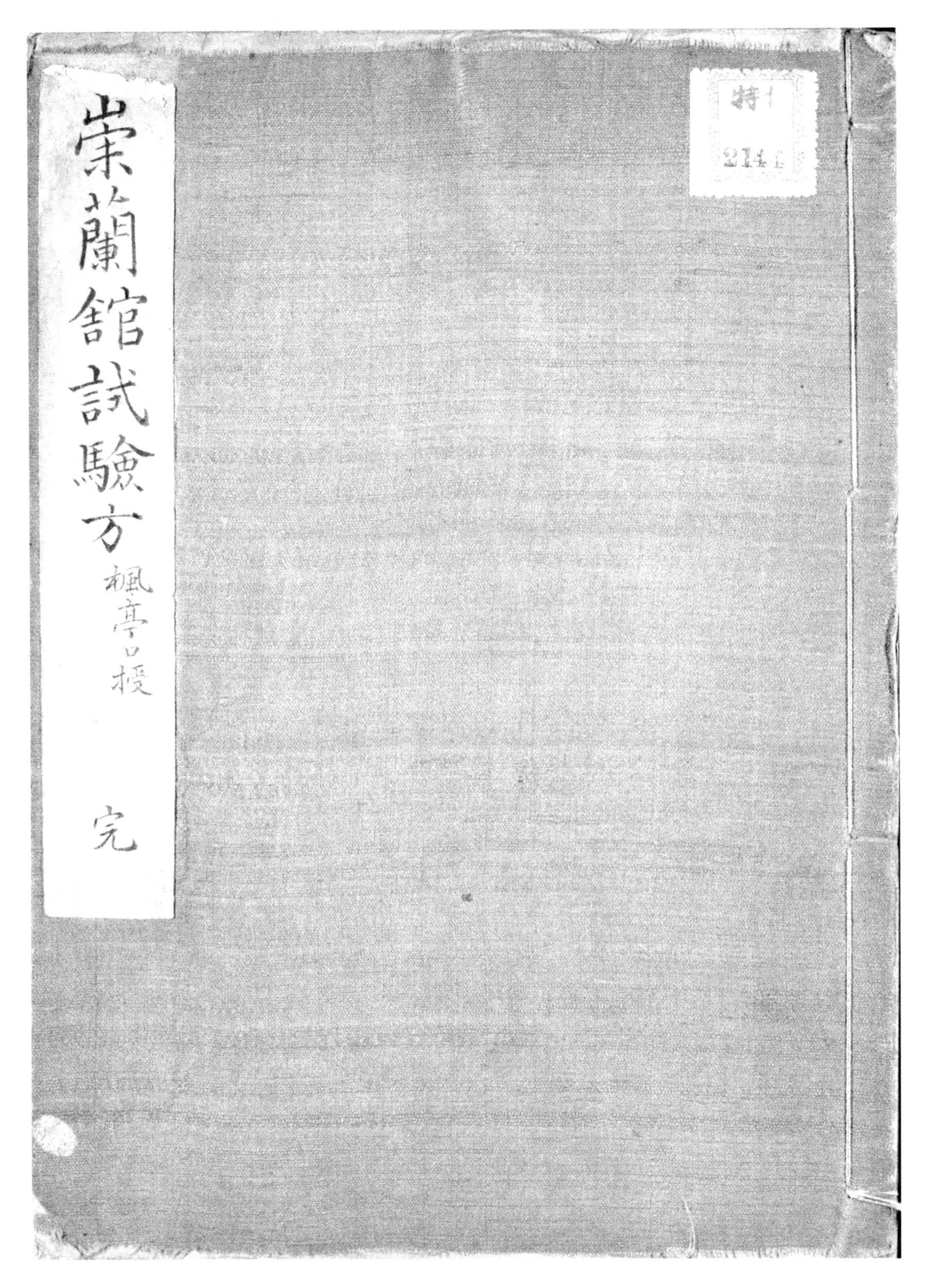
崇蘭館試驗方
楓亭口授
完
特1
2141

崇蘭館試驗方

以

茵蔯蒿湯 傷寒 陽明病發热汗出者此為热越不能發黃也但
頭汗出身無汗劑頸而還小便不利渴引水漿者此為瘀热在
裏身必發黃○穀疸之為病寒热不食食則頭眩心胸不安久
久發黃為穀疸者

茵蔯　梔子　大黃

茵蔯五苓散 仝 黃疸病主之

茵蔯 大三　五苓散 各小一

陰毒甘草湯 千 治陰毒身重背強腹中絞痛咽喉不利毒氣攻
心心下堅強短氣不得息嘔逆唇青面黑四肢厥冷其脉沈細
緊者方

鱉甲 大　當帰　蜀椒 各中　升麻　甘草 糸

郁李仁湯 外 張文仲周大候正大將軍平公于禮患氣兼水

身面腫垂死長壽公姚僧坦処二方忘手郎as先服湯方

郁李 付 赤白 赤豆 茯苓 各大 海藻 中二 橘皮 中

葶藶湯 古今録驗療肺癰欬有微热煩滿胸中甲錯是爲肺癰

葶藶 大三 全代紀 薏苡仁 桃仁 瓜子 各大 水煎服當吐如濃

陰虛喉痛喉間血腥氣噎到此便難指手 筆記

麦門 生地 各大 桑白 大 欵冬 中 百部 中 貝母 中半 橘皮

蘊子 鼈甲 天門 各小 甘草 小半

河水二鍾煎八分加童便一杯餓時服 一本有薄荷

痿症方 秘方

地黄 大 當歸 芍药 杜仲 牛膝 黄芩 白朮 各小

知母 黄柏 各小半

痿症斷不可作風治而悞用热燥攻風之药凡不痛者爲痿屬

虛痛者爲痺屬実症各有别蓋痿病生於肺热因血氣少虛火

盛則剋金肺葉焦枯宗筋不潤金既不能生水以致肝木乘

旺脾土受傷則骨痿軟而筋弛縱四肢難挙不能伸縮轉動状

若癱瘓者須久服此劑

萎蕤湯医通 治風温自汗身重及冬温発熱咳嗽頭眩咽乾

萎蕤 石羔 白薇 木香 杏仁 獨活

川芎各 麻黄 葛根各中 甘草

勻氣散瑞竹堂方 此方前代曾服有効風茱服之十三日安可治

腰腿疼羊身不遂手足不能屈伸口眼喎斜風氣中風中

氣便用風茱治之十無一愈當以氣茱治之氣順則風散

楓亭先生云凡中風不治症或老人氣壅滞似中風之症者

近有人服之見効

白朮 烏藥 沈香 天麻各中羊 白芷 甘草小 人参

青皮 木瓜羊 紫蘇大 大棗 生姜

郁李人湯聖 治水腫胸満氣急脚氣

郁李 赤豆各中 桑白大二 紫蘇大 橘皮小

加芳根大 ○一方郁李仁薏苡二味水煎同治

茵蔯圓料 聖惠　治心下堅滿小便赤澁是酒疸之候宜服此方

茵蔯　前胡　大黄各大　甘艸中　半夏　茯苓

枳実　白木　当歸　杏仁各小

萎蕤胡桃湯 心悟　止嗽定喘

人参中　胡桃大五　萎蕤中

呂

鹿肉湯 千 治產後虛羸勞損補之方

鹿肉 中三 乾地 甘艸 川芎 黄芪 芍薬 麦門 茯苓 各小 人參 當歸 半夏 各小半 大棗 生姜

鹿茸湯 外 療遺尿小便澁方

牡蛎 鹿茸 各中 阿膠 中二 桒耳 中

蔞貝䕺(?)栄湯 温 瘟疫痰涎湧甚胸膈不清者宜之

知母 花粉 橘皮 各中 蘓子 貝母 当皈 芍薬 蔞実 各小 生姜

六物附子湯 三因 治四肢流注於足大陰經骨節煩疼四肢拘急自汗短氣小便不利悪風怯寒頭面手足時々浮腫者

白朮 甘艸 各大 防已 大三 桂支 中二 茯苓 附子 小 生姜

洩

半夏瀉心湯 傷 傷寒五六日嘔而発熱者柴胡湯証具而以他藥下之柴胡証仍在者復與柴胡湯此雖已下之不為逆必蒸々而振却発熱汗出而解若心下満而鞕痛者此為結胸也大陥胸湯主之但満而不痛者此為痞柴胡不中與之宜半夏瀉心湯〇嘔而腸鳴心下痞者

半夏 大三 黄芩 大 乾姜 中 人參 黄連 各小 甘艸 少 大棗三

白頭翁湯 金 热痢下重者〇下痢欲飲水者以有热故也

白頭翁 黄連 黄柏 秦皮 各大

半夏厚朴湯 婦人咽中如有炙臠者主之

半夏 茯苓 紫蘇 各中三 厚朴 大 生姜

麦門冬湯 金 大逆上気咽喉不利止逆下気者主之

麦冬 大三 半夏 粳米 各大 人參 小 甘艸 少 大棗三

八味丸料 崔氏 治脚気上入小腹不仁○虚労腰痛小腹拘急小便不利者○問曰婦人病飲食如故煩熱不得臥而反倚息者何也師曰此名轉胞不得溺也以胞系了戻故致此病

乾地黄八 薯蕷大 茯苓中 澤瀉中 山茱萸各中 桂支下

牡丹皮 附子各小半

半夏湯 千 治脾労実四肢不用五臓乖及脹満肩息気急不安兼氣泄実熱方

半夏大二 橘皮 芍薬各大 白朮 茯苓 杏仁各中

竹葉大 大棗 生姜

麦門冬湯 治危下血虚極方

麦門 白朮各大 阿膠中二 芍薬中 牡蛎小 甘草少

大棗

半夏檳榔湯 外 療胸中痰飲腹中水鳴食不消嘔吐水湯方

半夏 茯苓各大 檳榔中二 白朮 杏仁中 橘皮小

生姜

半夏茯苓湯 崔氏 療妊娠阻病心中憒悶空煩吐逆悪聞食臭頭眩重四肢百節疼煩沈重多臥少起悪寒汗出疲極黄瘦方

病変客熱煩喝口生瘡者除橘皮細辛前胡知母若変冷下痢者除地黄用桂心若食少胃中虚生熱大便閉塞小便赤少者加大黄黄芩除地黄

半夏 茯苓 各中二 芍薬 細辛 人参 橘皮 乾地

桔梗 川芎 各中 旋覆 甘草 小 生姜

合呆葶藶湯 崔氏 療肺熱而咳嗽上気喘息不得坐臥身面腫不下食消腫下気止咳立験方

葶藶 大 桑白 大二 人参 茯苓 杏仁 貝母

五味 紫菀 各小

敗毒散 局 治傷寒時気頭痛項強壮熱悪寒身體煩疼及寒壅咳嗽鼻塞声重風痰頭痛嘔噦寒熱並治之 本名人参敗毒散

紫胡 前胡 桔梗 薄荷 各中 茯苓 枳実

川芎　獨活　羌活各小　甘中少　生薑　本方有人参

半夏飲聖　治反胃不食々郎吐逆羸瘦者少力方

半夏　厚朴各大三　橘皮　糯米各大　大棗二　生薑

白扁豆散本　治久嗽喀血成肺痿多吐白涎胸膈滿悶不食

扁豆　枇葉各大　茅根中二　半夏　人参

白朮　梹榔各小　生薑

白薇湯　人平居無苦疾忽如死人身不動搖黙々不知人目

閉不能開口噤不能言或微知人悪聞人声但如眩冒移時

方寤此由已汗過多血少氣於血陽獨上而不下氣壅塞

而不行故身如死氣過血還陰陽復通故移時方寤名曰

鬱冒亦名血厥婦人多有之

白薇　当歸各大二　人参大　甘中少

半夏白朮天麻湯脾胃　治痰癖頭痛眼黒頭旋悪心煩悶

心神顛倒目不能開如有風雲之中頭苦痛如烈衣身重

如山四肢厥冷不得安卧
半夏 麦芽 炙 陳皮 茯苓 黄芪 人参
白朮 澤瀉 天麻 神麯 各 乾薑 黄柏 各小

白蘚皮湯 準 治肺受風面色枯白頰時赤皮膚乾燥鼻塞
乾痛此為虚風
桑白 大 白蘚 麦冬 茯苓 杏仁 石羔
細辛 白芷 各

八珍湯 蘚 治肝脾傷損血氣虚弱惡寒発热或煩燥作渇
或寒热昏憒或胸膈不利大使不実或飲食少思小腹脹痛
人参 白朮 茯苓 当帰 川芎 芍薬
乾地黄 各中 甘中少 生姜 即古方八物湯

八物湯 治大病後血氣虚損方 此方八則八珍湯 東方八八物也
八珍湯中去人参加黄芪中一

八正散 四 治心経蘊热藏府閉結小使赤澁隆閉不通及

热淋血淋並皆治之若酒後姿慾而溺者小便將出痛既出痒

木通大 大黄 梔子 甘草 滑石各中 竹葉

萹蓄中 車前小 瞿麦小 燈心一ゟ 潔云因热為腫者

八味竒良湯入 治楊梅瘡風毒及誤服軽粉以致癰瘓筋骨

疼痛不能動履或壊肌傷骨者並下疳瘡方

竒良大六 忍冬中 防風 木通 薏苡

白蘚 皂角 木瓜各 本名仙遺糧湯

家方前方去竒良加萆薢大六本名八味萆薢湯

半夏藿香湯温 治疫邪留於心胸胃口热甚皆令呕

不止下之呕当去令及呕者此属胃氣虚寒

半夏 藿香各大 白朮 茯苓 陳皮各中

乾姜小 甘草少 生姜

排膿内托散正 治癰疽腦項諸発等瘡已潰流膿時宜服

當皈 白朮 人参 黄芪各中 川芎 芍茱

陳皮　茯苓各中半　香附　肉桂　甘草各小半　生姜

項以上加白芷小半　胸以上加桔梗小半　下部加牛膝小半

梅花散和方　小児初生宜服之

紅花大　菫茶各中　藿香　桂支　梹榔　桔梗　人参

莪朮　三稜　青皮　枕香　木香　欝金　大黄小

貝母湯本　治諸嗽久不差

貝母　五味子　桑白各中　半夏中二　橘皮　黄芩

乾姜各大一　桂支　杏仁　柴胡各小　木香

甘草小半　生姜

半夏湯千　治脚気上入小腹不仁腹急上衝胸気急欲絶

半夏大三　桂支大　附子中　乾姜　人参

甘草　細辛　蜀椒各小半

人参湯 仁 傷 治胸痹心中痞留氣結在胸〻滿脇下逆搶
心〇霍乱頭痛発热身疼痛热多欲飲水者五苓散主之
寒多不用水者理中丸主之
人参 白朮 各大二 乾姜 甘草 各中二
人参當歸湯 千 治産後煩悶不安方
芍薬 大三 粳米 大 人参 當皈 麦門冬
乾地 各ミ 桂支 小 大枣 竹葉
姙娠悪阻嘔吐不下食主之方 外
橘皮 中二 半夏 茯苓 各大 竹茹 三分 生姜
人参粳米湯 聖 治肺痿咳嗽有痰午後热並声嘶者
柴胡 大三 桑白 大 人参 桔梗 貝母 杏仁
枳実 茯苓 各五 阿膠 小半 五味 甘草 小半
大枣 生姜

人參湯　治厥逆三焦不調及脾胃氣攻頭面虛腫氣喘心急脹滿方

紫蘇子　大腹各中三　檳榔　厚朴各中　防己中二

茯苓　桑白一本紫蘇子作紫朔　橘皮大　人參小　生姜一文

人參煮散引　治脾胃不和中脘氣滯心腹脹痛不思飲食宿寒留飲停積不消或因冷飲過度内傷脾氣吐痰逆寒熱往來或時汗出又治腸胃冷濕泄瀉注下水穀不分腹中雷鳴胸脅虛滿兼療傷寒陰盛四肢逆冷

芍藥中二　茯苓　蒼朮各中　乾姜中半　三稜　青皮

條人參　甘草中條小半　丁香少　大棗　生姜

人參荊芥散婦　治婦人血風勞氣身体疼痛頭昏目澁心忪煩倦寒熱盜汗頰赤口乾痰嗽胸滿精神不爽或月水不調臍腹疞痛痃癖塊硬疼痛發歇或時嘔逆飲食不進或因產將理失節淹延瘦瘁乍起乍卧甚即著床

荊芥大　人参　桂支　柴胡　鼈甲　枳実
酸棗仁　地黄　白朮　羚羊角　川芎　当皈
防風稔　甘草小半　生姜　芍薬　牡丹　大棗

人参養栄湯局　治積労虚損四肢沈滞骨肉酸疼吸々
少気行動喘啜小腹拘急腰背強痛心虚驚悸咽乾唇燥
飲食無味陰陽衰弱悲憂惨戚多臥少起久者積年急者
百日漸至痩削五臓気竭難可振復又治肺与大腸倶虚咳
嗽下利喘乏少気嘔吐痰涎
芍薬中　黄芪中　橘皮　桂支　人参　白朮
当皈各　茯苓　地黄　五味　甘草　遠志各小半
大棗　生姜　遺溺加竜骨　小咳加阿膠

二陳湯　治痰飲為患或嘔吐悪心或頭眩心悸或中脘不快或発
為寒熱或因食生冷脾胃不和
痩人頭痛者多是血虚痰火也　二陳湯加生地当皈川芎黄芩

細辛　羌活　桔梗
半夏　茯苓　橘皮中二　甘草少　生姜　本方有烏梅

人参散本　治邪热客於經絡肌热痰嗽五心煩躁頭目昏痛
夜多盗汗此方補和神氣解労倦婦人血热虚労骨蒸皆治
人参　白朮　茯苓　柴胡　半夏　当皈
芍薬中　黄芩中半　甘草少半　葛根大　大棗　生姜

人参粮栄湯温　治温疫大虚之候将危之症
生地　当皈　芍薬　麦門　知母　陳皮合半
人参小　五味　甘草小半

人参五味子湯正　治氣血労傷咳嗽或咯血寒热往来夜出
盗汗羸瘦困乏一切虚損之症有効
人参　五味　前胡　陳皮　白朮　桔梗
当皈　茯苓　地黄　桒白　柴胡　枳実
地骨小半　黄芪小　甘草少　生姜

二氣散 揚氏 治陰陽痞結咽膈噎塞狀若梅核妨礙飲食久
而不愈即為翻胃
梔子 乹姜 各大二

人參黃芪散 呂 治虛労客热肌肉消瘦四肢倦怠五心煩
热口燥咽乾頰赤心忪日晚潮热夜有盗汗胸脇不利減食多
渴咳唾稠粘時有濃血
芍藥 知母 半夏 官参 各小一 桔梗 中 生地
茯苓 秦艽 鼈甲 天門 各京 桑白 柴胡
黃芪 地骨 各中 紫菀 甘草 各小 一本有黃芩

二母寧肺湯 濟生全書 治因傷酒食胃火上炎中逼肺咳嗽痰
喘胸滿膈痞塞經血不止
桑白 知母 各大 橘皮 中 茯苓 石羔 各中半
黃芩 梔子 蔞實 貝母 各京 枳実 各小半
五味 甘草 半 生姜

肉豆蔻散 弓 治脾胃氣虛腹脇脹滿水氣不消藏府滑浮厥内虛鳴困倦少力口苦舌乾不思飲食日漸瘦弱並宜之 方

訶子皮 川烏 肉桂 茴香 厚朴

肉豆蔻 干姜 甘草 橘皮 蒼术

保

防己黄芪湯 金 風湿脉浮身重汗出悪風者

防己 黄芪 甘草 白朮 大棗 生姜

奔豚湯 奔豚氣上衝胸腹痛往来寒熱者

葛根 半夏 李根 当皈 川芎 芍薬

黄芩少 甘艸少 生姜 或加呉茱萸

奔氣湯 千十五 治大氣上奔胸膈中諸病発時迫満短気不得卧

劇者便悁欲死腹中冷湿氣腸鳴相逐成結氣方

○千金巻五十八載呉茱萸湯茱味同治胸中積冷心嘈煩満

汪々不下飲食心胸痞背痛方有大棗

半夏 桂支 呉茱 人参 甘草

生姜 大棗 本方無

補肝湯 治肝氣不足両脇下満筋急不得大息四肢厥

冷発搶心腹痛目不明了及婦人心痛乳癰膝熱消渇爪甲

拈口面青者

山藥　甘草　桂支各中　桃仁　茯苓

防風　柏人　細辛各小　大棗

防風散　治脚痹并治毒氣上衝心胸呕逆宿癖積氣疝

痛諸病相當即服之方

安豆大　杏人中　防風　麻黄　川芎　當皈

呉茱　半夏　茯苓　橘皮　桂枝　人参

鼈甲　羚羊　犀角　芍药　甘草各小　烏梅

貝子各少　大棗　生姜　薤白

蒲黄湯翼　治大便去血及口鼻皆出血上心胸氣急此是勞

热所致主之方○翼無方名聖濟卷七十載之名生地黄飲

生地　地骨　蒲黄各大　黄芩　芍药各中　竹茹三分

補肺湯外　深師療肺氣不足逆滿上氣咽喉中閉塞短氣

從背起口中如含霜雪語言失声甚者吐血方

桑白大三　麦門　粳米各中　乹姜　桂支
款冬少　五味少　大棗
反胃大驗湯方　外
前胡中二　阿膠　麻仁　呉茱各中　桂支小　棗
甘中少　生姜　千金一方有橘皮
牡丹五等散　古今　療癩疝陰卵偏大有氣上下脹大行走
腫大服此良驗方
桂支中二　桃仁　黄栢　牡丹各小
防風
補肺湯　深　療肺氣不足咳嗽上氣牽繩而坐吐味唾
血不能飲食者
桑白中三　菰子中半　半夏　桂支　人参
麻黄　款冬　杏仁　射干　五味
細辛　乹姜　甘草小半　紫菀
補肺人参湯　聖　治肺臟氣虚咳嗽少力言語声嘶喫食

減少日漸羸瘦者

紫菀　黄芪　鹿膠各大　人參　桂支　乾姜

乾地各中　白术　杏仁　紫菀　五味小　大棗

補中益氣湯辨惑　形神勞役或飲食失節勞倦虚損

身熱而煩脉洪大而虚頭痛或悪寒而喝自汗無力氣高喘

黄芪中二　当皈　白术各大　陳皮　人參各小

柴胡　甘草　升麻各中半　大棗　生姜

補肝散準　肝風内障不痛不痛痒眼見花癸黄白黒赤或一

物二物難辨方

羚羊　防風各大　人參　茯苓各中　黄芩

細辛　羌活　玄參　車前各小

防風通聖散宜　中風一切風熱大便閉結小便赤澁頭面生

瘡眼目赤痛或熱生風藻舌强口噤或鼻生紫赤風刺癮疹而

為肺風或風癘或腸風而為痔漏或陽鬱而為諸熱譫語妄

語成驚狂等症　有一本或加樺皮之字

防風　當皈　川芎　大黄　芍茱　薄荷
麻黄　連翹　芒硝　石羔　黄芩　桔梗
梔子　滑石　荊芥　白朮各一　甘草少　生姜

防風金勝湯　瘀治瘀病似食積血滯者方

忍冬　蘿蔔各大　芍茱　檳榔　翹連　山査中
防風　桔梗　枳実　烏茱　延索各一

防風散瘀湯　瘀有因于風者此方主之

防風　陳皮各中　忍冬　荊芥中　細辛　枳実少
頭面腫加薄荷甘菊　腹脹加大腹皮厚朴
内熱加連翹知母　手足腫加威靈牛膝倍忍冬
小腹脹痛加青皮　吐不止加童便血滯加茜草丹参
咽喉腫加山豆射干　食積腹痛加山査蘿蔔子
心痛加延胡蓬朮　赤白痢加檳榔

口喝加天花粉　面黒血瘀也加蘇木紅花
痰多加貝母薑仁　寒熱往来加柴胡獨活
放病不出倍細辛加蘇木桃仁荊芥　藏觸加霍香薄荷
防風秦艽湯正　治痔瘡不論新久肛門膀土重便血成疼者効
防風　秦艽　當歸　川芎　生地　芍薬
茯苓　連翹小　檳榔　枳実　蒼朮　山梔
防風解毒湯　風毒瘰癧寒暑不調労傷湊襲多致手足少
陽分耳項結腫成外寒内熱痰凝気滞者並効
地楡　白芷　槐角各半　甘草少　便秘者加大黄少半
荊芥　薄荷　防風　枳殻　桔梗　川芎
蒼朮　甘草　石羔　知母　連翹　牛房　燈心
補真湯徽　治腎経形症益其正氣兼服壬字化毒丸標本同治
何首烏大　當歸　牛膝　枸杞　五加
石斛各中　杜仲　黄柏　一名玄黙丸

防癸散　痛風方　家方

羌活　木通中二　忍冬中　土骨　黄連

午膝　防癸各中一

補陰湯円　毒結於膀胱無腎经者内作骨痛流注上下抽掣時痛発塊百會委中湧泉等穴或揚梅腐爛不已或陰囊腫脹作潰或生獨脚楊梅瘡或傳他経結致別病主之並服玄武丹

牛膝　杓杞　山茱　五伽　当皈中　何首

骨脂　石斛　淫羊霍中　薯蕷中　沢瀉

右十一味水煎

補髓丸円　治病愈後精髓空虚者必宜服之

人参　地黄　当皈　鹿茸　黄伯　茯苓

白朮　沈香　麦门　石斛　鍾乳粉

邉

鼈甲湯 外 療两肋脹急痃滿不能食兼頭痛壯热身体痛方

桔梗 前胡 檳榔 桂支 鼈甲 枳実

生姜

扁豆湯 外 療霍乱吐利方

扁荳 香薷 各大二 乾姜 木瓜 各小

偏風方 外 近年急療偏風膈上風热结经心藏恍惚神情

天陰心中惛々如醉而不醉方

茯苓 石羔 大二 羚羊 大 竹瀝 若热多用竹瀝冷多用荆瀝

鼈甲飲 聖 氣水心下痞堅喘急氣息大便秘澁方

鼈甲 訶子 呉茱 郁李 炰 茯苓 大

桒白 檳榔 木各大二

平胃散 局 脾胃不和不思飲食心腹脇肋脹滿刺痛口苦無味

胸滿短氣嘔噦悪心噫氣吞酸面色痿黄肌膚瘦弱怠惰

嗜卧躰重節痛常多自利或癸霍乱及五噎八痞膈氣及

胃並皆宜服之

蒼朮大三　厚朴　陳皮各中　甘草少　生姜

平順清解飲痘科　痘至起脊不拘氣虛無甚血热稍用清

桔梗　地黄　連翹　通中　紅花　白芷

山查　姜蚕　午房各小　甘中少

平肝飲子八　喜怒不節肝氣不平邪乘脾胃心胸脹脇脹

滿頭暈呃逆脉未浮弦

防風　枳殼　桔梗　桂支　赤芍各五分

当歸　川芎　木香　人參　陳皮

甘草　梹榔各三卜　生姜

土

桃花湯傷 少陰病二三日至四五日腹痛小便不利下利不止便膿血者主之

赤石 乾姜 粳米 右三味

當歸四逆湯 手足厥寒脉細欲絶者

当皈 芍藥 通草 桂支各中 細辛少 甘草 大棗十二

當皈四逆加呉茱萸生姜湯 若其人内有久寒者主之

前方加呉茱萸小一生姜五分

當皈芍茱散金 婦人妊娠腹中㽲痛者

芍茱大二 澤瀉 川芎各中 當皈 白朮 茯苓余

當皈散 婦人妊娠宜常服

當皈 黄芩 川芎 芍茱大 白朮少

當皈湯千 冷氣服下往来衝胸膈痛引服背悶者

当皈　桂枝　人参　甘草　呉茱
芍药　大黄各大　茯苓　枳実　乾姜各少

當皈湯十　留飲宿食不消腹中積聚轉下者
当皈　人参　桂支　芍药　芒硝各小
黄芩　澤瀉各中　大黄大　甘草少　生姜

當皈湯十　治衄血吐血方
當皈　芍药各中　阿膠中二　黄芩大三　乾姜小

當皈温中湯外　暴冷心腹刺痛面目青肉冷汗出欲霍乱吐下脉沈細者及傷寒毒冷下清水変作青白滞下及白滞後還復下清水者悉主之此方可以調諸冷痛也
當皈　茯苓　厚朴　桔梗　桂支各中　人参
乾姜　芍药　木香各小　甘草少　不耐青木香者以犀角代之

當歸湯外廣濟　心腹攪結痛不止仍似有蜫蟲者
當歸　橘皮　細辛　甘草各大　鶴虱大二

大黄小　生姜

當皈湯外　療卒心腹痛氣脹滿不下食欲得瀉两三行佳

当皈　茯苓　桔梗　橘皮　良姜

檳榔中　生姜　一本桔梗代桂枝用

當皈射干湯外古録　療喉痺不通利而痛不得飲食者

若閉喉並諸痰方　本名射干湯

当皈大三　射干　升麻　杏仁　木香

白芷　甘草少

當皈白頭翁湯外　療寒急下及滞下方　本名白頭翁湯

当皈大三　頭翁　石榴各大　秦皮中　黄連

乾薑小　甘草少

吐血及衂血主之方

龍肝大三　阿膠大　黄芩　乾姜　甘草各小　白朮小

獨活湯集驗　療風湿客於腰令人腰痛方

羌活　葛根　桔梗　甘草各大
防風　桂支　麻黄各中　芍藥中　生姜二片
或加附子少

獨活湯射後　冷痺緩弱疼重或腰脚牵痛重痺方
独活中　杜仲　牛膝　細辛　秦芁　芎䓖
桂支　茯苓　防風　川芎　地黄　附子小

當皈六黄湯聖惠　主盗汗聖藥也
地黄　黄芪大　當皈　黄芩小　黄柏　黄連各小

桃仁湯聖　治傳尸復連病本因極热々氣相易連續不斷遂伏連亦名骨蒸傳尸四肢無力日漸黄瘦不能食者主之
桃人　鬼箭　芍䓖　陳皮　茯苓各大
梹榔　人參　麝香各少

導痰湯濟生　痰飲語澁頭目眩暈或胸膈留飲痞塞不通治之
半夏　苓各大　橘皮　南星　姜黄各大

枳実 木香各小 甘艸少 大棗

導滞通幽湯 東垣 大便難幽門不通上冲吸門不開噎塞不通便燥秘氣不得下治在幽門以辛潤之

當歸 桃仁 生地 乾地 紅花中 升麻少

甘艸小半 或加檳榔或加大黄小 名當歸潤腸湯 或加广仁

當歸拈痛湯 蘭 湿熱走注遍身骨節煩疼胸膈不利足脛赤腫脹痛者 一本脹作重

当歸 防風 白朮 蒼朮 人参 黄芩

知母 葛根 甘草 升麻 羌活 猪苓

澤瀉各小 茵蔯大 生姜

當歸導氣湯 奇良 扁治痢疾小便不通者

当歸 芍薬各小 檳榔大 甘艸 生地各中 木香

槐花中 青皮 沢瀉各中半

導水茯苓湯 奇良 遍身水腫喘満小便秘渋諸薬不効者用

此則愈○　水腫頭面手足偏身𤺋瓜之狀手按而塌陷手起隨手而高突喘滿倚息不能轉側不得着床而睡飲食不下小便秘澁溺出如割而絶少難有而如黑豆汁者服　喘嗽氣逆諸藥不効用此則愈亦嘗驗其病重之人煎此藥時要如褩阿刺吉酒相似約水一斗止取藥一盞服後小利必行時即漸㶑多直至小便変清白色為愈

紫蘓　桑白　大腹炙　茯苓　白木　檳榔
麦門　橘皮　木瓜　沢瀉各中　砂仁　木香小半
燈心三分

導氣散　膈氣噎塞不入飲食

虎頭王字骨酢炙額骨是也　草𦬊檮微焙　人参去蘆
羚羊角鎊屑　厚樸去粗皮生姜汁炙各等分　右為細末毎服二盞温水
調食後臨睡服

當皈養血湯四　年老之人陰血枯槁痰火氣结升而不降飲食

不下者乃成膈噎之病主之

當歸　芍药　生芐　川芎　枳实　黄芩（茯）

薑仁　橘皮　厚朴　貝母　莎草　沈香

黄連　藕子 各　大枣　生姜

透膿散 徵　便毒有濃未破作痛作脹便毒腫作膿

黄芪 十二　忍冬　當歸　川芎　防己 各　牛膝

皂子 各　穿山 小　右八味兼服蒼龍丸

當歸飲子 正　血燥皮膚作痒皮風热瘡疥瘙痒或疼痛甚者

荆芥 大　黄芪 中　當歸　川芎　地黄　芍药

何首　疾藜　防風 各　甘草

當歸郁李仁湯　痔大便结燥大腸下墜出血若痛不能忍

郁李　皂人 各大　枳实 中　将軍　沢瀉 中半

秦艽　當歸　蒼术　麻仁 各　生芐 小

桃仁承氣湯 傷　大腸病不解热结膀胱其人如狂血自下

下者愈其外不解者尚未可攻當先解其外外解已但少腹急結者乃可攻之

桃仁　大黄　桂支　甘草　芒硝

桃仁承氣湯 温 膀胱畜血昏日热減到夜独热者主之

桃仁　大黄　當皈　芍薬　牡丹

芒硝 等分 生姜

當皈温中湯 外台 暴冷心腹刺痛面目青冷肉冷汗出欲霍乱吐下脉沈細者及傷寒毒冷下清水变作青白滞下及白滞後還復下者悉主之此方以可調冷痛也

當皈　茯苓　厚朴　桔梗　桂支 各半

人参　干姜　芍薬　甘草 少 無青木香則以犀角代之

桃人湯聖　治傳尸復連病夲肉極熱々氣相連續不斷遂名伏連亦名骨蒸傳尸四肢無力日漸黄瘦不能治方

桃仁　鬼箭　芍藥　陳皮　茯苓各
檳榔小　人参　射香五分　右八味水煎

桃仁芍藥湯千金　治産后腹中疾痛者

桃仁　芍藥　川芎　当皈　乾漆
桂枝　甘草　右七味水煎

桃花湯　治水腫腹滿大小便不通者

白桃花一匁　大黄一匁　右二味水煎

知

猪苓湯 傷 少陰病下痢六七日欬而嘔渇心煩不得眠者○脉浮発熱渇欲飲水小便不利者主之

猪苓 沢瀉 茯苓 滑石各中 阿膠大二一本作中

竹葉石羔湯 傷 傷寒解後虚羸少気々逆欲吐者

竹葉廿枚 石羔 半夏 粳米各大 人参小 甘中少

麦門各大二

竹瀝湯 千 四肢不収心恍惚不知人不能言者 中風方一方

竹瀝芍 葛根大五 生姜汁三勺

竹瀝湯 服前方訖覚四肢有異似好次進後湯方 第二方

竹瀝 葛根 羚羊 川芎 防已 附子

人参 芍薬 黄芩 甘草 桂支 石羔

杏仁 麻黄 防風 生姜

竹瀝飲子 聖恵 中風偏枯不遂言語謇澁膈上熱心神恍惚

惛々如醉宜服竹瀝飲子

茯苓　石羔大二　羚羊大　独活大　麦門十粒　竹瀝

竹茹湯　千　吐血汗血大小便下血

竹怨三分　甘草　川芎　黄芩　當皈各中

芍药　白术　人参　桂支条

竹葉湯　外　氣極傷热氣喘甚則唾血氣短之不欲飲食

口燥咽乾

竹葉廿枚　石羔　麦門　小麦　地芐　麻黄中

甘草少　生姜　大枣

竹葉湯　千二　五心热手足煩疼口乾唇燥胸中热方

竹葉廿枚　小麦大　知母　石羔　茯苓　黄芩

麦門各中　人参　蔞根　半夏　甘草条　生姜

薯蕷湯　心中驚悸而四肢緩頭面热心胸痰滿頭目眩暈冒作譯

如欲搖動者

薯蕷　麦门　茯苓　人参　地黄
前胡　芍藥　枳実　各大　本用茯苓茯神合併　遠志　秫米　ゑ　半夏
甘草　黄芩　半　竹葉　廿枚　生姜

知母湯　外　近年療傷寒節疼頭痛眼睛疼咳嗽方
葛根　黄芩　芍藥　杏人　石羔
貝母　梔子　知母　各中

調中湯　古今　療夏月及初秋忽有暴寒折於盛熱々結
四肢則壯熱頭痛寒傷於胃則下利或血或水或赤帶下吐
熱且悶脉微且數宜下之方
葛根　黄芩　芍藥　桔梗　茯苓
白朮　藁本　中　大黄　少　甘草　少

知母茯苓湯　聖　肺痿喘嗽往来寒熱自汗
柴胡　阿膠　炙　知母　白朮　各中　茯苓
人参　五味　桔梗　黄芩　半夏

芎藭　薄苛　款冬　麦門　甘草少　生姜
乾霍乱腹脹満不吐利心胸悶乱不可忍者
陳橘皮湯
橘皮大　蜀椒四十枚　生姜
沈香降氣湯局方　陰陽壅滞氣不升降胸膈痞塞心腹脹
満喘促短氣乾噦煩満咳嗽痰涎口中無味嗜臥減食又治
胃痺留飲噎醋聞酸脇下支結常覚妨悶及中寒咳逆脾湿洞
泄両脇虚鳴臍下撮痛皆能治之患脚気人毒気上衝心腸
堅満肢體浮腫者尤宜服之常服開胃消痰散壅思食
沙草大　沈香少　縮砂　甘少　䓁　或加生姜
○葉氏方　趙無量通判方　烏藥大　香附　莪朮
宿砂各中　甘中二　右五味為細末入塩點服令加沈香大二
沈香天麻湯衛生　癇症或小児因驚懼発搐搦痰涎有声吐
沫嚼舌目上視項背強直者亦主之
羌活大　独活中　沈香　益智　川烏各中半

防風　半夏　天麻　當歸　附子
殭蚕　甘草小半

知母麻黄湯　活人　傷寒差後十日或二十日終不醒常昏沈似失
精神言語又無寒热或潮热或頰赤或寒热似瘧都是発汗
不盡餘毒在心胞之間所致也
知母中二　麻黄　黄芩　芍薬　桂支各中　甘中少

竹茹温膽湯　回　傷寒日數過多其热不退夢寐不安心驚
恍惚煩躁多痰不寐者○悸
半夏中　柴胡大　茯苓　桔梗　香附　竹茹等
陳皮　枳実　人参ゑ小　黄連小半　甘草　大棗々

調胃承氣湯　温　热邪傳裏無痞満惟存宿结而有瘀热者
生薑
大黄　芒硝五分　甘中大

猪苓湯　回　邪干氣分者

猪苓中ニ　沢泻　木通　車前各大　滑石小
甘艸少　燈心一下
除湿湯準　寒湿所傷身躰重著腰脚酸疼大便溏泄小便
或渋或利者　姜枣並　甘少
蒼朮中　陳皮小　茯大　朮中　霍　厚小　半大
竹葉石羔湯通　麻疹已透徹不退壮热甚者一無人参今從之
麦門一両　竹葉二匁　石羔　知母二　甘草一両
除風湿羌活湯　風湿相搏一身盡痛日晡潮热者
羌活　防風　柴胡　藁本　蒼朮
升麻　生姜
地骨皮散銭　虚热潮作及傷寒壮热餘热
柴胡　地骨　半夏　茯苓　人参各中
知母小　甘草少　生姜

竹茹石羔湯 痘鍵 痘疹発時火邪内迫毒氣上行時呕吐方

竹茹 三ト 羔 橘 夏 茯 奐 甘草 ク

調元托裏湯 保赤 痘痒大便泄瀉

参 芪 甘 訶子 陳 苓 桂

風 羌 芎 木香 生

地龍湯 医通 痃積大陽経中腰脊痛不可忍

地竜 桂 桃 奈 羌 独 蘖 麻

蒼木 畝 中 甘 ク

地黄湯 家方 治膀胱畜血昼日熱減至夜独熱者

羚羊 大 芣 ㄊ 升 大 牡丹 芎 中

治労嗽張子馳方 蔣簽判傳屢見人服有効 百一方

人参 小 破胡 ㄊ 木香 小 瞿粟 ㄊ 棗 姜

地骨皮湯 外 熱中雖能食多小便衞消瘦者

地骨 麦门 ㄊ 小麦 大 黄連 ク 人参 中芊

除湿胃苓湯 ㄷ 脾肺二经湿热壅遏致生火丹作爛疼痛

朮 苓 猪 沢 風 蒼 梔
通 滑 橘 厚小 桂中 甘少 燈

重光丸之逋方 衆 毒结大腸肺经者為喉癬多侳唾久
則成天白蟻蝕皛梁低陷或肌膚生癬白癜風生之

参 茯 貝 皈 玄参 沙参 天門小
芍 苓中 五枈少 天門 疼多加朮天广橘皮㭗

竹葉石羔湯 繆氏麈筆記 疹多喘々者热邪壅於肺
故也慎勿用定喘之系惟忘大劑竹葉石羔湯主之
竹葉 知母 粳米 石羔大 麦門大二
檉柳大二 薄苛中 玄参以

利

龍膽湯 千 治嬰児出服血脉盛実寒热温壮四肢驚掣発热大吐哯者若已能進哺中食実不消壮热変蒸不解中客人悪氣並諸驚癇方悉主之十歳已下小児皆宜服之

柴胡 黄芩 桔梗 芍藥 茯苓 鈎藤

竜胆 大黄小 甘草少 本方有蜣螂

鯉魚湯 治妊娠服大腹胎有水氣方

鯉魚一頭尾 各各 白朮 茯苓各大三 当皈 芍藥大

生姜 右先煮魚澄清取八升煎六味

流莚下乳汁立効方 外

粳米 糯米各中五 萵苣子九 甘草大四

涼膈散 弓 治大人小児臓腑積热煩燥多喝面热頭昏唇焦咽燥舌腫喉閉目赤鼻衄頷頰結硬口舌生瘡痰実不利涕唾稠黏睡卧不寧譫狂妄膓胃燥澁便溺秘結一切風壅並

皆宜服之

連翹中　薄荷大二　芒硝中　黄芩　梔子

大黄　甘草各　竹葉大

右方入竹葉七片蜜少許同煎云云　今名連翹飲子

流氣飲　治肝經不足内受風熱上攻眼目昏暗視物不明常見黒花当風多淚怕日羞明推眵赤腫隱澁難開或生障翳倒睫拳毛眼眩赤爛及婦人血風眼及時行暴赤腫眼々胞紫黒應有眼疾並宜服之

蒼朮　菊花　荊芥　木賊各　防風　黄芩

蔓荊　川芎　甘草　細辛　玄参　蒺藜

牛房　决明　山梔　大黄各

六君子湯薛　脾胃虚弱飲食少思或患久瘧痢若覚内熱或飲食難化作酸屬虚火者

白朮　茯苓　陳皮　半夏各　人参小　甘草少

生姜各少　或加沙草大三　砂人小半　名香砂六君子湯

竜胆瀉肝湯　肝经湿热或囊癰便毒下疳懸癰腫痛焮作小便澁滞或婦人陰癃痒痛

　沢瀉中　当皈　生芐　黄芩　山梔
　木通　車前　竜胆　甘中少

流氣飲子婦人　臂痛外連肌肉牽引背胛時発時止此由榮衞之氣循行失度留滞经絡与正氣相搏其痛発有似癰瘓

　紫蘓大　当皈　川芎　芍薬　黄芩　防風
　茯苓　桔梗　枳壳　大腹　梹榔　橘皮
　青皮　烏薬　木香　甘草　大黄各小　姜枣

理中安蚘湯六書　傷寒吐蚘者手足冷胃空虚也

　白术　茯苓各大　人参中　蜀椒中半　乾姜小　烏梅少

六成湯温　温疫愈後大便數日不行別無他症此足三陰不足以致大腸虚燥此不可攻飲食漸加津液流通自能潤下也覚穀道

分閙宜作蜜煎導等甚則宜六成湯

地黃中 当歸中 芍藥 麦門 天門各小 肉蓯大二

凉膈散毒飲 保 痘熱毒壅于上焦胸膈煩壯熱發唱渴衣棄被

痘色紫艷深紅者主之

將軍 黃連 石羔 荊芥 地丁 玄參

梔子 芍藥 芊 桔梗 薄荷 木通

甘草 牛房 枳實各小 燈心子 竹葉廿枚

凉血飲子 麻疹火毒熾盛紫黑赤而黯

荊芥中二 黃芩 玄參各中 生芊 黃連各中半

芍藥 木通 牡丹各小 紅花小半

利膈湯 閙餘 七情氣與邪氣結咽喉之間咽噎飲食曰噎胸

膈飲食留膈不可曰膈々噎猶可治半夏下氣附子散邪梔子

解鬱此三品名膈利白發百中妙方也然不早治則無救至及

胃津液枯竭則盧扁何可活活哉

半夏 大二 梔子 熟附 各大 甘草 少 生姜

療麻疾方 家方

奇良 大五 木通 車前 忍冬 各大 甘艸 小半

或加大黄 中

六鬱湯 直指 解諸鬱

香附 蒼术 半夏 茯苓 中 川芎 山梔 急

甘艸 縮砂 各小半 橘皮 小 生姜

凉膈散 正 蓋痛門 陽明經湿热上攻致牙根腮項作腫多痛者方

連翹 梔子 黄芩 薄荷 各半 甘艸 少半

大黄 朴硝 石羔 各一錢 淡竹

利咽解毒湯 保 痘咽喉疼痛首尾用

山豆 牛房 玄參 桔梗 防風 各中半

甘草 少 麦門 二錢

理嗽散

桔梗大二　橘皮　百部　紫菀各中二　日中中

李根皮湯外　廣濟賁豚氣在心吸々短氣不欲聞人語声心
下煩乱不安発作有時四肢煩疼手足逆冷
李根大三　半夏　桂支　乾姜各大　茯苓中手
人参小干　甘屮小　附子少

凉魂散和方　治金瘡折撲一切出血々暈及張痓病
黄連　黄芩　大黄　白朮　當帰　木香
川芎　肉桂　檳榔　桂枝　川骨　甘草

鯉魚湯亀　水腫鼓脹脚氣諸藥不効者
陳皮五分　杏仁一友　赤豆三友　沢漆七分　木通一夜
右五味生商陸根十匁昆布五寸活鯉七寸者一頭水七合
同煮減半去滓温服須以漆器盛之和海苔及五辛類殺腥

氣鯉七寸者最為宜若無則五寸若一尺亦可也此方用水之法鯉一寸可用水一合

理苓湯 醫紅會解 治吐下後胃中虛冷上衝者

即理中湯五苓散之合方也

療淋疾之妙方

木通 三匁　檳榔 二分　甘草 一分　右三味水煎

遠

黄芩湯 傷 太陽与少陽合病自下利者

黄芩 大三 芍薬 中二 甘艸 少 大棗

黄連湯 傷 傷寒胸中有熱胃中有邪氣腹中痛欲嘔吐者

半夏 大 乾姜 桂支 各中 人參 黄連 各小

甘草 少 大棗

黄芪桂支五物湯 血痺陰陽俱微寸口関上微尺中小緊外

證身体不仁如風痺状

黄芪 桂支 大三 芍薬 中二 大棗 生姜 一方有人參

黄芪建中湯 千 虚労裏急諸不足

黄芪 桂支 芍薬 大三 甘艸 少 姜棗 飴糖

黄芪湯 外 删繁療筋実極則好怒口乾噪好嗔身躁

不定調筋止怒定氣方

黄芪 中三 川芎 桂支 石羔 各中 白朮 通中

芍药各大　竹葉廿枚　甘草少　大枣　本方有白杨皮

黄芪湯外古今　虚劳裏急引小腹絞痛極攣卵腫縮疼痛者

黄芪　甘草大　芍药大三　桂支中　姜　枣　飴糖

黄芪湯外今　虚劳裏急少腹痛引胸脇痛或心痛短氣者

黄芪　芍药　桂支　乾姜　当帰各中

甘草少　大枣　飴糖

黄芪理中湯千　上焦虚寒短氣語声不出方

丹参一作大人参　黄芪　桂支　杏仁　川芎　五味各

桔梗　乾姜　茯苓各中　甘草少

黄芪湯外　療消喝

黄芪　生苄中二　茯苓　枯蔞根　麦冬各大　甘草少

黄連洗方　小品療眼漠々方風眼及赤痛

黄連大　秦皮中　雞人小　又加升麻

黄芩芍药湯千　痢毒甚則裏急後重為滯下

黄芩　芍药　升麻各中　生芐　當皈　木通各
人参　甘草　枳実　黄連各半　便秘加大黄
黄芪湯 聖　耳聾膿出
黄芪　升麻　梔子　犀角　玄参　木香
黄芩　芒硝各中　乾姜　芍药　人参小各　大黄大
黄連除湿湯 正　藏毒初起湿热流注肛門結腫疼痛小水不利
大便秘結身热口渇脉数有力或裏急後重
当皈　防風　蒼朮　厚朴　連翹　黄芩
川芎　大黄　芒硝　甘草各　枳殻　黄連半各
黄芪湯 温　時疫愈後脉静身凉数日及渇盗汗自汗者是
屬表症者
黄芪二　当皈　白朮各中　五味　甘草少
若汗不止者加广黄浄根
黄連解毒湯 外　時疫三日汗解犯禁若煩悶乾嘔口燥呻

本有 治時疫苦煩悶乾嘔口燥呻吟錯語不得臥

錯語不得眠者主之方

黃連 梔子各大 黃芩 黃柏各中二

黃連湯深師 治療赤白下痢者

梔皮大三 黃芩大 阿膠中二 黃連 黃柏

乾姜 當歸 甘草小

和

和解湯 十便 血風虚氣弱外感寒邪身体疼痛倦壮热悪寒

肢中疞痛鼻塞頭昏痰多咳嗽大便不調

芍薬 桂枝 厚朴 甘草 乾姜

白朮 人参 茯苓 大棗 生姜

和解湯 鋼 治発热悪寒悪風食味不宜小便少與二三貼而

頭痛甚微汗明且却快

人参小 肉桂大 芍薬 茯苓中 干姜小

蒼朮中 甘中少

蒼朮中　甘中少　芍藥　茯苓中　干姜少

人參中　阿膠　桂少

加粟殼[illegible]　微　下痢且靜[illegible]

解毒湯　治[illegible]痢[illegible]不宜小便少與二三貼而

白朮　人參　茯苓　大棗　生姜

芍藥　桂枝　木香　甘草　乾姜

服中[illegible]湯[illegible]脾[illegible]大便不調

加解[illegible]湯[illegible]血痢虛寒[illegible]痢[illegible]寒

和

加

葛根湯　太陽病項背強几几無汗惡風者

葛根中三　麻黄二　桂支大　芍薬少　甘草少

大棗少　生姜

甘草乾姜湯　傷寒脉浮自汗出小便數心煩微寒脚攣急

反与桂支湯欲攻其表此誤也得之便厥咽中乾煩燥吐逆者作

甘草乾姜湯与之以復其陽若厥愈足温者更作芍薬甘草湯以

与之

甘草大二　乾姜中二

甘草瀉心湯　傷寒中風医反下之其人下利日數十行穀不

化腹中雷鳴心下痞鞕而滿乾嘔心煩不得安医見心下痞謂

病不盡復下之其痞益甚此非結熱但以胃中虚客氣上逆故

使鞕也

甘艸四兩　黄芩　乾姜略三　半夏半升　大棗十二

黄連一兩　要略有人参三兩　千金外臺同

甘草附子湯　風湿相搏骨節煩疼掣痛不得屈伸近之則疼劇汗出短気小便不利悪寒不欲去衣或身微腫者

甘草　附子各大　白朮　桂支各大三

乾姜黄芩黄連人参湯　傷寒々本自寒下醫復吐下之寒格更逆吐下若食入口即吐者主之

乾姜　黄芩　黄連各大　人参ハ分

葛根黄連黄芩湯　治傷寒温疫方脉浮者宜服之

葛根大二　黄連大　黄芩　芍薬各中　甘草少　大棗

海藻独活湯　遊風行走無定腫或如盤大着腰脚及手臂悉主之

海藻中二　独活　附子　白朮

防風　商陸各中　大黄小　下利者去大黄加当皈小　茯苓

高良姜湯外　久心刺痛冷氣結痛不能食方

良姜 當皈 橘皮 厚朴 桔梗

訶子 梔仁 呉茱各 生姜

乾姜飲聖 小便不通禁方

乾姜両 附子 川芎 桂支 桂心 广茴

香蘇散局 四時温疫傷寒頭痛寒热往来及内外両盛之症

香附 紫蘓各三 陳皮小 甘中少 生姜本方用塩

觧語湯永類 心脾経受風言語蹇澁舌強不轉涎唾溢盛及療

淫邪搏陰神内爵塞心脉閉滞累不能言

白附 防風 天麻 酸枣 羚羊

羌活各中 桂支小 甘草少 竹瀝換鉛

加呆茯苓湯滑効 痰迷心竅一作胞 健忘失事言語如癡

茯苓 香附 益知各大 半夏 橘皮各中

烏梅少 人参二分 生姜 甘草小

加减瀉白散準 痳疹初起咳嗽噴嚏流清涕眼胞腫淚注汪

而面浮腮赤或咽悪泄利形症輕者主之
桑白　荆芥　浮萍各三　地骨大　午房
桔梗各小　甘草少

加味金沸草散　麻疹初起形症重者
施覆　荆芥　浮萍大三　麻黄大　前胡
半夏　芍藥　甘草　午房各小

加味歸脾湯　脾經失血少寐發熱盜汗或思慮傷脾不能攝
血以致妄行或健忘怔忡驚悸不寐或心脾傷痛嗜卧少食或
憂思傷脾血虚發熱或肢體作痛大便不調或婦人經候不準
晡热内热或瘰癧流注不能消散潰斂
黄芪一中二　人參　白朮　茯苓　酸棗各大
當皈　遠志　柴胡　梔子各小　甘草
木香各少　大棗　竜眼　生姜

加味遺糧湯　楊梅瘡初起筋骨疼痛及已成數月延綿

不止并楊梅風毒誤服軽粉癱瘓骨疼不能動履
奇良大三　川芎　当皈　防風　木瓜　忍冬
薏苡　木通　白鮮　威靈　蒼朮　各、
甘草　皂角子　各少
加味清胃散　壽一切齒牙腫痛齦腫出血不止痛甚者
當皈　荊芥　牡丹　生地　各大　防風中
石羔　黄連　升麻　各小
加味化毒飲　撒　下疳瘡腐爛陷下有凹或胞腫如鷄肶或
肌膚見形如斑如疹將発瘡者常服此方
奇良大三　忍冬大　連翹　防已　各中　当歸　一本防已作防風
川芎　羌活　白鮮　牙皂　略
甘連湯　幼　小児初生先須用此方
甘草　黄連　各中二　或加大黄、紅花
葛根解肌湯　医　治痲疹初起発熱咳嗽或乍涼乍熱

葛根　前胡　芍藥　荊芥　連翹
木通　牛房　蟬退各　甘草

甘桔湯　麻疹咽痛口舌生瘡主之方
麥門中二　荊芥各中二　桔梗　延胡　山豆
牛房小各　甘草少

加味二陳湯　痰飲屬寒者
半夏　陳皮　茯苓　當歸　乾姜
桂支各中　甘草少

加味鷓胡菜湯　和方大人小児下蛔虫方
鷓胡大三　苦楝中　蜀椒　乾姜各　甘草小半　將

開噤散心悟　呃逆食不入書云食不入滑是有火也故用
黄連痢而不食則氣益虛故加人參虛人久痢並用之方
人參　黄連小半　石菖中半　丹參中二　蓮肉　茯苓小
陳皮大　陳米中半　瓜人　荷葉大

加味敗毒散 三四 三陽経脚氣流注脚踝上焮热赤腫寒热
如瘧自汗悪風或無汗悪寒、
柴胡 前胡 桔梗中 官参 蒼朮
茯苓小 川芎 羌活 獨活 酒大黄各小
枳実小半 薄荷 甘草各少 姜

何首烏湯 單方
何首大三 威靈 白朮 当帰各中 陳皮
茯苓 柴胡 黄芩 知母 青蒿
鼈甲各小 甘草

咳嗽之一方
馬兜大 紫菀 阿膠 白䗩 前胡各中
杏仁 牛房 五味各小 甘草 右九味

乾藍飲

乾藍 大三　車前　細辛　決明　豨人

芎葉 [illegible]　秦皮　外麻 半[illegible]　苦竹葉 九　芒硝

香橘飲 仁斎指南

木香　白朮　半夏　橘皮　茯苓

縮砂　肉桂 各中　丁香 半　當皈　川芎 各[illegible]

甘草 半　生姜　右十味

與

陽毒升麻湯 千 傷寒一二日便成陽毒或服藥吐下之後变成陽毒身重腰背痛煩悶不寧狂言或走或見鬼或吐血下痢其脉浮大數面赤斑々如錦文咽喉痛唾膿血五日可治至七日不可治宜服方

当皈 桂支 各二 升麻 少 蜀椒 中 甘草 少 雄黃 小

腰膝髀連腿脚疼酸者主之方 外

杜仲 中 独活 地黄 当皈 川芎 丹参 各中

薏苡仁湯 聖 治腸癰 正宗名瓜蔞子湯無芍也加芍名薏苡仁湯

薏苡 両 牡丹 桃仁 一両半 瓜人 半両

薏苡仁湯 恵 脚氣痺攣煩疼製衣廂行步不得氣滿心胸咽塞悶不得眠卧宜服

薏苡 大 木通 五加 各中 地骨 羚羊 各中
牛膝 木香 各小

抑肝散 撮要直 肝経虚热発搐或発热咬牙或驚悸寒热或
木乗土而呕吐痰涎腹脹少食睡卧不安者
当皈 白朮 茯苓各大 釣藤中 柴胡
川芎各小 甘草少 水煎母子同服○或加黄連紗羚羊大
養中湯 徴 脾腎弱朝利或夜半後下利者
芍薬大 陳皮中 蒼朮 五味 人参各 甘草少
四味枳壳湯 本 治心下畜積痞悶或作痛多噫敗卵氣方
枳壳中 檳榔中二 白朮 莎草大三
四味桑豆湯 外 崔氏療脚氣遍身腫方
桑白大三 烏豆大三 檳榔 茯苓各大
薏苡仁湯 錦 肺癰者労傷氣血内有積热外受風寒胸中満急
隠々作痛咽乾口乾時出濁唾腥臭若吐膿加米粥者死脉滑
数或実大凡患者右胸按之必痛但服此湯未成即消已成
即潰已潰即愈屢用屢驗者也

薏苡　黃芪各連　貝母中　葶藶中半　桔梗大

橘皮大　金花大二　白芨　甘草各小　生姜

○新加防風去黃芪潰後加人参久不斂加合歡皮一名夜合郎樺皮

多

大青竜湯　大陽中風脉浮緊発熱悪寒身疼痛不汗
出而煩燥者主之若脉微弱汗出悪風者不可服之服之
則厥逆筋肋惕肉瞤此為逆也〇病溢飲者當発其汗主之
麻黄三 桂支中二 石羔 杏人各大 甘艸小 大枣一本有生姜

大柴胡湯　傷寒発熱汗出不解心下痞鞕嘔吐而下利者
柴胡三 黄芩大 半夏 芍薬 枳実各中
大枣 生姜

大承氣湯　陽明病譫語有潮熱反不能食者胃中必有燥
屎五六枚也若能食者必鞕耳
大黄大三 厚朴 枳実各大 芒硝一

大建中湯十　心胸中大寒大痛嘔不能飲食々欲下咽自偏
従一面下流有声泱々然若腹中寒氣上衝皮起出見有頭
足上下而痛其頭不可觸近

蜀椒　乾姜 各中二　人参 中　膠飴 五匁

大建中湯　五労七傷小腹急臍下彭亨両脇脹満腰脊相引鼻口乾燥目暗䀮々憒々不楽胸中氣急逆不下飲食茎中策々痛小便黄赤尿有餘瀝夢与鬼神交通去精驚恐虚

黄芪　当皈　遠志 各大　芍药　人参　沢瀉

竜骨 各中　甘草 少　大棗　生姜　飴糖 五匁

大黄牡丹湯　腸癰者少腹腫痞按之即痛如淋小便自調時々発熱自汗出後悪寒其脉遅緊者膿未成可下之当有血脉洪数者膿已成不可下也○千金云治腸癰之病小腹痞堅或在膀胱左右其色堅大如掌小便欲調時自汗出其脉遅○熱堅者未成膿可下之当有血

瓜子　桃人 各大二　牡丹 中　大黄 小　芒硝 大

大補中当皈湯 十　産後虚損不足腹中拘急或溺血少腹苦痛或従高墮下犯内及金瘡血多内傷男子又宜服之也

當皈　續断　桂支　川芎　乾姜　麦門
芍茱　呉茱各　地黄小　甘草　白芷中半　大棗々

大定心湯　心氣虛悸恍惚多忘或夢寤驚魘志少不足
人参　茯苓　茯苓　遠志　赤石　竜骨
乾姜　當皈　甘草　白朮　芍茱　桂支
紫苑　防風各　大棗々　一本有陳皮無當皈

大半夏湯外　集驗療胃反不受食々已嘔吐
大黄　茯苓各大　橘皮　乾姜　沢瀉　桂支各中
人参　甘草少　竹茹三匁

大半夏湯千　胃中虛冷脉滿塞下氣
桂支中三　半夏　附子　當皈　人参　厚朴
茯苓　枳実　蜀椒各　大棗々　甘草少　生姜

大半夏湯外　删繁療肉極虛寒則脾欬其狀右脇下痛陰々
引肩背痛不可以動々則咳腹脹滿留飲痰癖大小使不利

少腹切痛膈上寒
半夏　白术　茯苓　人參　附子　橘皮
桂支争　甘草少　生姜

大建中湯外　内虛絶裏急少氣手足厥逆少腹𢀳急或腹滿絃急不能食起則卧微汗出陰縮腹中寒痛不堪労苦唇口舌乾精自出或手足乍寒乍热而煩苦酸疼不能久立多夢寤補中益氣方　一本名十味半夏湯
黄芪　桂支十二　芍藥中　人參　半夏
當皈小　附子　甘草少　大棗　生姜

大竹葉湯　虛労客热百病之後虛労煩擾不得眠卧骨間労热面目青黄口乾煩燥佪𠊳不自安短氣乏少食不得味縱食不生肌膚胸中痰热煩滿憒悶
甘草　小麦　黄芪　人參　知母　半夏
麦門　粳米　當皈　前胡　芍藥　桂支

麦門各小　黄芩　竜骨各少　竹葉廿枚　姜棗

丹参煮散　筋骨実極則両脚下満而痛不得遠行脚心如刺

割筋断折痛不可忍

丹参大　當帰　川芎　生芐　麦門　桂支

甘草　麻黄　升麻　地骨　杜仲　午膝

木通　續断　牡蛎　姜　本方有烏餘糧

大犀角湯午　脚氣毒衝心変成水病身躰遍腫悶絶欲死者

紫菀　桑白　前胡　旋覆各大　白朮

桂支　防已　橘皮　茯苓　黄芩

犀角条　豆豉　大棗　生姜

大青湯聖　傷寒热病不解下痢困篤

大青　阿膠各六　梔子中　赤石脂各四　甘草少　豆豉七

對金飲子局　諸疾無不愈者常服固元氣陽益気健脾進食

和胃祛痰自然栄衛調暢寒暑不侵此薬療四時傷寒热

大七氣湯 陳皮 三 蒼朮 厚朴 各大 甘草 小 生姜

治六聚狀如癥瘕隨氣上下発作有時心腹疞痛攻刺腰脇上氣窒塞喘咳滿悶小腹䐜脹大小便不利或洩泄淋瀝無度

三稜 莪朮 益智 青皮 陳皮 桔梗 桂支 莎艸 各 藿香 中 甘草 少 便祕加大黄或加檳

澤瀉散 準 姙娠氣壅身体腹脇浮腫喘急大便不通小便赤澁宜服 ○醫統云妊婦喘急胸滿小便不利曰之子滿

桒白 三 木通 沢瀉 茯苓 檳榔 大 枳実 小 生姜 正傳名産寶沢瀉湯

達原飲 温疫初起先憎寒後発热日後但热而不憎寒也初得之二三日其脉不浮不沈而数昼夜発热日晡益甚頭疼身痛其時邪在背之前腸胃之後雖頭疼身痛此邪热浮越於経不可認為傷寒表証輒用广黄桂支類強發

其汗此邪不在经汗之後傷表氣热亦不减又不可下此邪不
裏下之徒傷胃氣其喝愈甚宜達原飲
檳榔　厚朴 中　知母　芍藥　黄芩 中
草菓　甘草 少
托裏舉斑湯 温　邪留血血分裏氣壅閉則伏邪不在裏下之
不得外透而為斑者主之
穿山　當皈　芍薬　白芷　柴胡 中　升 小 味六
黄芩　山梔　蟬退　芍薬　木通
車前　滑石　甘草 各小半 生姜
托裏消毒飲 正　癰疽已成不得内消者宜服此薬以托之
未成者可消已成者即潰腐肉易去新肉易生此時不
可用内消泄氣寒涼等薬致傷脾胃為要
人参　川芎　芍薬　黄芪　當皈
白术　茯苓 条　桔梗　白芷　皂刺 小半

甘草少 忍冬大 腭胃弱者去白芷倍人參小

大連堯飲 保 痘毒後一切発热赤腫癰毒

荊芥小 連翹 牛房 防風 當皈

柴胡 黄芩 山梔 蟬退 芍薬

木通 車前 滑石 甘中 穇 生姜

大秦芃湯 心倍 風中经絡口眼喎斜半身不遂或語言謇

澁乃血弱不能養血筋宜用艱血疏風之劑经云治風先治血

血行于風自滅之

秦芃大 甘草 川芎 當皈 芍薬 生地

生地熟 茯苓 羗活 独活 白术

防風 白芷 黄芩 糸 細辛 半 姜 加項唱加石羔 春夏加知母

大保元湯 保 項陷根窠雖紅而軟且薄血有餘而氣不足也

黄芪 大三 人參 白朮 中 川芎 桂支 小

甘艸 少 大棗 生姜

如氣不行去桂支加木香若不食加人乳半鍾

淡竹葉湯 千 產後虛煩頭痛短氣欲絶心中悶乱不觧 業正可作悶

竹茹　麦門　小麦　甘艸　生姜 一作乾姜

大棗　或加石羔人参茯苓

大防風湯 百一 祛風順氣活血脉壮筋骨除寒湿逐冷氣云々

○選要云又治痢後脚氣緩弱不能行歩名曰痢風或兩膝腫

痛脚脛虛枯細名鶴膝風

防風　羌活　黄芪　當皈　川芎 各中　人参 小

芍藥　熟地　杜仲　牛膝 各中　附子　甘艸

大棗々　生姜

大温脾湯 外 深師 脾胃中冷不得食又穀不消響々脹満若時

下利

厚朴　大黄　乾姜　甘草 中三　附子

人参　黄芩　芍薬 中半

代抵当丸　䕅篇

将軍　生地　䗪尾　桃仁　山甲

元明　肉桂　蜜丸

淡竹葉湯

竹葉　葛根　石羔　茯苓各大　小麦

麦門　人参各　大棗

大定心湯続方

遠志　防風各　麦門　茯苓　牡蛎

龍骨　桂枝各　甘草少　或加柴胡

禮

羚羊角豉湯 外 喉痛腫結毒氣衝心方

芍薬 大　升麻 中　杏人　甘草　梔子 各中

犀角　羚羊 条　豆豉 三粒

連堯湯 妬乳々癰

連堯　芒硝　芍薬　射干　升ヶ　防已

杏仁　黄芩　柴胡　将軍　甘艸 条

羚羊角飲 外 肺热胸背痛時々乾咳不能食

羚羊　橘皮　芍薬　人参 各中　茯苓　貝母

各大一 生姜

零陵湯 含薬 廣濟療牙歯疼痛風虫俱差方

零陵 大　独活　防風　川芎　當皈　甘艸 中

細辛　芩ヶ　升ヶ　沈香 条　丁香 小半

麗沢通氣湯 蘭室 鼻塞不聞香臭

外ノ　芷　葛根　蒼朮　防風
独活各半　羌　芎一各小　甘　广黄　蜀椒各小半
東、姜
羚羊羌活湯 寳鑑　肝腎俱虛眼見黑花或作蠅翅
芎　甘　羚羊　羌　芩　山茱　附
車前　参　青葙　決明　沢瀉　秦艽
柴胡各小
羚羊角湯 医　肝热生風内障
羚羊　人参各大　玄参　地骨　羌活　車前各中
羚羊角湯 聖　眼見黑或頭旋目暗欲変青盲眼瞳擻開者
羚羊　防風　羌活各大　人参　升麻　玄参
決明　車前各小　細辛小半
冷香飲子 楊氏　伏暑煩燥引飲無度尊年人入夏宜常服之
草菓子人二両　甘ㄔ二両炙　陳橘皮去白半両　附子炮去臍皮一个

右件㕮咀每用半兩水三椀煎至兩椀去滓沈冷旋服之不
拘時候

羚羊角散 本 一切頭旋本因体虛風邪乗於陽経上注
於頭面遂入於腦亦因痰水在胸膈之上犯大寒使陽氣
不行痰水結聚上衝於頭目令頭旋

羚羊 甘草 大 茯苓 枳実 中 半夏
川芎 防風 附子 白芷 小 生姜

羚羊角圓

羚羊 虎脛骨 生干地黄 酸棗仁
茯苓 桂支 防風 當皈 黄芪

曾

桑白皮湯 聖 下利後脾胃虛弱不能制輸水氣致身腫脹滿

桑白 大三 海藻 中三 安豆 大 赤茯苓 郁李 各中

橘皮 小 或加檳末 中一

息賁湯 局 肺之積在右脇下大如覆杯久久不愈病洒洒

寒寒熱氣逆喘咳發為肺癰其脉浮而毛 方見于后

桑豆湯 脚氣腫滿 即黑豆湯 臨服或加吳茱萸 生姜

桑白 大五 黑豆 大三 檳末 中二 生姜

蘇子降氣湯 局 男女虛損陽上攻氣不升降上盛下虛

膈塞多痰咽喉不利咳嗽虛煩引飲頭目昏眩腰疼脚弱肢

躰倦怠腹肚疞痛刺冷熱氣瀉大便風秘澁滞不通肢体

浮腫有妨飲食 ○四 虛陽上攻氣不升降上盛下虛痰

涎壅塞喘息短氣咳嗽者

蘇子 半夏 廿 陳皮 桂支 姜 厚朴

當皈　前胡小　甘草少　棗　生姜
一方去肉桂加南星若川芎　細辛　茯苓
桔梗　名大降氣湯
息賁湯　桑白　半夏大　桂支　呉茱各中
葶藶中　人参小　甘草少　生姜　大棗
蘓蘇散保　痘初壯熱頭痛或腰痛肢痛作脹一切热毒者甚者
紫蘓　荊芥　蟬退各中　葛根　防風
白芷　牛房　木通　升麻　紫草各中半
燈心少　葱白　甘草小
增損烏沈湯　家方
烏藥大　香附大　人参小　甘草少
蘓木湯良方　產後惡露不下血氣壅痞脹痛不下食
蘓木　紫葛大　芍藥　當皈　生地各大
桂支　蒲黄各中

蘓恭防己湯 外九 通身体満小便渋上氣上下痰水不能食々
則脹者 冷多加呉茱 热多加玄参
桑白 紫蘓 大三 广黄 大豆 中 茯苓 中半
防己 橘皮 大 旋覆 大 杏仁 小 生姜

桑葉湯 心悟 脉小弱是陽虚躰質由僁勃内動少陽木火
木犯大陰脾土遂致寝食不通法当補土泄木
桑葉 大三 茯苓 甘草 梔子 中三 人参 白朮
橘皮 中三 半夏 小 大棗 姜 本方用牡丹皮無山梔子

疎鑿飲子 済生 水氣通身洪腫喘呼氣急煩燥多喝大小
便不利服热药不得者
茯苓 赤豆 各 檳榔 商陸 椒目 各中
羗活 中三 大腹 大三 沢瀉 木通 秦艽 各大
生姜

蘓子桑白皮湯

蘓子　桑白炙　半夏　紫菀　人參

杏仁　桂枝　乾姜　細辛　麻黄

射干　款冬　五味　甘草炙

通

通脉四逆湯 少陰病下利清穀裏寒外熱手足厥逆脉微欲絶身反不悪寒面色赤腹痛乾嘔咽痛或利止脉不去者

乾姜大三 附子大 甘草中二

通氣噎方 外 病源此由陰陽不和藏氣不理寒氣填於胸膈故氣噎塞不通而謂之氣噎令人喘氣胸背痛而悸

半夏 桂支 羚羊大三 生姜 灰

通膈湯 聖 肺氣喘急煩悶或時咳嗽

桑白 郁李 射干 各大 檳榔 少 大黄 中

肉菓 少 甘草 少 大棗 生姜

通氣防風湯 四 肩背痛

柴胡 中 黄芪 升麻 各中 防風 羌活

人參 陳皮 甘草 各少 青皮 藁本

黄柏 白菓 各少

頭風神方　廣筆記　治瘡毒上攻或輕紛毒

、奇良大六　忍冬中　防風　玄參　川芎　烏豆

蔓荊　天麻　辛荑各　燈心少　芽茶少

腦者諸陽之會而為髓之海其位高其氣清忽下濁者其變也東垣云上焦元氣不足則腦為之不滿經云膽移熱於腦為鼻淵夫軀者至精之物為水之属腦者至陽之物清氣所居今為濁氣邪熱所干遂下臭濁之汁是火能消物腦有所傷也治法先宜清肃上焦氣道繼以鎮墜心火補䈥水源此其大略耳

頭瘡驗方　家方

荊芥　忍冬大三　連堯大　黄芩　防風　川芎

各中　荊芥　大黄小　甘草少　膿多者加蒼朮大二

通氣飲　黴

黄瘡初起或两瞤但腫作痛肉未不堅実可服此方

通中　萋実　忍冬中二　紫葳大　貝母小　甘中少

痛風方　和方

羌活　木通　忍冬大二　金銀小　黄連

土骨小半　或足痛加午膝　防癸大　将軍小　名防癸散　福井家

豆蔻湯　聖

脾胃俱虚噦逆上氣

蓽艸中　乾姜　橘皮中　甘草大　木香

良姜　縮砂　益智小　生姜

奈　湿热腿内近膝股患癰或附骨疽初起腫痛

内托黄芪湯

此大陰厥陰分也脉細而弦按之洪緩有力

黄芪大　当皈　柴胡　木瓜　連翹

羌活各半　桂支　地黄　黄柏各中半

内疎黄連湯　正　癰疽腫硬発热作嘔大便秘渋煩燥飲冷啖

啘心煩舌乾口苦六脉沈実有力此邪毒在臟也急宜服之

大黄　連翹　薄荷各大　黄連　黄芩

梔子　梹榔　芍药　桔梗　木香稍小

甘草少　當皈小

良

藍葉散 準 治小兒月內發一切

藍葉 両 黄芩 犀角 大黄 柴胡

梔子 一分 升麻 石羔 一兩 甘草 半分 竹瀝 半合

氣怯弱者可去大黄

烏頭湯 匱 字　病歷節不能屈伸疼痛主之又治脚氣疼痛不能
屈伸
黄芪 両　广 黄　甘草 各三　烏頭 両　芍薬 各三　或加独活
温経湯 同　婦人滞下下利數日不止暮即発熱少腹裏急
腹満手掌煩熱唇口乾燥○亦治婦人少腹寒久不受胎兼
取崩中去血或月水未過多及至期不来
呉茱萸 三　麦門 一　半夏 大　阿膠 二　各一　当帰
桂支　芍薬　人参　牡丹　川芎 各二
甘草 少　生姜
烏頭湯 千　風冷脚痺疼痛攣弱不可屈伸
乾姜　茯苓　防風　当帰 各一　甘草
附子　桂支　芍薬　秦艽 各一　烏頭
細辛　蜀椒 大一　独活　大棗

温疢湯 外 大病後虚煩不得眠此膽寒故也

半夏 橘皮 二各中 枳実 甘草 各中 竹茹 三ト

生姜 三因有茯苓大棗治心膽怯虚

温脾湯 千金 熱痢 下久赤白連年不止及霍乱脾胃冷実不消服之

大黄 中 人参 乾姜 附子 各大 甘草 小

與後温脾湯小異須大轉泻者當用此方補中神功

温脾湯 冷利 積久冷熱白赤痢 前方去甘草加桂支

温中湯 外 療寒下食完出方

乾姜 甘草 蜀椒 附子 各大

温痺湯 本 痼冷在腸胃之間連年腹痛泄泻休作無有時服諸

熱薬不効宜先取去然後調治易差不可畏虚以粮病也

大黄 小 厚朴 乾姜 附子 甘草

桂支 各中 古方選有枳実、

烏沈湯 局 治一切氣除一切冷調中補五臓益精壮陽道

腰膝去邪氣治吐瀉轉筋癥癖疼痛風水毒腫冷風麻痺又
主中惡心腹痛蟲毒疰忤鬼氣宿食不消天行瘴疫膀胱胃間
冷氣攻衝背膂俛仰不利及婦人血氣攻擊心腹刺撮作痛並宜服之

烏薬 大三 沈香 十二 人参 小 中甘草 少 生姜

烏薬順氣散 男子婦人一切風氣攻疰四肢骨節疼痛遍身
頑麻頭目旋暈及療癱瘓語言謇澁筋脉拘攣又治脚氣歩
履艱難脚膝軟弱婦人血風老人冷氣上攻胸臆兩脇刺痛心
腹膨脹吐瀉腸鳴

麻黄 陳皮 烏薬 川芎 枳実 白芷
桔梗 条 乾姜 殭蚕 辛 甘草 大棗 姜

温臓湯 楊氏 小児因驚滞乳気不宜導于冷搏腸間下利青沫
或傷脾弥辨不化常服温臓腑暖脾胃化宿冷進食

白朮 麦芽 中 人参 木香 神麹
陳皮 白附 甘草 少 大棗

烏苓通氣散 四 一切疝氣無問遠近寒熱風濕寒氣

烏薬 當歸 芍薬 莎中 山査

橘皮各 茯苓 白朮 檳榔 延胡

沢瀉八稔 木香 甘中半 生姜 ○如悪寒脉沈細

加呉茱萸入門有猪苓無檳榔延胡名烏附通氣湯一作散字

温中補脾湯 活幼 慢驚之候多因吐瀉或因久瀉或因久瘧而

得之身冷面或白或黄不甚搐搦目微上視口鼻中氣寒大小

便清白昏睡露睛筋脉拘攣俗謂之天吊風並脾土由虚極

中氣不足故寒痰壅盛而風動筋急也亦危症

白朮中 半夏二中 人参 茯苓 乾姜

陳皮 縮砂 白豆蔻各半 桂支 芍薬

甘草 大棗 生姜 一本有黄芪一分

温膽湯 三因 病後虚煩不得臥及心膽虚怯及觸事易驚短氣

悸乏成復自汗

竹茹一夊　甘草　陳皮　茯苓　半夏 二戋半
枳実 各七分半　生姜　心膽虚怯觸事易驚加麦門人参柴胡桔梗
温清飲 四　治婦人経脉不往或如豆汁五色相雜面色痿黄
當皈　川芎　生节　芍薬 各中　黄連
梔子 各火　黄芩　黄柏 各上　或加三七根 大二
温胃湯 仁斎十七　冷則氣聚脹滿不下食
熟附子　當　厚朴　人参　橘红
半夏麹　甘草 各丹　川椒 三ト
右剉散毎服三戋棗二枚食前煎服
温清飲　治婦人経脉不往或如豆汁五色相雜面色痿黄服
刺痛寒熱往来崩漏不止者
○子良云因血熱唇赤色黴爛又口中一切諸瘡或咽喉腐
爛者悉皆主之

禹攻散 儒

黑牽牛 四兩　茴香 炒一兩

右二味爲細末，以生姜自然汁調服，或加木香

禹功散 寿世保元　小便不通，百方不奏，効服此無不愈

陳皮　半夏　茯苓　猪苓　沢泻

白朮　木通　條芩　山梔 炒　升广 等分

甘草　生姜　右十二味水煎

久

栝蔞桂支湯　大陽病其症備身體強几几然脉反沈遲此
為痓

樓根大　桂支　芍菜二分半　甘艹ッ　姜　棗

九味前胡湯千　大労虚労寒热呃逆下焦虛热小便赤痛
客热上焦薰頭目及骨肉疼痛口乾

黃芪大　前胡　半夏　茯苓　芍菜
當皈　桂支各中　甘草ッ　大棗　生姜

本方有人參小　白糖小麥飴　名前胡建中湯

快氣湯名　一切氣疾心腹脹满胸膈噫氣吞酸胃中
痰逆呃吐及宿酒不解不思飲食

香附大　縮砂　甘草ッ　姜

本書右為麁末每服一盞用塩湯點下常服快氣美食温養脾胃或剉為麁末入生姜同煎名小降氣湯

華蓋散　肺感寒邪咳嗽上氣胸膈煩满項背拘急声

重鼻塞頭昏目眩痰氣不利呀呷有声
广黄 桑白皮 杏仁 蘇子 炒 茯苓
陳皮 炙 甘草 少
藿香半夏湯 停痰留飲嘔逆呕吐胸満噎痞短気倦息
不渇飲食
藿香 半夏 炙 丁香 小 生姜
樺皮散 肺臓風毒遍身瘡疥及癮疹瘙痒搔之成瘡
又治頭上風刺及婦人粉刺
荊芥 五 杏人 大 枳実 甘草 炙 樺皮 三
藿香正氣散 四時感冒頭痛憎寒壮熱或風湿気霍乱吐
瀉内傷挟外寒感者
大腹 紫蘇 藿香 白芷 茯苓 各六
厚朴 白朮 桔梗 陳皮 半夏 各四
甘草 二 大棗 生姜

九味温経湯　婦人血海虚寒月水不調
當帰　川芎　芍薬　桂支　牛膝
人参　莪朮各中　牡丹小　甘草少

九寶湯直指　経年喘咳嗽通用常服奏効
麻黄　薄荷各大　陳皮　桑白　紫蘇各中
桂支　大腹　杏仁　甘草各小

藿香養胃湯準　胃虚不食四肢痿弱行立不能皆由
陽明虚宗筋無所養遂成痿躄
藿香　白朮　神麹　茯　烏薬
縮砂　半夏　薏苡　人参各小　蓽澄中半
甘草少　大棗　生姜

苦参九料　治遍身瘙痒癬疥瘡瘍
防風　黄芩　大黄　枳実　苦参
菊花　独活　山梔　玄参　黄連

瓜蔞枳実湯 田 痰結咯吐不出胸膈作痛不能轉側或痰
結胸膈滿悶作寒热氣急并痰迷心胸竅不能言語者
瓜蔞 枳実 桔梗 陳皮 茯苓
黄芩 山梔 當皈 砂仁各小 木香各小半
甘草少半 貝母小 生姜 一本有竹瀝
化斑解毒湯 正 滚瘡面热腫遍身痒痛者 三焦風热上攻致生火丹延及遍身痛痒者
玄参 知母 石羔 人中黄各小 連翹
黄連 牛房 升ヶ 甘草梢 竹葉廿枚
活血散瘀湯 正 臂癰初起紅赤腫痛墜重如石及大便秘
紅花 大將各大 防風 當皈 川芎
芍药 黄連芩 花粉 蒼木 連翹
皂刺 枳実各小
活絡透毒飲 正 痘收靨時热毒留連愁容可掬將来餘
毒在所不免却不易来者

荊芥　蟬退　紅花　連翹各大　羌活
木通　牛房　當皈　牛膝各小　青皮小　甘少

驅邪湯（問餘）治諸瘧
桂支大　蒼朮中　柴胡　半夏　附子
硫黃各小　乾姜　甘草少　姜

夬壅湯（聖惠）水腫（一作氣）腳膝浮腫上攻心胲妨悶喘促小
便不利
赤小豆大二　木通　橘皮大　商陸中二　沢瀉中
茯苓小　生姜　加桑白大　郁李子小　京方有葱白

豁痰湯（回）治肩背痰痛
半夏　梔子中　陳皮　海桐　枳殼
桔梗　芍藥　蒼朮　香附　茯苓各小
川芎　姜黃（一作中）　甘中少　生姜　如痛甚加芒硝一小

菓附陽（局）脾寒瘧疾不愈振寒少熱面青不食或大

便溏泄小便及多
草菓煨大 附子中 大棗 生姜 或加橘皮
鼈甲大
豁痰湯 養生 一切痰疾余製此劑為豁痰圓相副盖
以小柴胡湯為主合前胡半夏湯以南星紫蘓橘皮厚朴
之類出入加減素抱痰及痰及肺氣壅塞者以柴胡為
主餘者並去柴胡用前胡為主
紫蘓 柴胡 薄苛中 黄芩 半夏
厚朴中 南星 羗活稍 人参 橘皮
甘艸 枳実ヶ
九味羗活湯 難
羗活 蒼朮 防風 川芎 白芷
生苄 黄芩 細辛 甘中三分
姜葱煎服 去蒼朮 加白朮黄芪 名冲和湯

款冬花散 局 寒壅相交肺氣不利咳嗽喘滿胸膈煩悶痰実涎盛喉中呀呷鼻塞清涕頭痛眩冒肢体倦怠咽嗌腫痛

广黄 中 桑白 款冬花 大 半夏 知母

杏仁 中 貝母 阿膠 少 甘草 小 生姜

瓜蒂散 傷 病如桂枝症頭不痛項不強寸脉微浮胸中痞鞕氣上衝咽喉不得息此為胸有寒也當吐之

瓜蒂 一分 赤小豆 一分

右二味為紬末以香鼓一合用熱湯七合煑作稀糜去滓 和散溫頓服之

也

射干麻黄湯 金 咳而上氣喉中水鷄声者

射干　广黄　款冬　半夏 各大　細辛

紫苑 小　五味 少　大棗　生姜

射干湯 外 療喉痺閉不通利而痛不得飲食喉閉諸疾

當皈 大　白芷 中三　升广　甘艸　射干

犀角　杏人 各

射干兜鈴湯 痧 痧病似傷風咳嗽者

桑白　忍冬　薄荷　甘菊 各中　射干 小

枳実　花粉　桔梗　貝母　玄参

兜鈴 各小半　一方有前胡 山豆根

末

广黄湯　大陽病頭痛発热身疼腰痛骨節疼痛悪風無汗而喘者

广黄三　杏仁大　桂支卄　甘中少

广黄湯　聖　頭面風热煩燥皮肉如乱鍼刺痛

羗活　薄苛　广黄　杏人　桔梗

秦芃　牡丹　防風　芎䓖　升广

黄芩　紫苑　羊夏　生姜

广杏甘石湯　発汗後不可更行桂支湯汗出喘無大热者

广黄　杏人　甘草　石羔各中二

广杏薏甘湯　病者一身尽痛発热日晡所劇者名風湿

此病傷於汗当風或久取冷所致也

广黄　杏仁　薏苡　甘中　各中二

广子湯十　大風周身四肢攣急風行有皮膚身労弦服

之不虛人又治精神蒙昧者
广黃大 麻仁 防風 桂支 石羔
橘皮各中 竹葉廿枚 豆豉二枚
广子湯 外 肺氣不足咳嗽唾膿血短不得卧
桑白大三 麻人 生芋各中 桂支 人參
紫菀少半 阿膠大 飴糖五兩 生姜
广黃加朮湯 湿家身煩疼可与此湯発其汗為宜慎不可以
火攻之
广黃大三 白朮 杏人 桂支各大 甘艸小
郎前方中去杏人桂支加石羔大 附子小 大棗 名广黃加
朮附湯
广黃各半湯 大陽病八九日如瘧狀発热悪寒〻热多寒〻
少其人不嘔清便自調者
广黃大 桂支中二 芍薬 杏仁各中 甘艸少

大棗　生姜

麻黄散　治丈夫婦人久延肺氣咳嗽喘急上衝坐卧不安痰涎壅塞咳嗌稠黏腳手冷痹心胸疼脹兼治傷風咳喘膈上不快

广黄五　訶子　桂支　杏仁各中　款冬大三　甘草小　好茶二卜

桂支湯　計　大陽病頭痛発热汗出悪風者

桂支大三　芍薬中三　甘艸少　大棗　生姜

桂支救逆湯　傷寒、脉浮医以火迫之劫亡陽必驚狂起

臥不安者

桂支大三　竜骨　牡蛎　蜀柒各大　甘艸中三

大棗　生姜

桂支附子湯　少陰病二三日不已至四五日腹痛小便不利四

肢厥冷。験武　傷寒八九日風湿相搏身体疼煩不能轉側

不呕不喝脉浮虚濇者

桂支　芍薬各大三　附子大　甘艸少　大棗　姜

玄武湯　少陰病二三日不已至四五日腹痛小便不利四肢

沈重疼痛自下利者此為水気有。其人或咳或小便利或

下利或呕者

茯苓 大二 白朮 大 附子 中 芍藥 中二 姜

若咳者加五味子細辛 各小半 乾姜 小

若小便利者去茯苓

若下利者去芍藥加乾姜

若嘔者去附子加生姜

桂支芍藥智母湯 金 盛人脉濇小短氣自汗出歷節疼不可屈伸此皆飲酒汗出当風所致諸肢節疼痛身体尫羸脚腫如脱頭眩短氣温々欲吐者

桂支 芍藥 知母 防風 广黄

白朮 各中 附子 甘草 各小 姜煎

桂支加竜骨牡蛎湯 夫失精家少腹弦急陰頭冷目眩 一作目眶痛 髮落脉極虚芤遅為清穀亡血失精脉得諸芤動微緊者男子失精女子夢交

桂支 大二 芍藥 中二 竜骨 牡蛎 各中 甘艸 少

大棗々　生姜

桂支枳実湯　心中痞諸逆心懸痛

桂支三　枳実三

桂支皂莢湯　千金桂支去芍薬加皂莢湯治肺痿吐涎沫

桂支　皂莢各大　甘中　中二　大棗々　生姜

桂苓朮甘湯　心下痰飲胸脇支満目眩

茯苓　桂支　白朮各大　甘草少

解肌湯十　傷寒温病方脉浮者宜発汗

葛根　广黄　黄芩　芍薬各大　甘中少　棗々

元侍郎希声集療癱瘓風神験方外

甘草　磁石中　甘菊　五加　广黄中

防已　防風　乾葛　芍薬　薏苡

川芎　秦芃　杏人　羚羊　附子

痃癖胸背痛時々咳嗽不能食外

桂支　白朮　厚朴　陳皮　乾姜
鼈甲　防癸各中　細辛　附子　呉茱

外臺脹滿方
　檳榔　紫蘊中　橘皮　茯苓　厚朴
　柴胡各中　生姜

牽牛子湯聖　治水腫允肺気脚氣賁豚気上築心胸不可忍
　黒丑　木香　茯苓　橘皮各大　檳榔末大二

鷄舌香散　男子女子陰陽不和藏腑虚弱中脘氣滞宿
食留飲停積不消胸膈脹滿心脾引痛攻刺腹脇有妨飲食
又治中酒吐酒停飲浸漬呕逆悪心噫気呑酸並皆治之
　烏薬　桂支　香附　芍薬　良姜各大

荆防敗毒散　癰疔腫発背乳癰憎寒壯热甚者頭痛
　拘急狀如傷寒者
　荆芥　薄苛各大　防風　柴胡　前胡

枳実　桔梗　茯苓　川芎　独活
羌活　甘艸 炙　生姜

嚴氏玄胡索湯 済　婦人室女七情傷感遂使血与氣併心腹作痛或連腰脇或引背膂上下攻刺甚為搐搦経候不調但是一切血氣疼痛宜服之
延索 小　當皈　芍薬 各中　桂支　蒲黄 大
姜黄 中半　木香 中　乳香　没薬 各中半　甘艸 中
生姜　吐逆加半夏陳皮 各小

蠲痺湯 済　身体煩疼項背拘急或痛或重挙動難艱及手足冷痺腰腿沈重筋脉無力
黄芪 中半　甘艸 中半　當皈　芍薬　羌活
姜黄 各大　大棗　姜　楊氏家蔵方百一選方有防風無棗
此方本無棗進加棗良大四棗効

解毒湯 徴　治下疳初起
忍冬　荊芥 各大　連翹　通艸 各中　地黄

午膝　何首　滑石　黄連　甘草少

鮮肌湯　梅

芍薬大　香附中　桂支小　甘十少

解毒瀉心湯　正　心経火旺酷暑時臨致生泡発及遍身者

荊芥大三　通艹中　黄連　防風　梔子

黄芩　滑石糸半　午房　知母　玄参糸

石羔　甘艹十半　燈心

啓腸散　心悟　通噎腸開閉之剤屡効

沙参中四　丹参大二　貝母中　茯苓　荷葉糸

鬱金　砂人稀糸　杵頭糠中半　虚者加参　痰積加橘紅

解労散　楊氏　虚労積気硬堅噎塞胸腸引背徹痛

芍薬中二　柴胡大三　鱉甲　枳実大　甘中

茯苓小一　大棗　生姜

鶏鳴散　医方選要　脚気第一品薬不問男女皆可服如人感風

湿流注脚足痛不可忍用索懸吊呌声不绝筋脉腫大

檳榔　陳皮　木瓜　吴茱　桔梗

紫蘇　生姜

不

附子湯　少陰病身体痛手足寒骨節痛脉沈者

附子中二　茯苓　芍药各大　白朮大　人参小

茯苓四逆湯　発汗若下之病仍不解煩燥者

茯苓中二　甘草　附子各大　乾姜小中　人参小

附子粳米湯　腹中寒氣雷鳴切痛胸脇逆満嘔吐

附子小　粳米大　半夏各　甘中少　大棗

附子湯千　累下積日不往及久痢

附子　竜骨　芍药　乾姜　黄連

甘草各小　黄芩小半　阿膠中二　粳米　榴皮大

風引湯　両脚疼痺腫或不仁拘急不得行

大黄外　独活　白朮一作蒼　茯苓　細辛各中

杏人　石羔　桂支　人参　防風

防已　川芎　附子　甘中各中半　呉茱

秦艽 乾姜

風緩湯千 脚弱挙体㿏不仁埶毒氣入臟胸中滿塞不

通食則呕吐

独活 广黄 羚羊各大 半夏 烏梅

桂支 鼈甲 升广 橘红 枳実

甘草 呉茱 將軍 石羔 貝子各半

大棗 生姜

風引独活湯外 脚氣少愈形衰者可兼補之

独活大 黄芪 茯苓各中 人参 附子

黒豆 桂支 防風 芍薬 乹姜

當皈略 升广 甘中少

風疹遍身主之方

广黄中 防風大 當皈 川芎 芍薬

独活 蒺莿 烏頭 人参各 甘草 姜

茯苓飲 外 心胸中有停痰宿水自吐出水後心胸間虛氣滿
不能食消痰氣令能食
茯苓 白朮 中二 人参 枳実 大 橘皮 中 姜
茯苓湯 常吐酸水脾胃冷治噫酸
茯苓 橘皮 紫蘇 檳榔 各大 白朮
人参 桂支 各中 甘 小 生姜
茯苓湯 外 渴利虛热引飲不止消热止渴 茯苓湯 鹿茯神湯
茯神 蔞根 麦門 萎蕤 知母 地骨 小
石羔 地黄 中 竹葉 大 大棗 生姜 小 稜 無
茯苓湯 心頭結氣連胸背痛及吐酸水日夜不止
茯苓 白朮 各中二 厚朴 橘皮 檳榔 各大
茯苓安神湯 上焦虛寒精神不守泄下便利語声不出者
茯苓 人参 遠志 乾姜 各大 桂 中半 甘 中
附子解急湯 小品 寒疝氣心痛如刺繞臍腹中尽痛白汗

出欲絶方〇本名解急蜀椒湯方後云數用療心腹痛困
急欲死解结逐寒上下痛良
夏 大二 附子 小 粳米 大 蜀椒 小 乾姜 小
甘草 少 大棗
附子理中湯 弓 脾胃冷弱心腹絞痛嘔吐泄利霍乱轉筋躰
冷微寒手足厥寒心下逆滿腹中雷鳴嘔噦不止飲食不進
及一切沈寒痼冷並皆治之
附子 人参 白木 乾姜 甘草 各
不換金正氣散 四時感冒傷寒温疫時行及一切山嵐瘴
氣寒熱往来霍乱吐瀉下利赤白及出遠方不伏水土並皆治之
蒼朮 大三 藿香 大 厚朴 陳皮 半夏 各中
甘草 少半 大棗 姜
茯神散 本 因驚語言顛錯不能服温薬遠志回之次載之
茯神 茯苓 芍薬 當皈 川芎

生芐　桔梗　遠志各中　人參小　大棗　燈心了

普濟消毒飲東垣　頭面瘡瘩憎寒発熱狀如傷寒頭痛者或咽喉不利舌乾口燥煩喝不寧者

馬勃　大青大　黃連小　人參　陳皮

玄參　柴胡　桔梗小　連翹　黃芩中

升广　姜蚕　午房小半　甘中少

分消湯四　中満成鼓脹兼脾虛発腫満飽悶者

大腹大　蒼朮　白朮　大陳皮　厚朴

枳実　茯苓　香附　猪苓　沢瀉各

砂仁　木香各小半　生姜　燈心

古

五苓散　太陽病発汗後大汗出胃中乾燥不得眠欲得水
者少々與飲之令胃氣和則愈若脉浮小便不利微热消渇者○
渇欲飲水水入則吐名曰水逆
白朮　茯苓　桂支 各大　猪苓　澤瀉 中二

呉茱萸湯　少陰病吐利手足逆冷煩燥欲死者或乾呕吐涎
沫頭痛者
呉茱萸 大三　人参 小　大棗　生姜

厚朴广黄湯 金　肺癰咳而脉浮者
厚朴　广黄 中三　細辛　石羔　乾姜
杏仁　半夏　五味　小麦

厚朴七物湯　病腹満発热十日脉浮而数飲食如故
厚朴 大三　枳実　桂支　大黄 各　甘屮 少
大棗　生姜

厚朴三物湯　腹中寒氣雷鳴切痛胸脇逆満嘔吐附子粳米湯主之痛而閉者厚朴三物湯

厚朴八　大黄四　枳実大

厚朴十三味湯千　婦人産後上氣及奔豚氣積労臓氣不足胸中煩燥関元以下如懐五千錢狀者

厚朴　桂支　當皈　細辛　芍薬

桔梗各小　石羔　生芋　乾姜　甘草小半

黄芩　沢瀉各少半　呉茱大　罡作大将

五味子湯　唾中有膿血牽胸脇痛

桑白大三　竹茹大三　生芋大　紫菀　續斷

安豆　桔梗各小　五味　甘草少

五淋湯　治五淋一名地膚子湯

海藻　地膚　通草各大　猪苓中　枳実

升广　黄芩　瞿麦　冬葵　知母各小

厚朴湯 外 治三十年久痢不止方
厚朴 乾姜 阿膠 黄連 艾葉 石榴
厚朴人参湯 霍乱心腹痛煩呕不止
厚朴 橘皮 人参 良姜 當皈 藿香中
牛膝湯 外 筋虚極傷風為風所傷入筋骨縮率背不伸
強直苦痛或脚氣ト為方
牛膝 防風 李根 丹参 前胡 各中
杜仲 秦艽 續斷 鼈甲 广人
橘皮 石斛 大
古今録驗斛丑蕨湯方
茯苓 地黄 竹葉 各大 葛根 中 黄芩 知母
粳米 蕉 甘 中 人参 小 又可加 小麦
又羚羊角湯 噎塞氣不通不得食下
羚羊 厚朴 陳皮 通草 烏頭

呉茱萸 各中 乾姜 小

又桂心湯 人心痛懊憹悁悶築築引両乳又或如刺困極

桂支 芍薬 各中二 呉茱 当帰 各大 生姜

又五味子湯 逆氣咳嗽胸脇中寒熱短氣不足

前胡 山茱 各大 紫菀 中 五味子 中十 桂支

甘艹 各小半 大棗 生姜

又療氣急発満胸急方

桑白 紫蘇 各大二 安豆 橘皮 茅根

郁李 各大

廣済療白膿痢

厚朴 大二 枳実 茯苓 乾姜 各中 甘草 小

又療咽喉中塞鼻中瘡出及乾嘔頭痛食不下方

升广 通艹 黄柏 玄参 麦門 各中

前胡 小 竹茹 本方有芒硝

厚朴煮散 聖 胃風冷氣攻心腹脹滿疼痛飲食不消四
肢羸瘦方
厚朴 訶子 蒼朮 當歸 桔梗 各中
橘皮 中三 木香 枳実 各少 大棗
五靈湯 大病後血虛弱膜外有水氣者
訶子 橘皮 防己 茯苓 通草 各大
牛膝湯 劑聖 治婦女逾年月水不通臍下結塊者
牛膝 牡丹 芍藥 川芎 當歸
柴胡 鱉甲 附子 羌活 薔薇 各小
桂支 少 三稜 中半
厚朴湯 脾胃不和癖氣調中臟及心下急懊
厚朴 大三 陳皮 大 白朮 中三 烏藥 中 甘草 少 姜棗
牛房子散 本 風熱或歷節攻手指作赤腫麻木甚則攻肩背
兩膝遇暑熱或大便秘即作

牛房中　羌活中　黄芩　生芐各大　豆鼓六粒

牛房子湯醫垒　風热上壅初発舌関緊急発咽喉腫痛或生瘡癰々愈則後攻胸脇氣促身热不能言卧

牛房　甘草各中　玄参　升麻各小　黄芩

通艹　桔梗各大　羚羊中　本方犀角

如有痰加瓜蔞貝母肝火加柴胡呉茱萸黄連腎火加當歸生地黄知母倍玄参畏下陷加升麻風盛加荊芥姜蚕下元虚倍蜜碳附子

牛房子湯正　乳癰乳疽結腫疼痛毋論新久但未成膿服

忍冬　連堯中　牛房　陳皮　梔子

蔞仁　黄芩　花粉各小　皂子剌　柴胡

青皮　甘艹各小半

固本粮崇湯　骨疽已成骨不吐出既出不能収歛由氣血之虚脾胃弱也宜服之骨不出者自出不歛収者自歛

黄芪大　川芎　當皈　芍薬　地黄
白朮　五味　山薬　人参　牡丹
茱萸各小　甘艹　肉桂各半　大棗　姜

五味小柴胡湯　温　時疫伏邪尽時者盗汗自止若不止者
柴胡大三　黄芩中二　陳皮大　甘艹少　大棗　姜

古今秘苑治瘧第一方　経験単方彙編奇方補遺類載之
陳皮　半夏　茯苓　威霊合中　蒼朮　黄芩
厚朴　柴胡各小　青皮　檳榔　甘艹少　生姜

又第二方　此方比柴胡姜桂湯茱力強
何首大三　威霊　白朮　當皈各大　陳皮
茯苓　柴胡　黄芩　知母　鼈甲各中　生姜

又第三方　瘧愈後微有寒热之機者可用
黄芪　當皈各大　人参　白朮合中　陳皮
柴胡各小　升广　甘草少　大棗　甘艹少

或加何首烏青蒿麦牙

又治痢方　或紅或白或紅白相兼裏急後重身熱腹痛者

黄連　山査　黄芩　枳実各　厚朴

檳榔　青皮　甘艸　地榆　桃仁

紅花　木香　當皈各中半　加芍薬　小

瑚琅四苓散　家方

瑚琅各　蒼木　茯苓　猪苓　沢泻各中

加木通中車前小　滑石大

香艾湯　家方　即莎艾湯

艾葉　莎艸各大二　甘草少　或加芍薬大一本有生姜

口瘡方　家方

大青大二　黄連大　或加薔薇根隹也

午房芩連湯　四　積熱在上頭項腫起或面腫多從耳根上起

俗曰大頭瘟並治烟瘴

桔梗 黄芩 玄参各大 連翹中二 午房
荊芥中 将中半 石羔 防風 黄連各小
甘草少 姜 酒煎

五靈煮散 聖 治膜外水氣並治一切肺氣脚氣每覺心
胸煩悶奔豚氣上築胸心不可忍者
黒丑 茯苓各中 檳榔大 橘皮大三 木香
或加木防已大

古今録驗療大小便不通方
芒硝大 木通 車前 瞿麦 郁李 芩各中

顧歩湯 同 岐天師傳療脱疽脚指頭忽先発癢已而
作痛指甲現黒第二三日連脚俱青黒者至脚上過脛即死
急服此湯可救
忍冬大三 石斛 黄蓍中二 牛膝各大 當皈中 人参
水以二合半煎至三合〇加犀角地下 紅花中 家方

香圓湯 類扁

香圓 三钱 橘红 花粉 前胡 各大 柹蒂 大三

枳実 中

六味與鮮花粉汁對用治発黄呃逆

惠

越婢湯　風水悪風一身悉腫脉浮不渇續自汗出無大熱者

麻黄 大　石羔 大　甘草 少　大棗　姜

越婢加朮湯　裏水者一身面目黄腫其脉沈小便不利故令

病水假如小便自利此亡津液故令渇也

即前方加白朮 大

近年玄参湯 外　主悪核瘰癧風結方

玄参　升麻　獨活　連翹 大　防已 小　菊花 中

近年酸棗飲　虚煩不得臥助下氣衝心

酸棗 中　人参　白朮　茯苓　陳皮 各

桂支　五味 小　姜

近年茯苓飲　脚氣腫氣急上氣心悶熱煩嘔逆不下食

柴胡　茯苓　杏仁　升麻　陳皮 中

犀角　檳榔 各中　紫蘇葉 中　姜

近年枳実湯　両肋急痃滿不能食悳頭痛壮热身体痛

桂支　前胡　桔梗　檳榔各大　人参中半

鼈甲　枳実小半　姜

近年前胡湯　胸背氣滿膈上热口乾痰飲頭氣風旋

广黄　茯苓各大　防風　沢瀉　乾姜各中

芎藭　細辛　桂支　前胡　枳実

杏仁　川芎各小　甘草少　姜

栄衛反魂湯準　流注癰疽発背傷折非此不能効至於救

壊病活死肌真仙妙剤

何首　當皈　芎藭　通草　白芷

茴香　烏藥　枳実各中　甘草少

益氣養榮湯正　柳骨或労傷氣血或四肢頸項筋縮結成累

々如貫珠者謂之筋癧此患皆由思慮大過神氣受傷乃労

中所得者也其患或軟或硬或赤或不赤或痛或不痛或日晡

発热或潰而不歛者

人参　茯苓　陳皮　貝母　香附

當皈　川芎　黄芪　熟苄　白芍 各

桔梗　甘草 外　各少半　呉茱 少　姜　大棗

近年半夏湯　服内左助痃癖硬息氣滿不能食胸背痛

半夏　梹榔　桔更　前胡　鱉甲

人参 小　枳実 小半　呉茱　姜

益衛散　徽　治肺経形痘益其正氣兼服庚字化毒丸標本同治

人参　貝母　白芨　百合 各中　天门

阿膠　桔更 中　山茱　木香 少　甘草

近年療両助脹急痃滿不能食魚頭痛壮热身体痛方

枳実　桔更　鱉甲　人参　前胡

梹榔　桂支　姜

天

定心下氣方 十 奄々忽々朝瘥暮則劇驚悸心下憧々胸
満不下食陰陽衰脾胃不磨不欲聞人声定心下氣方

苓 参 茯 遠 枳 茯神 飯

桔 夏 桂 甘 竜骨 各小 姜 棗

轉胞不得小便主之方

白丁 郎雀丈 車前 滑石 通十 芍 茱 各大

鉄刷湯 弓 男子脾積心氣痛婦人血氣刺痛及治中酒
悪心一切瘡利氣疾腸風下血藏毒滑腸泄瀉

蒼木 大三 良姜 大三 茴香 中 甘 中少 生姜

釣藤散 本 肝厥頭暈清頭目

菊花 大 釣藤 陳皮 半夏 茯苓 各中

茯神 石羔 人参 防風 麦冂 各小

甘 中少 生姜

定喘湯 四 哮吼喘急
广黄 款冬 桑白各重二 半夏
黄芩 杏人 白菓各小 甘草少 蘓子各大
鈎藤飲 幼 吐利脾胃虚慢驚
鈎藤 蟬退各半 防風 人參 广黄
姜蚕 天广各小 川芎 甘草 全蝎
射香各少 寒者加附子小
疔毒復生湯 正 疔毒走黄頭面發腫毒氣内攻煩悶欲死
忍冬大 𦬆元中 皂刺 花粉 大黄
地骨 牡蛎 梔子 木通各 午房
乳香 没薬
葶藶大棗瀉肺湯 肺癰喘不得卧胸滿一身面目浮腫
鼻息清涕出不聞香臭咳逆上氣
桑白大五 葶藶大 大棗

提肛散 正　氣虛肛門下墜及脫肛便血脾胃虛弱等症

芪大　川芎　當歸　白朮　人參　麴

陳皮　甘草炙　升广　柴胡　黃芩　芷穄

天麻湯 聖八 風痓　風痓身如板直偏癱強

羌活　广黃　桂支　附子中半　天广

人參　白朮　杏人炙　生姜　加羚羊角一卄

丁附理中散 孝慈　胃寒呃逆及服涼菜過多傷胃呃逆者

丁香　砂人半小　附子　乾姜　人參

白朮　甘草　肉桂　橘皮　吳茱炙

生姜七卜　冷氣上逆者加沉香良姜

阿

安石榴湯 外 患痢三十年諸療無者

石榴 乾姜 中 黄柏 中 阿膠 大

安中散 男 遠年近日脾疼反胃口吐酸水寒邪之氣留滞

于内停積不消胸脇脹満攻刺腹脇悪心呃逆面黄肌瘦四支

倦怠又婦人血氣刺痛小腹連腰攻疰重痛治之

甘草 延胡 良姜 乾姜 茴香

桂支 牡蛎 或去牡蛎加赤石指中

安神養血湯 温 疫邪已退脉症俱平真氣方長労

而復折真氣既虧微熱者

茯苓 酸棗 當皈 芍薬 地黄

遠志 陳皮 各中 桔梗 中 甘草 少 竜眼 不

安胃湯 梅 脳脹硬大按則底堅而痛大便結小便赤黄是

當実満当實中焦之分

橘皮大 莎中 厚朴各中 檳榔 黄連
黄芩 枳実各小 生姜
安豆湯 家方 壬水腫方
安豆大三 地膚 商陸各大 生姜
或加香附大三 縮砂半 本方減七分名香砂安豆湯
或加桒白大三 檳末各中 本方減七分名桒檳安豆湯
或加黒丑 檳末各中 本方減七分名檳丑安豆湯
閉逢丸之湯方 徽
當皈 夏枯 竜旦 牡蛎 遠志
柴胡 芍薬 川芎 陳皮各小
安冒飲 孝慈 冒火上焦呃逆不已
石斛 木通 麦牙各大 陳皮 沢瀉
黄芩各中 山査小
冒火盛加石羔

又

[illegible]散　大風[illegible]　[illegible]帶雨[illegible]日服

[illegible]　甘[illegible]　[illegible]　[illegible]實　石[illegible]

[illegible]　[illegible]　[illegible]　生地　麥冬

甘草　右十[illegible]

柴胡[illegible]湯[illegible]　[illegible]二十歲[illegible]則服中[illegible]

[illegible]　紫胡　地黃

丁[illegible]　全[illegible]

[illegible]

[illegible]

三黃湯　[illegible]

左

犀角散 準 風毒壅熱心胸痰滯兩耳虛聾頭重目眩

犀角 中半 甘菊 大三 前胡 中一 枳実 中半 石菖 中半

羌活 大一 沢瀉 木通 生地 各少一 麦冬 十二

甘草 少 右十一味

柴胡丁香湯 東垣蘭室 婦人年三十歳臨經腰臍痛甚則腹中亦

痛經縮三兩日

羌活 防風 各大 當皈 大 柴胡 中 地黄 小

丁子 全蝎 各小

三生飲 局 卒中昏不知人口眼喎斜半身不遂痰氣上壅

者並之兼痰結厥氣厥等証

南星 大三 烏頭 附子 各大 木香 小 生姜

三黄湯 心氣不足吐血衄血用此方亦治霍乱

黄芩 黄連 大黄 各大

犀角黒参散　傷緒　発班毒盛咽痛

犀角　玄参各大　升广　芩　甘各中　人参三分

犀角大青湯仝　班出大盛大热心煩狂言悶乱

犀角　大青各大　當皈

黄連　黄芩　黄柏　梔子　玄参　升广　甘艸　各無當皈

柴胡湯千　産後往来寒热悪露不盡

梔仁大二　柴胡大　當皈　芍薬　呉茱萸

黄芪各中　姜

崔氏小續命湯　千　卒中風欲死身体緩急口目不正舌強不能語奄々忽々精神悶乱諸風服之皆驗令人不虚

广黄　防已各大　桂支中　防風　杏仁　甘艸

附子　黄芩　芍薬　川芎　人参各小　姜

柴胡養栄湯　温　瘟疫諸症已退表有餘热者

柴胡　黄芩　陳皮各大　甘艸少　當皈

白芍　生芐　智母　花粉各大　棗　姜

柴胡檳榔湯　千　積年患氣発作有時心腹絞痛忽然氣絶腹中堅実医不能治復謂是蟲

檳榔中　半夏　柴胡　附子　橘皮

桂支　當皈　枳実各小　甘艸ヶ　姜

柴胡清燥湯　温　温疫愈後陰枯血燥者

柴胡　黄芩　陳皮各大　甘艸少　花粉大

知母大　大棗　生姜

柴胡鼈甲湯　外　瘰瘯癖心腹痛兼冷

柴胡大　鼈甲　芍薬　檳榔　甘艸各中

枳実　白朮各小　姜

柴胡葛根湯　温　瘟疫失下口乹舌燥而喝熱反減四股厥既下厥四肢大而加數舌上生津不思水飲

柴胡　葛根　陳皮　黄芩各大　甘艸少

大枣　生姜

柴胡桂支湯　傷寒六七日発热微悪寒支節煩疼微呕心下支结外症未去者

桂支　芩各大　半夏　芍药各中　柴胡大二

甘草少　枣　姜

柴胡湯聖　劳羸瘦荣衛不順体热盗汗筋骨疼痛多困少力飲食進退

柴胡大三　知母大　鼈甲　秦艽各小　大枣

柴胡橘皮湯準　麻疹呃噦一本作痢疾泄瀉

柴胡　橘皮　芩　半夏　人参

茯苓各大　甘草少　竹茹三个　本書甘草作生姜

犀角湯千　热毒流入四肢歷節腫痛

犀　升广各大　栀子　芩　射干

前胡各中　羚羊　大将各小　豆鼓

三五七散 千 頭風眩口喎目斜耳聾

山茱 乾姜 各大 防風 山茱 各中二 附子 細辛 小各

柴胡桂姜湯 外 瘧寒多微有热或但寒不热服一服如神

柴胡 大三 黄芩 大 桂支 大 牡蛎 樓根 各中

乾姜 少 甘草 小半

酸枣仁湯 聖 風毒散攻下焦冷注四肢疼痛脚膝攣痺

及風邪干藏心神恍惚筋脉拘急

酸枣 茯神 各大 薏苡 中三 人参 麦冬 各小

犀角飲子 準 風热上壅耳内聾閉腫掣痛膿流出

犀角 木通 菖蒲 各中 甘菊 大 玄参 少大 一本紅花作赤芍 三

赤芍 紅花 各中 甘草 少 十 姜

犀角地黄湯 千 傷寒及温病応発汗而不汗之内畜血

者及鼻衄血吐血不盡内餘瘀血大便黒面黄消瘀血

犀角 小 牡丹 中 地黄 大三 芍薬 大

壯原湯 赤 下焦虛寒中滿腫重小水不利上氣喘急

陰囊兩腿皆腫或面有浮氣

白朮 中三 茯苓 中 桂支 附子 乾姜

縮砂 中半 橘皮 小 破故紙 中 人參 小

酸棗湯 千 虛勞煩擾奔氣在胸中不得眠

酸棗 大三 人參 桂支 石羔 茯苓

知母 甘中 少 生姜

柴胡白朮湯 外 肢中痃氣連心以來相引痛緊急

柴胡 大二 白朮 大 枳實 鼈甲 小 茯苓 大

犀角地黃湯 醫方

犀角 中 生苄 大三 連翹 大三 甘中 少

犀角湯 千 風毒熱頭面腫

犀角 苦參 蔞根 防風 石羔 小半

黃芩 大 木香 中 升麻 大 竹葉 廿枚 防已 少 姜

杉節湯 仁齊直指 風毒脚氣腫痛。心躁渴悶汗出氣喘或衝心者

杉節 橘皮 桂大 檳榔大 或加 童便

犀角升麻湯 本事 希拳 患鼻額間痛或麻痺不仁如是者數年忽口唇頬車髮際皆痛

犀角 升广大 防風 羌活 各中 白芷

黄芩 川芎 白附子 各小 甘艹ケ

三子湯 凡老人若於痰氣喘嗽胸滿懶食云々 一名三子養親湯

蘿蔔子 紫蘇子 白芥子 各中二

三消飲 温 此治疫之全劑以毒邪表裏分傳膜原

尚有餘結者主之

檳榔 厚朴 各小 白芍 智母 各中半 黄芩 中半

草菓 少 甘艹 大黄 葛根 羌活

柴胡 小半

截瘧飲 虛人久瘧不止大効

黄芪 大二 人參 白朮 茯苓 各中二 砂仁 中半

橘皮少 草菓 五味 烏梅 甘草少半
生姜 大棗

三和散
紫蘓 陳皮 大腹炙 沈香 羌活
木瓜 木香 白朮 檳榔 甘草
川芎 生姜 再加枳殻蘿蔔子皂角子

犀角地黄湯 異要 治主脉浮客脉芤相合血積胸中热之甚血在上焦此藥主之
犀角 黄芩炙 生芐 大黄 黄連炙

三和散 局 五臟不調三焦不和心腹痞悶脇肋痞悶䐜脹風氣壅滞肢節煩疼頭面虛浮手足微腫腸胃燥渋大便秘難雖年高氣弱並可服之又治背痛脇肋痛有妨飲食及脚氣上攻胸腹滿悶大便不通並宜服

柴胡散

柴胡 大二 白朮 枳実 鼈甲 当皈 各中
大黄 生姜 方有前

犀角升麻湯 本 正撿正希皁背患鼻額間痛或麻痹不仁如是者数年忽一日連口唇頰車髮際皆痛不開口雖言語飲食亦相妨左額與頰上常如糊急手觸之則痛予作足陽明经络受風毒傳入经络血凝滞而不行故有此症或者以排風續命透冰丹之類与之皆不効予製此湯贈之数日而愈

犀角散 楊 五疳骨热肢体瘦瘁日晡作热煩喝倦怠雖能飲食不生肌肉及傷寒後餘热不解盗汗不止
犀角 秦艽 人参 芎䓖 麦門 急
柴胡 地骨 皇 茯苓 枳実 鼈甲 各中 千
黄芪 中 桑白 大

細辛湯 聖 婦人中風腰背反折如角弓彎伏筋脉急痛
細辛 防風 白芷 當皈 殭蚕 各中一

羌活 升麻各三 大黄大 附子小 姜 棗

柴胡竜骨牡蛎湯

半夏中 大棗 柴胡上 人参 龍骨上

鉛丹少 桂支中 茯苓大 大黄上 牡蛎上 姜

幾

癸字丸之湯方 黴 毒結於膀胱並腎経者内作骨痛流

注上下抽掣時痛発塊百會委中湧泉等穴或陽物瀰

爛不止或陰嚢腫脹作潰或生濕脚[illegible]黴瘡或傳他経致生病

手膝 枸杞 山茱 五加 當皈

淫羊藿 各一 何首 破故紙 石斛

山茱 沢瀉 各二 蜀椒 小半

彊圉丸之湯方 全 黴毒結於小腸之経注朣人似辛内障或

不見或毒聚舌本作腫或十指惨痛無時或瘡生遍体内有不

結痂而腐爛不止者或傳他経致生別病兼服丸郎丁子湯方

人參 茯苓 柏子 当皈 生芐 各一

遠志 麦門 牡丹 黄連 甘艸 龍眼 一分

枳実薤白桂支湯 胸痺心中痞堅留風結胸中胸満脇

下逆氣搶心

厚朴 枳实 桂支 各大 薤实中 薤白三夊

枳殼散 本 五種積膈氣三焦痞塞不通呃吐痰逆口苦呑酸羸瘦少力短氣煩悶胸膈滿悶背膂引疼心腹膨脹脇肋刺痛食飲不下噎塞不通常服順氣寬中消痃癖積聚散驚憂恚氣宜服

枳实 三稜 陳皮 益智 莪朮

梹榔 桂支 各小 干姜 厚朴 青皮

木香 肉菓 各半 甘艸

胸中逆氣心痛徹背少氣不食主之方 十

前胡 大 人参 半夏 麦門 各中 芍薬

茯苓 各中 桂支 黄芩 當皈 各半 甘艸 少

大棗

膠艾湯 翼 男子傷絶或從高墮下傷五臟微者唾血甚者吐血及金瘡経内绝者並婦人產後崩中傷下血多虚喘

膠飴

欲死腹痛血不止者
艾葉 大 芍藥 芊 一 阿膠 各中 當皈
干姜 川芎 各小 甘草 少

羌活湯 聖
羌活湯白虎風痛甚如齧者
大防 大 羌活 防風 牛膝 秦艽
川芎 当皈 桃仁 附子 各中 姜

許仁則療麻之方 外
石葦 大 琥珀 茯苓 各重二 瞿麦 冬葵子 各中

枳殼煮散 本
急腰脚重滞兩股緊急兩脇牽痛四肢不能擧漸至脊膂
悲哀煩惱傷肝氣至兩脇骨疼筋脉緊

李急此藥大治脇痛
枳殼 細辛 各中 桔梗 防風 各大 葛根 大
川芎 甘草 生姜

已子九之湯方 徵
毒結於脾胃二経者外為小

塊肌肉注瀾蔓延或発大塊破塊大腿膿潰或手足生鵝掌
風癬或傳他经致生别病

茯苓 山茱 石斛 陳皮 各 蓍莶 中二
当皈 大 芍薬 牡丹 半 木香 桂支 甘 半

歸靈湯 楊梅不問新久但元氣虚弱者

川芎 當皈 芍薬 半下 薏苡仁
木瓜 防已 花粉 忍冬 白鮮
人参 各 甘艸 午膝 半 竒良 大 威靈 小半

歸脾湯 治脾经失血少寐発热盗汗思慮傷脾或健
忘怔忡驚悸或嗜卧少食或怯倦作痛大便不調或婦人
经候不順哺热瘰癧流不能消散

黄芪 中二 人参 中 白朮 大二 酸棗 大 茯苓 大
当皈 遠志 半各 甘艸 木香 少 竜眼
大棗 生姜

桔梗湯 外 胸中滿而振寒脉數咽乾不渴時出濁涶腥臭久久吐膿如粳米粥是之爲肺癰

桔梗 甘草 大

橘皮竹茹湯 主噦逆

橘皮 大四 竹茹 三ㇳ 人參 小 甘草 ㇱ 棗 姜

姜椒湯 外 胸中積聚痰飲々食減少胃氣不足咳逆吐哯

橘皮 大 半夏 中二 桂支 附子 茯苓 桔梗

山椒 各小 甘草 ㇱ 生姜汁

橘皮湯 肺热上氣咳息奔喘

橘皮 广黄 杏仁 各大 石羔 大 紫蘇 中二

柴胡 中 生姜

芎皈湯 易 產前後諸疾及難產催生崩漏胎動胎痛主之

当皈 芎藭 各仝 若眩暈者加芍藥 大

芎歸養栄湯 正 癧癧流注及一切不足之症不作濃或不潰或已潰不斂或身体発热悪寒肌肉消瘦飲食少思睡卧不寧自汗驚悸恍惚並皆治之

當皈 中 人参 黄芪 白朮 川芎 芍薬
地黄 中 牡丹 縮砂 条 茯苓 甘草
麦門 半 各中 五味 遠志 條 大棗 生姜

芎皈湯 梅花 一切瘀血有奇効能温血運血血道之妙薬
川芎 白朮 茯苓 各大 當皈 中 藿香 中
桂支 乾姜 莪朮 木香 条 甘草 半

芎黄湯 飲食之二日酔用赤頭下
荆芎 大 将軍 大

芎附散 本 五種脾腿並臂間発作不定此脾胃虚衛氣不温分肉為風寒濕所著
黄芪 川芎 附子 白朮 防風

当皈　芊　桂支　柴胡中　甘艹少

大枣　生姜

許叔微治十六般哮嗽方

黄明膠小　馬兜鈴大　甘草小　半夏

杏仁各中　人参小

右為末每服一大戔水一盞隨病有湯使煎至七分临睡食後服湯使于治◎心嗽面赤或汗流加干葛煎服　早喫晚飯◎肝嗽眼中泪出入烏梅一个糯米三四粒煎服◎脾嗽不思飲食或一兩時悪心入生姜三片煎◎胃嗽吐逆吐酸水入蚌粉煎◎膽嗽令人临睡用茱半銭茶清調下◎肺嗽上喘氣急入桑白皮煎◎腸嗽咳出痰如囬塊生姜自然汁調茱嚥下◎労嗽入秦艽末同煎◎冷嗽天曉甚葱白三寸入同煎矣◎血嗽連頓不住当皈末枣子同煎◎畧恭嗽滂唾裯入烏梅生姜煎◎産後嗽背甲疼痛甘艹三寸同煎◎氣嗽肚痛脹

滿入青皮去白同煎◎热嗽夜甚蜜一匕葱白同煎◎哮嗽声
如拽鋸入半夏三个同煎◎肾嗽時復三两声入黄芪白飴
糖煎◎上件十六般嗽疾依法煎服無不効鷂此方乃都下
一家專貨此菜活十餘口余因中宦厚賂銭物方始傳得
屢試有驗 本事第十卷

◎痢之病源内経難経金匱三書共無明文故後生紛々論難
依一按痢病源暑也日者非热寒湿是也夏後秋初受寒湿
而欝热滑欲出表時必変食味而飡生臭并生冷及冷麵等物
腸胃不味泄泻數十行而内虚故不出表及内寒湿结热在腸
胃為痢邪浅則色白形如臭胞然故昔賢用承氣湯下之〻〻
下邪也与傷寒同法雖下邪不用芩連青皮芫花類而用厚
朴以除湿用大黄去邪热疏滌腸内悪物用芒硝润燥是因良
法也然後世用芍菜湯凉剤弥閉湿热陽氣不振終為危症
至不救是皆病源不明也予製一方治之百発百中方举

万全之良方

逆挽湯 一二日徴熱泄瀉数十行而后带血裏急後重

蒼朮 一戋 肉桂 一戋 茯苓 八分 干姜 八分 枳殻 一戋五分

甘中 八分 生姜 一戋 人参 六分 素虚弱者倍之 從内裏故名之

右水煎温服 裡急後重甚兼肢痛者加檳榔木香倍干

姜必勿用芍薬若風痃多者加酒製炙芍薬倍桂支雖頭項

強痛必勿用白芷川芎藁本羌活防風等出于医方問餘

橘皮通氣湯 外十六 筋実拯則咳嗽則両脇下縮痛々甚

則不動轉

橘皮 大二 白朮 大 桂支 中 茯苓 當皈

石羔 各大 細辛 烏豆 各小

羌活散 準水痘 解熱散毒治風癰欲成痘瘡

羌活 獨活 芎 桔更 蝉退

前胡 柴胡 地骨 桔蔞 天麻

荆芥　防風各錢　甘草少半

玉華散　楊氏家藏方　咳嗽上喘調順肺经清利咽膈安和神氣

葶藶　馬兜鈴　貝母各半　桑白大　甘艹少

天門　百部根　半夏　紫菀　杏仁各小

百合　人参小　大棗

麹朮丸　本　脾元久虚不進飲食停飲脇痛

神麹　白朮　桂支　呉茱　川椒　干姜

玉竹飲子　痰火痰涎湧盛咳逆喘满

萎蕤　紫菀　貝母各三錢　茯苓錢　桔梗

橘皮錢半　甘艹錢　生姜

氣虚加人参三錢○虚火加肉桂半錢○客邪加細辛三分　香豉三錢

咽喉不利唾膿血加阿膠三錢　藕节半杯

姜黄散　婦良　治血藏久冷月水不調臍腹刺痛方

姜黄　芍薬各炙　当皈　红花各中　延胡索

桂支 各中半 牡丹小 川芎 莪朮 各小半

之

小柴胡湯　傷寒五六日中風往来寒熱胸脇苦滿默々不欲飲食心煩喜嘔或胸中煩不嘔或渴或腹中痛或脇下痞鞕或心下悸小便不利或不渴身有微熱或欬者

柴胡 大三　黄芩 大　半夏 中　人参 中半　甘草 少

大棗　生姜

小青龍湯　傷寒表未解心下有水氣乾嘔発熱而咳或渴或利或噎或小便不利小腹滿或喘者

麻黄 中三　芍薬 中　桂支　半夏 各大　細辛

干姜 各　五味 少　甘草 小半

小建中湯　傷寒陽脈濇陰脈弦法当腹中急痛先與之

芍薬 大三　桂支 大三　甘草 小半　棗　飴膠　生姜

小陥胸湯　小結胸正在心下按之則痛脈浮而滑者

半夏 大三　括蔞實 大　黄連 小

小承氣湯　温　傷寒温疫热邪傳裏但上焦痞满

大黄　大二　厚朴　枳実　各大

小半夏加茯苓湯　卒嘔吐心下痞膈間有水眩悸者

半夏　茯苓　大三　生姜　一匁

四逆湯　吐利汗出発热悪寒四肢拘急手足厥冷者

甘草　中二　干姜　附子　各大

梔子豉湯　傷寒発汗後水薬不入口為逆若更発汗必

下不止発汗吐下後虚煩不得眠若劇者反覆顛倒心中懊憹

梔子　大三　豆豉　十粒

梔子乾姜湯　傷寒医以丸薬大下之身热不去微煩者

梔子　干姜

梔子蘗皮湯　傷寒身黄発热者

梔子　黄伯　甘草

生姜瀉心湯　傷寒汗出觧之後胃中不和心下痞鞕

乾噫食臭脇下有水氣腹中雷鳴下利者
半夏 大三 黄芩 大 人参 干姜 黄連 各
甘艸 少 大棗 生姜 反

炙甘草湯 虚労不足汗出而悶脉結悸行動如常出百日
危急者十一日死〇肺痿涎唾多心中温々液々者
生艸 中 阿膠 少 麦門 中 广仁 半 人参 中半
桂支 一半 甘艸 中 大棗 生姜 三小

赤小豆當皈散 下血先血後便此近血也
赤豆 大三 當皈 大三

七氣湯 千 寒热憂労愁氣或飲食為膈氣或労氣内
傷五臓不調氣衰少力
半夏 桔梗 生艸 橘皮 各中或無 人参
干姜 桂支 芎藭 枳実 各小 甘艸 少
呉茱萸 各小 黄芩 少 桔或蜀椒 桂或厚朴

指迷七氣湯　七情所傷及飲食不節滿悶短氣方

半夏大三　桂支　甘草各中　人参小　姜

濟生方加呆七氣湯加玄胡　乳香大棗治心腹刺痛

不可忍時発時止発則欲死云云

瀉心湯　卒大下利热唇口燥嘔逆引飲

半夏大三　人参　栝蔞　橘皮　干姜各小

黄芩　黄連各少　甘草小

女麯散　痢後虚腫水腫者服此薬小便利浮止腫亦消

女麯大　附子　桂支各中　細辛　干姜各小　蜀椒小半

紫菀湯十　妊娠咳嗽不止胎不安　按婦人良方百合散治妊娠咳嗽心煩不欲飲食者以書百合加二天冬代麦冬[illegible]服

桑白大三　紫菀　天门各大　杏仁　桔梗各小

甘草少　竹茹

瀉肝湯　治眼赤膜々不見物息肉生方

柴胡　芍薬　竹葉各大　黄芩少　杏仁　沢瀉

決明　枳實　將軍　外广　梔子

○心氣不足肢背引痛圭之方

茯神　黄芩　遠志　生芐　麦門各中

石羔　半夏　附子　桂支　甘艹各小

阿膠小　飴糖　大棗　生姜

深师阿膠湯外　虚労小便利而多有人虚労服散又虚热盛当

風取冷患脚氣喜発動兼小便利脉細弱服此方利即減矣

阿膠中　广仁　附子各中　遠志大　干姜大

人参小　甘草小半

深师酸棗湯　虚労不得眠煩不可寧者

酸棗大　知母　茯苓各大　川芎中　甘中小　姜

深师芍薬湯　中毒風腫心肢痛達背迫氣前後如疰痛

芍薬　桂支　当皈　梔仁　甘艹各中

细辛　地黄　呉茱　独活　乾姜

深师石羔湯　傷寒嗌病已七八日三焦熱其脉滑数昏
潰身熱体壮热沈重拘挛或時吘呻而已攻内䏏猶沈重拘挛
由表未解今直用解毒湯則挛急不差直用汗薬則毒因加
劇而方無表裏療者意思以三黄湯以救其内有所増加
以解其外故名石羔湯
石羔大　广黄中二　黄連　黄蘗　黄芩
梔子各小　豆豉二合

深師黄連湯　赤白下利者
猫皮大三　黄芩大　阿膠中　黄連　黄伯
当皈　乾姜　甘草各

小品射干湯　春冬傷寒、秋夏中冷咳嗽曲拘不得氣
息喉鳴嗌声失声乾嗽無嗌喉中硬者
半夏大三　广黄中　射干　杏仁　干姜
甘草　紫菀　桂支　當皈　橋皮

獨活　呉茱萸　各小

始病一二日者可此湯汗後重服勿汗也病久者初服可用大黄、二両初秋夏月暴雨冷及天行暴寒、熱伏于内宜生姜四両代干姜除呉茱萸用枳実二両

小品當飯湯　心肞絞痛諸虚冷氣満

當飯　乾姜　桂支　人参　甘草各中

黄芪　芍茱　厚朴　蜀椒　半夏

附子各小

小品竜骨湯　夢失精諸脉浮動心悸少急隠処寒、目眶疼頭髪脱者常七日許一剤至良

芍茱大二　白薇大　附子　牡蛎各中　竜骨小

甘中　桂中　大棗、姜　本方有桂心白薇附子

○方後云虚羸浮熱汗出者除桂心加白薇三分炮故曰

二加竜骨湯

小鼈甲湯　身体虚脹如微腫胸心痞満有氣壮熱

少肞厚重両脚弱者

小風引湯　中風両脚疼痛弱者或治不仁行不能者

石斛大　防風　独活　人参　茯苓

附子　干姜　当皈　烏豆中　甘艸ッ

主痓冒葛根湯　妊娠臨月因発風痓忽悶憒不識人

吐逆眩倒小醒復発名子癇病　未臨月去貝母加升麻

葛根　貝母　防已　防風　當皈

川芎　牡丹　桂支　茯苓　沢瀉

人参　甘艸各ヾ　石羔小半　独活

集驗療齒痛方

当皈　川芎　苓各大　葶藶中　独　丁香各ヾ

上氣咳嗽呃逆不下食氣上主之方　外臺秘効方

橘　紫菀　人参　苓　柴　杏人各中

消喝舌乾口苦主之方　外

茅根大ヾ　麦門　小麦　蔞根各大　烏梅ッ　竹葉

上焦热膈吐血衂血或下血連日不止欲绝並主之方 千金方
艾葉大二 阿膠大 乾姜小 竹茹四合
秦艽扶羸湯 聖 肺痿骨蒸已成労嗽或寒或热声
唖不出体虚自汗四肢怠惰
柴胡中二 地骨中 秦艽 当皈 紫菀
人参 半夏 鼈甲各小 甘草 烏梅各少
大棗 生姜
紫蘇煮散 聖 膜外水氣覚热 本白术加甘草
紫蘇 桑白大二 防風 白术各大
四物湯 弓 調益栄衛滋養氣血治衝任虚損月水不調
臍腹疞痛崩中漏下血瘕塊硬発嗚疼痛妊娠宿冷将理
失宜胎動不安血下不止及産後乗虚風寒内搏悪露不
止结生瘕聚少腹堅痛時作寒热
当皈 川芎 芍薬 地黄各中二

四七湯 丙 七情之氣結成痰涎狀如破絮或如梅核在咽喉之間喘咯不出嚥不下此七氣所成也或中脘痞滿氣不舒快或痰涎而壅盛上氣喘急或因痰飲中節嘔逆惡心 出易簡方

半夏 茯苓 紫蘇 各中二 厚朴 大

四君子湯 榮衛氣虛藏府怯弱心腹脹滿全不思食腸鳴泄瀉嘔噦吐逆大宜服之

白朮 茯苓 各中二 人参 中 甘草 少

四柱散 丈夫元氣虛真陽耗散兩耳常鳴臍腹冷痛頭旋目暈四肢怠倦小便滑數泄瀉不止

人参 附子 木香 茯苓 灸 大棗 生姜

真人養臟湯 大人小兒腸胃虛弱冷熱不調藏腑受寒下利赤白或便膿血如魚腦裏急後重臍腹疞痛日夜無度胸膈痞悶脇肋脹滿全不思飲食及治脫肛墜下酒毒便血諸葉不効

罌粟 大三 芍藥 大 木香 訶子 中 桂支

生甘 各半 當皈 人参 白朮 肉豆 小半

藏寒加附子 小

参蘓飲 局 感冒発热頭疼或因痰飲凝節兼以為热並宜服
若因感冒発热亦如服艱冒湯法以被蓋臥連進數服微汗即
愈尚有餘热更宜徐々服之自然平治因痰飲発热但連日頻
進此薬以热退為期不可預止雖有前胡乾葛但能解肌耳
既有枳殻橘紅輩自能寛中快膈不致脾傷兼大觧治中
暁痞満呕逆悪心開胃進食無以踰此以性涼為凝壹功発热
皆能取効不必拘其所因也小児室女亦宜服之

陳皮 枳実 桔梗 甘草 木香 各小

半夏 紫蘓 乾葛 前胡 人参

茯苓 各中 大棗 生姜

消風百解散 局 四時傷寒頭疼項強壮热悪寒身体
煩疼四肢倦怠行歩喘乏及寒壅咳嗽鼻塞声重涕唾

稠黏痰涎壅盛氣急喘悶並宜服之

荆芥二 陳皮 蒼术大 广黄 白芷

烏梅 甘草少 生姜

逍遥散 血虛勞倦五心煩热肢体疼痛頭目昏重心忪頰

赤口燥咽乾發热盗汗减食嗜卧及血热相搏月水不調

臍腹脹痛寒热如瘧又治室女血弱陰虛榮衛不和痰

飲潮热肌体羸瘦漸成骨蒸

當皈 芍藥 茯苓 白术 柴胡大

甘草少 生姜 一方有薄荷

小烏沈湯 調中快氣治心腹刺痛

烏藥二 香附子二 甘草少

惺惺散 小児風热瘡疹傷寒時氣頭痛壯热目澁多睡

咳嗽喘麁鼻塞清涕

人参 甘草 细辛 蔞根 茯苓

白术　桔梗　各大　姜

参苓白术散　脾胃虛弱飲食不進多困少力中滿

痞噎心忪氣喘呕吐泄瀉及傷寒咳嗽此藥中和不熱久服

養氣育神醒脾悅色順正辟邪

人參　白术　茯苓　山薬　甘草　各大

連肉　扁豆　桔梗　薏苡各中　砂仁少　棗

実脾飲　本　脾元虛浮腫

大腹　木瓜　附子大　乾姜小　草菓　甘少

紫蘓飲　妊娠胎氣不和懐胎近上脹滿疼謂之子懸

兼臨産驚恐氣結連日不産

紫蘓大　大腹中　人參少　川芎　陳皮

芍薬小　當皈　甘草各少　生姜

秦艽鼈甲散　濟生　骨蒸壯熱肌肉消瘦唇紅頰赤氣

麁四肢困倦夜有盗汗者

柴胡　地骨各大　青蒿　鼈甲各中　秦艽

當皈　智母各小　烏梅少

思仙續斷円　肝腎風虚氣弱脚膝不可踐地腰脊疼痛風毒流注下經行步艱難小便餘瀝此薬補五藏内傷調中益精凉血堅强筋骨益智輕身耐老

思仙木即杜仲中二　芊　萆觧　防風　牛膝

續断　羌活　薏苡　五加　木瓜中二

秦艽蒼术湯回南室　痔疾若破謂之痔漏大便秘澁必作大痛此由風熱乘食飽不通氣逼大腸而作也

秦艽　桃人　皂子　蒼术　防風

當皈　沢瀉　大黄各小　梹榔　黄栢

参苓白术散回雲林　氣虚泄瀉者飲食入胃即瀉水穀不化脉微弱是也

人参　白术　茯苓　縮砂　山薬

陳皮　干姜　蓮肉　訶子　肉菓
甘草各小　檳榔中半　一本檳榔代藿香
本方用生姜燈心　泻甚不止加炒蒼术烏梅匙形
滋腎明目湯　労神腎虚血少眼痛昏暗
当皈　川芎　芍薬　地黄　熟芐各中
桔梗　人参　山梔　黄連　白芷
蔓荊　菊花　甘艹各小　灯心　建茶各下
热甚加竜胆柴胡〇腎虚加黄柏知母〇風热加蔓荊防
風荊芥〇紅腫加黄連黄芩

瘧久赤濁
青且虚火
也
治瘧久虚
火患赤濁

滋陰降火湯回　陰虚火動発热咳嗽吐痰喘息盗汗口乾与六
味地黄丸相兼服之大補虚労神功
当皈　芍薬　知母　黄柏　甘艹各小
麦門　天門　芐　白术各大　陳皮
生芐各中　本方有姜棗

淨府湯 小児一切癖塊発热口乾小便赤或泝者
柴胡 茯苓 猪苓 沢泻 莪述
三稜 山査 小各 甘艸 人参 黄芩
白术 半夏 除 胡連 大棗 生姜
消疳飲 済生 小児疳疾身热面黄肚大青筋痩弱者
白术 ○ 茯苓 神麹 青皮 各中 人参 小
黄連 胡連 縮砂 甘草 小半 ○
食傷加山査子 ○ 有虫加使君子
十全大補湯 局方 虚労諸虚不足五労七傷不進飲食咳
嗽喘急盜汗潮热等証 局方載主治甚祥
黄芪 大 當皈 川芎 芐 芍药 棗
白术 茯苓 桂支 各中 人参 小 甘艸 姜
七氣消聚散 準 因積氣聚氣相攻或痛或脹者初用
七氣消聚散日久元気虚脾胃弱而脹者参朮建脾湯 少佐消導薬

香附　厚朴　橘皮炙　莪朮　三稜

青皮　枳実　木香　砂仁各　甘草少　姜

外陽散火湯六書　傷寒叉手冒胸尋衣摸床譫語

昏沈不醒人事俗医不識見病便呼為風痉而因與風薬

誤人者多矣殊不知肝热乘於肺金元気虚不能主持名曰

撮空證小便利者可治小便不利者不可治

人参　当皈　柴胡　芍薬　黄芩

白朮　麦门　陳皮　茯苓各　甘草少

大枣　生姜

入金首飾煎之热服有痰者加姜汁炒半夏大便燥実譫

語発渇加将泄瀉者加外麻炒白朮

瀉心導赤散　傷寒六書心下不痛腹中不滿大小便如常身

無寒热漸変神昏不語或睡中独語一二句目赤神焦

舌乾不飲水六書稀粥与之則嚥不与則不思形如醉人医者不

識便呼為死証若以針灸誤人者多殊不知热邪傳入少陰心經也因水而火上而逼肺所以神昏故名越經証 六書名導赤各半湯

生芐 中　黄連　黄芩　甘艹　犀角

滑石　麦门　山梔　茯苓　知母

人参 各小　大枣　生姜　燈心

瀉白散 機上　肺癰圖

热作喝宜用觧毒散解之而後用此剂其或喘急咳嗽宜発散表邪
補肺初起胸膈脹滿喘急咳嗽宜発散表邪

按此方乃浮肺邪消毒之剂也若喘咳唾痰沫肺脉浮数者即有効如脉大発唾膿乃脉弱安宜

桑白 各三　蔞実 大　紫菀　桔梗　貝母

當皈　地骨 各小　甘艹 少　生姜

浮白消毒散 準　痘疹発热之初多似傷寒者

桑白 各三　地骨　浮萍 各大　荆芥 各三　桔梗

牛房 小　甘艹 少

十珍散 續易　大病之後气不復常之力短氣神精不

樂口舌無味者

黄芪　人参　白朮　茯苓　桔梗

縮砂　山薬　扁豆 各中　五味　甘艸 小半

大棗　生姜 入

正氣天香湯 婦人一切諸氣作痛或上湊心胸或攻築脇肋腹中結塊発渇刺痛月水因之而不調或眩暈嘔吐往来寒热無間胎前産後一切氣候並皆治之

香附 大　烏薬　紫蘇 各大　橘皮　干姜 各小

紫苑散 虚労咳嗽見膿血肺痿変癰

紫苑　知母 中　貝母 銖　人参 小　桔梗 中

茯苓 銖　阿膠 小　甘艸 小　五味 各十粒　生姜

参附養栄湯 温 疫邪留於心胸令人痞満下之痞応去今反痞者虚也若更用行氣破氣之薬轉成壊症

人参　附子　當帰　地黄　芍　干姜 各大

消毒飲 徽 便毒草生腫硬大作痛

當皈 將 黒丑 強蚕 甘各大 貝母中

芎菜湯 温 疫後無論已見積未見積

厚朴 芎 當皈各大 檳榔中 甘少 姜

七成湯 疫後脉遅細而弱每到黎明或夜半後便

作泄瀉此命門真陽不足宜此方

破故紙大 附中 人参 茯 五味 甘各少

四烏散 医 血中氣滞少腹急痛

當皈 川芎 生芐 芍茱 莎中

烏薬 甘中各小

四烏加木香莪朮砂仁湯 医 徑行將來小腹先痛乃血滯者加莪朮桃仁

〃即前方中加木香莪朮砂人各小

赤小豆湯 濟生 年少氣血俱热遂生瘡疥变為腫滿或渴

或煩小便不利

安豆　当皈　商陸　沢瀉　連尭
芍薬　防巳　猪苓　桑白各中　生姜
热甚者加犀角大　本方有沢瀉
消風散正　風湿浸淫血脉致生瘡疥搔痒不絶及大人
小児風热癮疹遍身雲片斑点乍有乍無並効
荆芥　蝉退各大　当皈　生芐　防風
知母　苦参　胡广　蒼朮　午房
石羔　木通　甘中ッ
十全流氣飲　憂欝傷肝思慮傷脾氣不行逆於肉裏乃
生気瘻瘤皮色不変日久漸大宜服此薬
青皮　甘中　香附子各小　當皈
川芎　芍薬　茯苓　陳皮　烏薬各大
木香　大棗　生姜
参芪内托散　痘風瘙痒痛及大便頻者

人參　黄芪　當歸　川芎　防風
厚朴　桔梗各中　白芷　紫蘇　桂支各
木香　粂　糯米大

升广葛根湯　治　傷寒頭痛時疫增寒壯热肢体痛悪寒、鼻乾不得眠兼治寒暄不時人多病疫乍晩脱衣被瘡疹已発未発疑似之間宜服

升广　葛根各大　芍药中　甘艹少　生姜

參香散　幼集　小児胃虚作吐諸药不止
人參　沈香　丁香　藿香　木香各等分

鷓胡柔湯　和方　小児虫積
鷓胡菜大三　大黄大　甘草少

四物芎蘇湯　家方　上衝甚加擲木皮大三　天麻中二
芎蘇各　帰　川芎　芍药　地黄各中

咽痛加桔梗中　辛荑小　腰以下痛加杜仲牛膝各中　便澁加奇良大

七疝散 家方

桂支 木通 烏薬 梔仁 延胡

牡丹 黒丑 或加大黄 名八味疝気方 腰痛加莪述

梔子五味湯 外 又依前方黄等五味湯服之取汗出

後未歇经三五日又合梔子五味子湯以取利方

茵蔯 柴胡 黄芩 梔子 芒硝

或加生芐 犀角

養氣粮栄湯 温 下証以邪未尽不得已而数下之間有両

日加滋舌及枯乾津不到咽唇口燥裂緣其人所稟陽臓素多

火而陰虧今重亡津液宜清燥養栄湯若熱渴未除裏証仍在

宜此湯

知母 當皈 芍薬 生地 大黄

枳実 厚朴 生姜

除熱清肺湯 医 麻疹尽透而壮熱咳嗽大便秘結

玄參　石羔　地黄　芍藥　貝母

葛根　麦門各大　甘草少

舒筋湯　辛　風湿相搏身体煩重背項拘急

当皈　芍藥　羌活　姜黄　白朮

海桐各大　甘草少　大棗　生姜

治発黄身面尽黄如金色小便如膿者蘗汁衆医不能療者千

茵蔯　梔子各大　黄芩　大黄　柴胡

升麻　竜胆小

撥广煎　千

升广　射干　柏葉　生地　生蘆根

薔薇根各中　大青中上　玄參小　竹葉　莪

止嗽散

百部　紫菀　橘皮各中上　桔梗大上　甘草少

治脾胃俱虚苦饑寒痛方

人参　當皈　桂支　茯苓　桔梗
川芎各中　厚朴　橘皮　呉茱各小　白朮
麦牙中　甘草
常山飲　錦嚢　瘧初起不宜禁々則邪氣未尽変生他症瘧
久不已者用此湯截之
常山燒酒炒多　草菓煨　檳榔　知母各多　貝母多下
烏梅二枚　姜三片　棗二枚
半水半酒煎露一宿日未出時面東空心温服渣酒煎将発
時服　一方有穿山甲二戔
熟乾地黄散　聖恵　産後崩中頭目旋暈神思昏迷四肢煩
乱不知人事者
乾节　白朮各中　當皈　川芎　人参各中
黄芪　艾葉各大　阿膠小半　甘中小　伏龍肝中半
赤石指小　姜

神應養真丹 正 風寒暑湿襲於経絡三陽部分以致血脉不能栄運肌膚虚痒発生眉髪脱落皮膚光亮者

當皈　川芎　芍薬　地黄　天麻

木瓜 各中　羗活 大　兎絲子 小

紫菀茸湯 正 膏亮厚味飲食過度或煎炒法酒致傷肺氣咳嗽咽乾吐痰唾血喘急脇痛不得安卧者主之

紫菀茸　甘草　蒲黄 各中　阿膠　百合 中半

桑葉 各亖　款冬 各亖　半夏　人参　杏仁

貝母　犀角 小　生姜

十味芎藭散 澹寮 四時傷寒発熱頭痛

紫藭 各亖　川芎　乾葛　桔梗　柴胡

甘草　陳皮 各中　茯苓　半夏 小　枳実 中半

大棗 亖　生姜

生地黄湯 類扁

生芈　乾漆　藍葉　大黄　梔人

紅花　鮫尾　生藕汁　無以大小薊代之

小鼈甲湯　症詳在前

鼈甲　桂支　杏仁　升麻　黄芩

羚羊角　前胡　麻黄大　烏梅　薤白

茗幹強壯須利者加大黄

小品葛根湯　外療妊娠臨月因発風痓忽悶憒不識

人事吐逆眩倒小醒発名子癇

貝母　葛根　丹皮　防風　當皈

川芎　桂支　茯苓　沢瀉　独活

石羔　人参余　甘草少　防巳

比

檳榔散 千 脾寒飲食不消勞倦氣脹噫滿憂志不樂者

檳榔 中 白朮 茯苓 神麹 厚朴

麦芽 呉茱 各中 人參

檳榔湯 肝虚寒脇下痛脹満氣急目昏濁視物不明

檳榔 大 白朮 茯苓 桂支 附子

橘皮 呉茱 桔梗 各中 生姜

檳榔湯 外 胸中痰飲腹中水鳴食不消化吐水

檳榔 大 白朮 茯苓 半夏 橘皮

杏人 各中 生姜

檳榔湯 心頭冷硬結痛下氣

檳榔 中 木香 枳実 橘皮 各大 大黄

甘草 中 各小 生姜

檳蘇散 唐詩中 若脚氣攻心此方甚散腫氣極驗方

檳榔　紫蘇各二 木瓜　呉茱各小 橘皮　姜

必効療痃癖氣壯熱兼咳久為骨蒸驗方

柴胡大三　白朮　茯苓　枳実各大　大黄

枇杷葉湯木　久嗽略血成肺痿多吐白味胸脇悶不食

枇杷　扁豆各大　茅根中三　人参　白朮

半夏　檳榔各小

檳苓順氣湯温　下利頻數裏急後重兼舌胎黄渇疫裏証者

檳榔　芍薬　枳実　大黄各大　厚朴大三　姜

秘傳降氣湯正　氣壅耳聾大有神効

桑白　枳実　柴胡　橘皮　甘草各小

五加　地骨　桔梗　訶子　半夏

草菓　骨砕各小半　姜

萆薢湯正　結毒筋骨疼痛頭脹欲破及已潰腐爛並効

萆薢大二　防風　何首　亀板各中　當皈

白芷　威靈　蒼术　胡麻　石菖

黄伯中半　苦参ゝ　羗活　蜀椒　紅花

甘草氣半

必勝散痧　痧有因於血実者此方主之

紅花　桃仁　大黄　貝母　芍藥

山査　五靈　青皮氣　莎艸半

甘中毛

木防已湯　支飲其人喘滿心下痞堅面色黎黑其脉沈緊得
之數十日医吐下之不愈
防已　人參　石羔各中三　桂支大
木防已加茯苓芒硝湯　服前方不愈者
防已大　參　羔中　茯中三　桂中　芒硝
木茱湯千　若毒氣攻心手足脉絶此亦難濟不得已作此湯
十愈七八方○千金云治脚氣入腹困悶欲死腹脹茱萸湯
吴茱萸　木瓜各壹　○又方加青木香犀角
木香流氣飲正　流注瘰癧及背結為腫或血氣凝滞遍身
走注作痛或心胸痞滿悶噎咽不利脇腹膨脹吧吐不食
上痛上氣喘息咳嗽痰盛或四肢面目浮腫者並皆治之
陳皮　甘艸　厚朴　紫蘓　青皮
莎艸　通艸　大腹　丁香皮　檳榔

桂支　肉菓　莪朮　藿香　木香
木瓜　人参　白朮　麦門　菖蒲
茯苓　白芷　半夏（各等分）大棗（二）生姜
目洗茶（外）　風眼及眼赤痛
黄連　秦皮　前胡（各大）
門冬清肺湯　準　麻疹咳甚氣喘連声不往甚至飲食
湯水俱嗆出者此熱毒乘肺然也
款冬（大）　桑白　地骨　桔梗　甘草（各大）
馬兜　知母（中）　天門　杏人（中）　手房（各中）
麦門（各大）　貝母（小）
木香分氣円料（局）　一切氣連心胸滿悶脹脹虛服飲食不
消乾呕逆吐胸膈痞滿上氣咳嗽冷痰氣不升降
木香（小）　甘松（小）　橘皮（小）　香附子（大）　莪朮（大）
甘草（中）

世

旋覆花代赭石湯　傷寒、発汗若吐若下解後心下痞硬噫
氣不除者主之
旋覆 大三　半夏 大二　人参 中　代赭 小　甘 ナ少
大棗 々　生姜

石羔湯 千　脚氣風毒热氣上衝頭面々赤矜急鼻塞去来
時々令人昏憒心胸恍惚或若驚悸身体戦悼手足緩縦或酸
痺頭目眩重眼及鼻辛热氣出口中患味甜諸悪不可名狀者
石羔　羚羊　竜且　升麻　芍薬
貝子　黄芩　鼈甲　甘艸 炙　橘皮　皈 炙

西州小續命湯　中風痱身体不知自収口不能言冒味不識
人拘急背痛不得轉側
广黄 中二　桂支　石羔 炙　当皈　川芎
杏仁　黄芩 炙小　乾姜 小　甘 中

旋覆花湯 千 脚氣両脛腫満或行起屈外淡弱或上入小腹不仁或時冷热小便秘渋喘息氣衝喉氣急欲死食呕不下氣上逆者其候也。脚氣之病先起嶺南稍来江東得之無漸

旋覆 紫蘓 各三 犀角 大 橘皮 茯苓 各中

豆豉 三粒 大枣 生姜 甘中

旋覆飲子 外 崔氏 脚氣瘴痺不仁両脚緩弱脚腫無力重者少腹氣満胸中痞塞見食即呕或両手大拇指不遂或両脚大拇指不遂或小便渋茀一療氣満呕逆不下食即犀角旋覆花湯

玄犀角方後云小渋者加桒白皮 楓亭先生称云主治之症候多与前方之主治而降気止呕目的也

前胡牡丹湯 婦人盛実有热在腹月経瘀閉不通乃労热々則病後或因月経未淂热不通

旋覆 大 前胡 牡丹 蔞根 玄参

桃人 黄芩 射干 芍薬 茯苓

枳実 大黄 甘中少

前胡浮肝除热湯 外十六 肝労虚热両目為赤渋塞不開煩悶宛轉热氣胸裏炎々方

大青 大 前胡 細辛 梔子 黄芩
秦皮 各小 石羔 中 乾薑 車前 決明 各小
竹葉 須利加芒硝

前胡湯 外 天行壮热咳嗽頭痛心悶

前胡 升广 貝母 紫苑 石羔
杏仁 麦冬 各中 甘中 少 竹葉

前胡枳実湯 外 冷热久澼実不能下虚満如水状 集驗

前胡 茯苓 各大 半夏 白朮 各中 桂心
枳実 各小 甘中 少 生薑

千金舌上瘡不得食舌本強頭両邉痛主之方

大青 通中 各大 柴胡 芍薬 升广
梔子 各中 黄芩 杏人 石羔 生薑

千金療下熱虚熱注脾胃從脾注肺肺好唱利方

小麦　地骨　栝蔞　竹葉各大　麦門

千金茯苓各中　甘艹少　大棗　生姜

千金當皈湯　留飲宿食不消腰中積聚轉下

当皈　人参　桂支　芍茱　甘艹

芒硝各　将軍大　黄芩　沢瀉各中　姜

千金广黄湯外　悪風毒氣脚弱無力頑痹四肢不仁失音

不能言毒氣衝心有人病者但相当即服此湯

广黄　防風　当皈　川芎　芍茱

升广　白朮　桂支　茯苓　杏人

麦門　黄芩小各　甘艹少　姜　大棗

千金療房損傷中尿血方

牡蛎　車前　桂支　黄芩

千金療膀胱石水四支瘦腹腫方

桑白大三　烏豆大三　射干　沢瀉　茯苓

白术　犀角　苓各中　防已　本方有沢漆無犀角

千金翼小便不禁日便一二斗或如血色者

麦門　乾地　蒺莉　桂心　續断

甘艸　干姜

旋覆花湯　聖　支飲胸満膈実痞呼吸短氣

旋覆　桑白各大三　桔梗　柴胡　枳実

檳榔　鼈甲　大黄小　甘艸少　生姜

省風湯　弓　卒急中風口噤全不能言口眼喎斜筋脉牽急

䄂制衣疼痛風盛痰実旋暈僵倒頭目眩重胸膈煩満左癱

右瘓手足麻痺骨節煩疼步履難辛悦惚不定神志

昏憒症一切風証可預服之

防風　南星大　半夏　黄芩中　甘艸少

生姜

清心蓮子飲　弓　心中蓄積時常煩躁因而思慮勞力憂愁抑鬱是致小便赤濁或有沙膜夜夢遺精遺泄遺瀝澁痛便赤如血或因酒色過度上盛下虛心火上炎肺金受尅口苦咽乾燥漸成消渴睡卧不安四肢倦怠男子五淋婦人帶下赤白及病後氣不收斂陽浮於外五心煩熱此藥性溫平不冷不熱常服清心養神秘精補虛滋潤腸胃調順氣血

黄芪　麦门　蓮肉　黄芩　茯苓

人参各一　車前　地骨皮　甘草少　或加知母黄柏

清心蓮子飲　正　便毒下疳壬之弓方同只去車前加沢瀉

正脾散　楊氏　大病之後脾氣虛弱中滿腹脹四肢虛浮狀如水氣此藥主之　本方有附子無茴香茴香恐誤也

莪朮　茴香　陳皮各二　甘草少

仙方活命湯　袖珍　一切癰疽疔不問陰陽虛実善悪腫潰大痛或不痛然当於服未潰之先与初潰之後毒已潰膿不

防風　石羔　白朮　川芎　當皈　忍大三
羚羊　黄芩各小　麻大　陳　没　靶　貝　生各小

摂生飲　四　一切卒中不論中風中寒中暑中湿及痰結氣
厥之類不省人事初作即用此方無熱者用此方一
半夏大　蒼朮　石菖各中　南星　木香
細辛各小　甘中少　生姜　一方加竹瀝蒼朮代白朮

川芎茶調散　諸風上攻頭目昏沈偏正頭痛鼻塞声重傷
風壮熱肢体酸疼肌肉蠕動膈熱痰盛婦人血風攻疰大腸穴
痛但是外感風氣並効
川芎小　薄荷大　前胡　荊芥　羌活小
白芷　防風半　甘中中　香附子大

清涼散　一切実火咽喉腫痛
梔子　連翹　黄芩　防風　枳実
黄連　当皈　生芐　甘中　桔更

薄荷　白芷稍　加山豆根　射干根稍　天花粉大三

清湿化痰湯　壽　遍身四肢骨節走注疼痛牽引胸背亦作寒热喘咳煩悶或作腫塊痛難轉側或四肢麻痺不仁或背心一点如氷冷脉沈滑乃是湿痰流注经絡関節不利

南星　半夏　陳皮　茯苓　羌活

蒼朮　苓各　白芷　白芥中　甘少

竹茹　生姜

清热勝湿湯　腰膝湿热作痛者主之

蒼朮　沢泻　木瓜　羌活　陳皮

芍薬　杜仲　牛膝　威霊　黄柏

甘草　生姜

川芎散　準　頭風偏正頭痛昏眩者主之

荆芥　薄荷　菊花　茵蔯各大　防风

槐花条　川芎　莎少　石羔　细辛

羌活　甘草各半

清解湯　準一功感冒

荊芥　蒼朮　广黄錢　甘艸ッ　生姜

清陽湯　口喝煩願急緊冒中火盛心汗不止而小便数也

葛根　當皈　升广　黄芪各中　甘艸

藿朮　生甘　紅花各　桂支一作連　黄柏各小半

清神散　氣壅頭目不清耳常重聽

甘菊　姜蚕　荊芥　川芎　防風

甘艸　石菖　木通　羌活　木香

清解散　治同消風百解散

防風　荊芥　蟬退　桔梗　芎藭

前胡　乾葛　升广　紫艸　木通

牛房　連尭　山査　甘艸　黄連

黄芩各　姜

清魂散　續易　産後血暈不省人事

沢蘭　荊芥　川芎　人參　甘草

清热消毒飲　癰疽陽症腫痛発热作渴者主之

忍冬　川芎　芍薬　當皈　地黄

山梔　連翹　黄連　甘草

宜明升麻湯　热痺兼治諸風

升广　茯苓　人參　防風　羌活

桂支　羚羊　犀角　竹瀝　生姜

銭氏白木散　方考　吐瀉発热咽乾口渇

葛根　人參　白木　茯苓　藿香

木香　甘草　姜

清暑益氣湯　辨　長夏湿热蒸人人感之四肢困倦精神短

少懶動作胸滿氣促肢節疼痛或氣高而喘身热而煩心

下膨悶小便黄而数大便溏而頻或利或渇不思飲食自汗体虚

人参　白术　陳皮　黄芪　蒼术
升麻　沢瀉　神麹　當歸　青皮
乾薑　黄柏　甘草 三分　五味　麦門

生脉散　滋生精氣培養真元補心潤肺
麦門　人参 各三匁　五呆

清燥養栄湯 温　疫邪愈後調之則剤投之不當莫如静
養節飲食為第一此宜之方専治陰枯血燥者
當歸　芍薬　生地　知母　蔞根
橘皮 各八　甘草 少　灯心

清热透肌湯 医　麻疹未透热甚而咳
葛根 大　荊芥 中　玄参　石羔　防風
前胡　杏人　牛房 等分　甘草 少

清胃散　胃経有热牙齦作腫出血不止者主之又胃経積
热牙歯或牙根腫痛或牽引頭脳作痛或面热耳紅皆治之

當皈　生芐　牡丹皮　黃連　升麻 各小

痛甚者加石羔○細辛○黃芩大黃 ○本方加巵子二味名梔中散治目

清肝解欝湯　一切憂欝氣滯乳結腫硬不痛不痒久

漸作痛或脇膈不利肢体倦怠面色痿黃飲食減少者主之

陳皮　當皈　川芎　芍藥　生芐 各中半

苡屮 炙　青皮　遠志　茯苓　貝母 半　夏 小

紫蘇　桔梗　甘屮　梔子　木通 各小半　姜

清地退火湯 保　治痘不退熱而出名為火裡苗急用此方

以退其熱則後無青黑乾陥之患

地骨　地膚　干姜 炙　牛房　紫蘓

連翹　當皈　木通　蟬退 半炙　柴胡 中

猩々散　頭痛壯熱喘急此攻毒散熱之剤

薄荷　人参　白朮　茯苓　桔梗

甘屮　細辛　川芎　大棗　生姜

清肺飲　痘氣热鼻中乾燥皮毛枯槁咳嗽瘡色焦紫
麦门　桔梗　荊芥　知母　花粉
菖蒲　訶子 各小

清脾飲 回　痺瘧発時热多寒少口苦咽乾大小便赤澁者凡
白朮　茯苓　柴胡　半夏　厚朴
青皮　黄芩 小　草菓　甘艸 各少　生姜

清凉攻毒飲 救扁　痘瘡大热如火紫艶深紅煩喝顛狂者方
石羔 中　蓮茶　生芐　将軍　木通
紅花　荊芥　犀角　牡丹　青皮
牛房 小各　黄連 少　灯心　本書云郎瀉黄散

生犀飲 弓　小兒骨蒸肌瘦頬赤口乾日晩漸热夜有盜汗
五心煩热四肢困倦飲食雖多不生肌肉及大病差後餘毒不
解或傷寒病後因食羊肉体热不徐者並宜服之〔標註〕此方欠生犀考諸書未祥
地骨　黄芪　桑白　青蒿 各中　人参

鼈甲　羚羊　芍薬中半　秦艽　柴胡

大黄　麦門冬各小　枳実　茯苓各小半

〇楊氏家藏方犀角散同之無青蒿大黄瘦瘁日晡作熱煩喝倦怠虽能飲食不生肌肉及傷寒後余熱未除解盜汗不止者

〇楊氏家藏方犀角散同之無青蒿大黄羚羊角有犀角十二味治五痏骨蒸瘦瘁日晡作熱煩喝倦怠虽能飲食方同前

千金翼療黄疸之為病日晡所発熱悪寒小腹急体黄額黒大便黒溏泄足下熱此為女労也腹滿者難療方　外

滑石　石羔各五両

旃蒙九之湯方　徽　毒結於肝膽内作筋骨攻走胸助上至頭不至足不能行或頸項發瑰或破爛上下或傳他経

当皈大三　紅花　石斛　杓杞各大　川芎

牡丹各半　芍薬小　柴胡　竜胆　蓮肉各少

旋覆半夏湯　心腹中脘痰水冷気心下汪洋嘈雜腸鳴多眊口中清水自出脇助急脹痛不欲飲食此皆胃気虚

冷所致其脉沈弦細遲

旋覆大　細辛小　茯苓　半夏各中二　橘皮

桔梗　桂支　芍薬　人参小　甘艸ヶ　姜

定痛散　回　虫牙痛甚者主之

連堯大　黄連　當皈　山椒　苦参

生节　細辛各中　烏梅　甘艸　白芷

干姜

千金内托散　回

桔梗各小　癰疽瘡癤未成者速散已成者速潰敗膿

自出無用手擠悪肉自出不用刀鍼服薬後疼痛頓減此薬

活血匀気調胃補虚去風邪辟穢気乃王道之剤宜多服之大効

黄芪大　當皈　川芎　防風各中　人参

桔梗各小　白芷　厚朴　桂支半　甘艸　厚

或加金銀花小亦好加酒温服癰疽痛倍白芷不腫痛倍官桂

〇不進飲食加香附砂仁〇痛甚加乳没〇水不乾加知母貝

母〇瘡不牙加皂角刺〇咳加半夏陳皮杏人生姜〇大使閉
加大黄枳殻〇小便渋加麦冬車前木通燈中

清心温痰湯 監　平肝解欝清火化痰除眩暈諸癎之病
麦門　川芎　人参　遠志 各六分　當皈
白朮　芍薬 酒　茯苓　陳皮　半夏
枳実　竹筎　菖蒲　香附　黄連 各一錢
甘艹 四分
回春各清心抑膽湯

清上防風湯 回　清上焦火治頭面生癰瘡癤風熱之毒宜服之
防風　連翹　桔梗 大　薄荷　荊芥 中二
白芷 中　枳殻 中半　川芎　梔子　黄芩
連 小　甘艹 少　或去黄連菊花 大三

清咽滋肺湯 通　麻疹出透及没後有餘熱咳嗽声喝者主
荊芥　兜鈴 中二　桔梗 大　栝蔞根 中　牛房 中半
貝母　玄参　萎蕤　甘艹 小　麦門 小 四錢

繆氏無兜鈴有薄苛多吐痰去麦門加橘皮

清涼甘露飲 正宗
銀柴 茵蔯 繭唇門
枳実 犀角 甘中各大 石羔 知毋各中
枇杷 黄芩 生苄各小 麦門小
淡竹三中 燈心

清陽散火湯 正 牙根盡野結腫連及頭項作痛名骨槽風也
荊芥各大 升麻 連翹各大 當皈 黄芩
防風 蒺藜 白芷各中 石羔 牛房
甘中各小

前胡湯 千 胸中逆氣心痛徹背少氣不食
前胡 半夏 芍薬 竹葉各大 黄芩
當皈 人参 桂支各中 甘中少 棗三 姜

清咽利膈湯 正 治積熱咽喉腫痛痰涎壅盛及乳蛾喉痺癰重
舌木舌或胸痛不利煩躁飲冷大便秘結等證

連翹　黄連　黄芩　桔梗　荊芥
卮子　防風　薄荷　牛房　玄参
忍冬　芒硝　大黄　甘草

瑞金散　良方　　須　婦人血氣撮痛月經不行預先嘔吐疼痛及

月水不通者主之

红花 中　牡丹　莪朮　芎藭　川芎

桂心　延胡 各　姜黄 半　當皈 小　一本牡丹代杜仲無芎藭

水瘟消毒飲

荆芥 大　午房 中　甘草 少

皺血丹 丹

熟芐　菊花　茴香　當皈　延胡

芍藥　肉桂　香附　蒲黄　莪朮

午膝　烏豆　睫茉 大六　甘草 少

紙数百二十一枚